LES DIEUX DU VERDICT

Né en 1956, Michael Connelly débute sa carrière en tant que journaliste en Floride, ses articles sur les survivants d'un crash d'avion en 1986 lui valant d'être sélectionné pour le prix Pulitzer. Il travaille au *Los Angeles Times* quand il décide de se lancer dans l'écriture avec *Les Égouts de Los Angeles*, pour lequel il reçoit l'Edgar du premier roman. Il y campe le célèbre personnage du policier Harry Bosch, que l'on retrouvera notamment dans *Volte-face* et *Ceux qui tombent*. Auteur du *Poète*, il est considéré comme l'un des maîtres du roman policier américain. Deux de ses livres ont déjà été adaptés au cinéma, et l'ensemble de son œuvre constitue le cœur de la série télévisée *Bosch*.

MICHAEL CONNELLY

Les Dieux du verdict

ROMAN TRADUIT DE L'ANGLAIS PAR ROBERT PÉPIN

CALMANN-LÉVY

Titre original :

THE GODS OF GUILT
Publié avec l'accord de Little, Brown and Company, Inc., New York.

À Charlie Hounchell

PREMIÈRE PARTIE

Glory Days

Mardi 13 novembre

Chapitre 1

Je m'approchai du box des témoins, le sourire chaleureux et engageant. Ce qui, bien sûr, masquait mon propos véritable – à savoir réduire à néant la femme qui s'y était assise, les yeux rivés sur moi. Claire Welton venait en effet d'identifier mon client comme étant l'individu qui l'avait forcée à sortir de sa Mercedes E60 sous la menace d'une arme le soir du réveillon, l'année précédente. À l'entendre, c'était aussi lui qui l'avait jetée à terre avant de filer avec sa voiture, son sac à main et tous les autres sacs de courses qu'elle avait posés sur la banquette arrière du véhicule en sortant du centre commercial. Comme elle venait également de le dire au procureur qui l'interrogeait, il lui avait en plus ôté tout sentiment de sécurité et de confiance en elle, même s'il n'était pas accusé de ces deux délits plus personnels.

— Bonjour, madame Welton, lui lançai-je.

— Bonjour, me renvoya-t-elle, ce mot prononcé comme s'il était synonyme de : *Je vous en prie, ne me faites pas de mal*.

Mais tout le monde dans la salle savait très bien que c'était mon boulot de lui faire mal et d'ainsi affaiblir le dossier que l'État de Californie avait monté contre mon client, Leonard Watts. Âgée d'une soixantaine d'années, Welton avait tout de la matrone. Elle ne semblait pas fragile, mais j'avais à espérer qu'elle le soit.

Femme au foyer résidant à Beverly Hills, elle était l'une des trois victimes attaquées et détroussées lors de la série de crimes qui s'étaient produits avant Noël et avaient valu neuf chefs d'accusation à mon client – surnommé par les flics le « bandit des autos tamponneuses ». Voleur agressif, il suivait des femmes qu'il repérait à la sortie d'un centre commercial, leur rentrait dedans à un stop de leur quartier résidentiel, puis s'emparait de leur véhicule et de leurs affaires sous la menace d'une arme au moment où elles descendaient de voiture pour constater les dégâts. Après quoi, il revendait ou mettait au clou toutes leurs marchandises et bradait leur voiture dans une casse de la Valley.

Mais tout cela n'était qu'allégations et ne reposait que sur le témoignage d'une personne qui l'avait désigné comme coupable devant les jurés. C'était ce qui faisait de Claire Welton quelqu'un de très spécial, en plus d'être le témoin clé du procès. Elle était la seule des trois victimes à l'avoir pointé du doigt devant les jurés et à avoir clairement déclaré que c'était bien lui qui avait fait le coup. Septième témoin de l'accusation en deux jours, elle était à mes yeux le seul valable, la quille nº 1 de la partie de bowling. Si j'arrivais à la faire tomber en y mettant le bon effet, toutes les autres dégringoleraient avec elle.

Il me fallait un *strike*, sans quoi les jurés qui nous observaient expédieraient Leonard Watts en taule pour un bon bout de temps.

Je n'avais pris qu'une seule et unique feuille de papier avec moi. Je l'identifiai comme étant le rapport établi par le premier officier de la patrouille à avoir répondu à l'appel au 911[1] passé par Claire Welton d'un portable qu'elle avait emprunté après le vol de sa voiture. Ce document comptait déjà au nombre des pièces à conviction présentées par l'accusation. Après avoir demandé et obtenu la permission du juge, je le posai au bord du box, Welton s'écartant alors de moi. Je suis certain que les trois quarts des membres du jury le remarquèrent eux aussi.

Je posai ma première question en regagnant le lutrin installé entre les tables de l'accusation et celles de la défense :

— Madame Welton, vous avez devant vous le premier rapport établi le jour même où s'est produit le malheureux incident dont vous avez été victime. Vous rappelez-vous avoir parlé à l'officier qui est venu vous aider ?

— Oui, bien sûr.

— Vous lui avez dit ce qui s'était passé, exact ?

— Oui. J'étais encore toute secouée par…

— Mais vous lui avez bien dit ce qui s'était passé de façon qu'il puisse établir un rapport sur l'individu qui vous avait volé vos achats et votre voiture, n'est-ce pas ?

— Oui.

— Et c'était bien l'officier Corbin, exact ?

— Je pense. Je ne me rappelle pas son nom, mais c'est dans le rapport.

_____

1. Équivalent américain de notre police secours. (*Toutes les notes sont du traducteur.*)

13

— Mais vous vous rappelez bien lui avoir dit ce qui s'était passé, n'est-ce pas ?

— Oui.

— Et il a rédigé un résumé de ce que vous lui avez dit, n'est-ce pas ?

— Oui, oui.

— Et il vous a même demandé de le lire et de le parapher, n'est-ce pas ?

— Oui, mais j'étais très nerveuse.

— Les initiales portées au bas de ce résumé sont bien les vôtres ?

— Oui.

— Madame Welton, voulez-vous lire aux jurés ce qu'a écrit l'officier Corbin après avoir parlé avec vous ?

Elle hésita et réexamina le document avant de le lire.

Kristina Medina, le procureur, en profita pour élever une objection.

— Monsieur le juge, dit-elle, que le témoin ait ou non paraphé le rapport de cet officier n'empêche pas que la défense tente d'invalider son témoignage à l'aide d'un écrit qui n'est pas de sa main. D'où mon objection.

Le juge Michael Siebecker fronça les sourcils et se tourna vers moi.

— Monsieur le juge, lui dis-je, en paraphant le rapport de cet officier, le témoin en a accepté la teneur. Il s'agit d'un souvenir enregistré et les jurés devraient l'entendre[1].

---

1. En droit américain, un témoignage peut être invalidé s'il s'agit d'un ouï-dire. La seule exception est celle du souvenir enregistré.

Siebecker rejeta l'objection de Medina et ordonna à Mme Welton de lire la déclaration qu'elle avait paraphée. Elle finit par le faire.

— *La victime déclare s'être arrêtée au croisement des rues Camden et Elevado et avoir peu après été tamponnée à l'arrière par une voiture. Lorsqu'elle a ouvert sa portière pour descendre de son véhicule et constater les dégâts, elle a été accostée par un Noir circa trente-trente-cinq…*, je ne sais pas ce que ça veut dire.

— Entre trente et trente-cinq ans, lui dis-je. Continuez, s'il vous plaît.

— *Il l'a attrapée par les cheveux, l'a sortie complètement de la voiture et l'a jetée à terre au beau milieu de la rue. Il lui a ensuite pointé un revolver noir à canon court sur la figure en lui disant qu'il la tuerait si elle bougeait ou criait. Le suspect a alors sauté dans la voiture de la victime, puis il est parti vers le nord, suivi par l'automobile qui avait tamponné celle de la victime par l'arrière. La victime n'a pu donner aucun…*

J'attendis, mais elle ne termina pas la phrase.

— Monsieur le juge, pourriez-vous ordonner au témoin de lire le document dans son intégralité, tel qu'il a été rédigé le jour de l'incident ?

— Madame Welton, entonna le juge Siebecker, je vous prie de lire ce document dans son intégralité.

— Mais, monsieur le juge, je n'ai pas dit que ça.

— Madame Welton, répéta le juge avec force, veuillez lire entièrement cette pièce comme vous le demande l'avocat de la défense.

Welton finit par accepter et lut la dernière phrase du résumé.

— *La victime n'a pu donner aucun signalement du suspect à ce moment-là.*

— Merci, madame Welton, repris-je. Et donc, alors que vous n'avez guère fourni de détails sur l'aspect physique de notre suspect, vous avez, et tout de suite, été capable de décrire très précisément l'arme dont il s'est servi, c'est bien ça ?

— Très précisément, je ne sais pas. Mais comme il me la braquait sur la figure, j'ai pu la voir comme il faut et j'ai été en mesure de décrire ce que j'avais vu. L'officier de police m'a aidée en m'expliquant la différence entre un revolver et l'autre espèce d'arme. Un automatique, je crois.

— Vous avez donc été capable de dire de quelle sorte d'arme il s'agissait, d'en donner la couleur et d'en préciser la longueur du canon.

— Les armes de poing ne sont pas toutes noires ?

— Et si c'était moi qui posais les questions, madame Welton ?

— C'est-à-dire que l'officier de police m'en a posé beaucoup.

— Peut-être, mais vous êtes incapable de décrire l'homme qui pointe son arme sur vous et deux heures plus tard, voilà que vous choisissez son visage dans une série de photos d'identité judiciaire. Est-ce que je me trompe, madame Welton ?

— Il faut que vous compreniez quelque chose. J'ai vu l'homme qui m'a volée et qui a braqué son arme sur moi. Décrire et reconnaître quelqu'un sont deux choses distinctes. Dès que j'ai vu cette photo, j'ai su que c'était lui tout aussi sûrement que pour moi, il ne fait aucun doute que c'est lui qui est assis là-bas, à l'autre table.

16

Je me tournai vers le juge.

— Monsieur le juge, j'aimerais que vous supprimiez cette remarque des minutes au motif qu'elle ne répond pas à ma question.

Medina se leva.

— Monsieur le juge, l'avocat nous sert de grandes déclarations dans ses prétendues questions. Il y est allé d'une affirmation et le témoin n'a fait qu'y réagir. Cette requête n'est pas fondée.

— Requête refusée, lança vite le juge. Question suivante, maître Haller, et j'entends que ce soit bien une question.

J'obtempérai et tentai le tout pour le tout. Les vingt minutes qui suivirent, j'entrepris de démolir Claire Welton en m'attaquant à la manière dont elle avait identifié mon client. Je lui demandai combien de Noirs elle avait connus dans sa vie de femme au foyer vivant à Beverly Hills, et évoquai les problèmes inhérents à l'identification d'individus appartenant à d'autres races. Sans le moindre résultat. À aucun moment je n'arrivai à ébranler la décision qu'elle avait prise, ou la certitude qu'elle avait, de voir en Leonard Watts celui qui l'avait volée. Peu à peu même, elle me donna l'impression d'avoir retrouvé une des choses qu'elle avait, à l'entendre, perdues lors de ce vol : sa confiance en elle. Plus je la travaillais au corps, plus elle paraissait résister à mes agressions verbales et me les renvoyer à la figure. Elle finissait par devenir un véritable roc. Et son identification tenait toujours. Je ne faisais que lancer des boules qui terminaient dans la rigole.

J'informai le juge que je n'avais plus d'autres questions et regagnai la table de la défense. Medina disant alors au juge que son interrogatoire en contre serait bref, je sus tout de suite que les questions qu'elle allait poser à Welton ne feraient que renforcer son identification. Je me glissai dans mon fauteuil à côté de Watts, qui chercha aussitôt des raisons d'espérer sur mon visage.

— Eh bien, c'est fini, lui murmurai-je. Nous sommes cuits.

Il s'écarta de moi comme si mon haleine, mes paroles, voire les deux, lui répugnaient.

— « Nous » ? répéta-t-il suffisamment fort pour interrompre Medina qui se retourna pour nous regarder.

Je baissai les mains en un geste d'apaisement et murmurai : « Du calme, du calme » à mon client.

— Du calme ? répéta-t-il tout haut. Il est pas question que je me calme. Vous m'aviez dit que c'était tout bon et que cette nana serait pas un problème.

— Maître Haller ! aboya le juge. Contrôlez votre client, je vous prie, ou je vais devoir…

Watts n'attendit pas de connaître la menace que le juge s'apprêtait à proférer. Il se jeta sur moi de tout son poids et se mit à me frapper tel le demi de coin qui tente de briser une manœuvre de passe. J'étais encore assis dans mon fauteuil lorsqu'il se renversa, nous faisant l'un et l'autre atterrir aux pieds de Medina. Elle fit un bond de côté pour éviter d'être blessée au moment même où Watts levait le bras droit en arrière pour frapper. J'étais allongé par terre sur le côté gauche, mon bras droit coincé sous lui. Je réussis à lever la main gauche et à attraper son poing qui commençait à s'abattre sur moi. Cela ne fit qu'atténuer le coup. Watts m'écrasa la main sur la mâchoire.

18

Je n'avais que vaguement conscience des cris et de l'agitation autour de moi. Déjà Watts relevait le poing et se préparait à m'en flanquer un deuxième coup. Mais les gardes furent sur lui avant qu'il y parvienne. Ils l'immobilisèrent, leur élan me libérant de sa masse qui en fut propulsée jusque devant les tables des avocats.

Tout cela semblait se dérouler au ralenti. Le juge aboyait des ordres que personne n'écoutait. Medina et la sténographe s'éloignaient de la mêlée. La greffière s'était levée derrière sa barrière et regardait la scène, horrifiée. La poitrine collée au sol et la main d'un garde lui pressant la joue contre le dallage, Watts eut un drôle de sourire lorsque enfin on lui attacha les mains dans le dos.

Tout fut terminé en un instant.

— Gardes, sortez-moi cet homme du prétoire! ordonna Siebecker.

Watts fut traîné jusqu'à une porte en acier sur le côté de la salle et emmené à la cellule où l'on incarcère les accusés. Assis par terre, j'évaluai les dégâts. J'avais du sang dans la bouche, sur les dents et du haut en bas de ma chemise blanche bien repassée. Ma cravate était tombée sous la table de la défense. C'était celle à fixation rapide que je porte les jours où je rends visite à des clients en cellule et n'ai aucune envie qu'ils me collent brusquement la figure contre les barreaux en tirant dessus.

Je me frottai la mâchoire et fis courir ma langue sur mes dents. Tout semblait intact et en ordre de marche. Je sortis un mouchoir blanc de la poche intérieure de ma veste et commençai à m'essuyer le visage tout en attrapant la table de la défense de l'autre main pour me relever.

— Jeannie, dit le juge à son assistant. Appelez des infirmiers pour maître Haller.

— Non, non, monsieur le juge, m'empressai-je de répondre, ça ira. J'ai juste besoin de me nettoyer un peu.

Je ramassai ma cravate et tentai bien lamentablement de renouer avec le décorum en la rattachant à mon col malgré la tache d'un rouge bien profond qui bousillait tout le devant de ma chemise. Je m'efforçais encore de la fixer à mon col boutonné lorsque, réagissant à l'alarme que le juge avait forcément déclenchée en appuyant sur le bouton « panique », plusieurs gardes se ruèrent dans la salle par la porte du fond, Siebecker leur ordonnant aussitôt de s'arrêter : l'incident était clos. Les gardes se déployèrent le long du mur, cette démonstration de force étant destinée à empêcher tout autre individu présent dans le prétoire de faire des siennes.

Je me passai un dernier grand coup de mouchoir sur la figure et repris en ces termes :

— Monsieur le juge, je suis absolument navré que mon client…

— Pas maintenant, maître Haller. Asseyez-vous, et vous aussi, maître Medina. Que tout le monde se calme et se rassoie.

Je fis ce qu'on me demandait, tins mon mouchoir plié contre la bouche et regardai le juge se tourner complètement vers les jurés. Il commença par dire à Claire Welton qu'elle était excusée et devait quitter le box des témoins. Elle se leva et gagna d'un pas hésitant le portillon derrière les tables de la défense et de

20

l'accusation. Elle semblait plus choquée que tout le monde dans l'assistance. À juste titre, sans doute. Elle devait se dire que Watts aurait pu tout aussi bien s'en prendre à elle qu'à moi. Et que s'il avait été plus rapide, il n'aurait eu aucun mal à l'atteindre.

Elle s'assit au premier rang de l'assistance – celui réservé aux témoins et au personnel du prétoire – et le juge s'adressa aux jurés.

— Mesdames et messieurs, dit-il, je suis navré que vous ayez dû assister à ce spectacle. Le tribunal ne doit jamais être un lieu de violence. C'est l'endroit où la société civilisée s'élève contre la violence qui se déchaîne dans nos rues. Je suis sincèrement peiné lorsqu'il se produit quelque chose de ce genre dans cette enceinte.

Un claquement sec se fit entendre lorsque la porte de la cellule s'ouvrit, puis les deux gardes revinrent dans la salle. Je me demandai à quel point ils avaient maltraité Watts en le jetant dans la cellule.

Le juge marqua une pause et reporta son attention sur les jurés.

— Malheureusement, reprit-il, la décision de M. Watts d'attaquer son avocat compromet notre capacité à poursuivre. Je crois que…

— Monsieur le juge ? l'interrompit Medina. Si l'accusation peut se faire entendre…

Elle savait exactement à quoi se préparait le juge et avait besoin de tenter quelque chose pour l'en empêcher.

— Pas maintenant, maître Medina, et je vous prierais de ne plus interrompre la cour.

Mais elle ne lâcha pas.

— Monsieur le juge, insista-t-elle, les avocats peuvent-ils vous demander une consultation ?

Siebecker eut l'air agacé, mais se laissa fléchir. Je permis à Medina de prendre les devants et nous nous approchâmes de lui. Il déclencha le ventilateur antibruit afin que les jurés ne puissent pas entendre nos murmures. Avant que Medina ne soit en mesure de lui exposer ce qu'elle voulait, le juge me demanda encore une fois si j'avais besoin de soins.

— Tout va bien, monsieur le juge, lui répondis-je, mais j'apprécie votre offre. Je pense que c'est surtout ma chemise qui aurait bien besoin de soins.

Il acquiesça d'un signe de tête et se tourna vers Medina.

— Je connais votre objection, maître Medina, continua-t-il, mais je ne peux rien y faire. L'intégrité des jurés a été compromise par la scène à laquelle ils viennent d'assister. Je n'ai pas le choix.

— Monsieur le juge, lui renvoya-t-elle, cette affaire concerne un accusé très violent qui s'est livré à des actes très violents. Les jurés le savent. Ils ne sont donc pas compromis outre mesure par ce à quoi ils ont assisté. Ils ont le droit de juger par eux-mêmes la conduite de l'accusé. Parce que celui-ci s'est lancé volontairement dans des actes de violence, le préjudice qu'il encourt n'est ni excessif ni injuste.

— Si vous le permettez, monsieur le juge, je dois m'élever contre…

— En plus de quoi, enchaîna Medina en me court-circuitant, je crains que la cour ne se soit fait manipuler par l'accusé. Il savait très bien qu'en faisant ça, il pouvait décrocher un nouveau procès. Il…

— Holà, holà, minute ! protestai-je. L'objection de la partie adverse est lourde de sous-entendus infondés et...

— Maître Medina, votre objection est rejetée, conclut le juge, mettant ainsi fin à toute discussion. Même si ce préjudice n'est ni excessif ni injuste, de fait, M. Watts vient de répudier son avocat. Je ne peux pas exiger de maître Haller qu'il poursuive dans ces circonstances et ne suis pas davantage prêt à laisser M. Watts réintégrer ce prétoire. Reculez, je vous prie. Tous les deux.

— Monsieur le juge, j'exige que l'objection de l'accusation soit portée aux minutes.

— Ce sera fait. Et maintenant, rejoignez vos places.

Nous regagnâmes nos tables et le juge éteignit le ventilateur pour s'adresser aux jurés.

— Mesdames et messieurs, comme je le disais, l'événement auquel vous venez d'assister crée une situation préjudiciable à l'accusé. Je pense qu'il vous sera trop difficile de vous distancier de ce que vous avez vu lorsque vous aurez à décider de sa culpabilité ou de son innocence. Je me vois donc contraint de prononcer un non-lieu, de vous décharger de vos devoirs et de vous présenter les remerciements de cette cour et du peuple de Californie. L'adjoint Carlyle va vous reconduire à la salle de réunion, où vous pourrez reprendre vos affaires avant de rentrer chez vous.

Les jurés n'eurent pas l'air de trop savoir quoi faire, ni d'être sûrs que tout était terminé. Pour finir, quelqu'un de courageux se leva, les autres le suivant bientôt jusqu'à une porte au fond de la salle.

Je me tournai vers Kristina Medina. Elle s'était rassise à la table de l'accusation, le menton baissé, vaincue. Le juge ajourna la séance au lendemain et quitta sa place. Je repliai mon mouchoir abîmé et le rangeai.

Chapitre 2

J'avais prévu de passer toute la journée au tribunal. Soudain libre, je me retrouvai sans clients à voir, sans procureurs à travailler au corps ni endroit où aller. Je quittai le bâtiment et descendis Temple Street jusqu'à la 1re Rue. Au coin de cette dernière se trouvait une poubelle. Je sortis mon mouchoir, le portai à mes lèvres et y crachai toutes les cochonneries que j'avais encore dans la bouche. Et le jetai enfin.

Je pris à droite dans la 1re Rue et vis les Town Cars rangées le long du trottoir. Véritable cortège funèbre, il y en avait six les unes derrière les autres, leurs chauffeurs rassemblés pour bavarder de choses et d'autres. On dit qu'imiter est la forme la plus sincère de flatterie qui soit, mais depuis la sortie du film, tout un tas d'avocats du type *La Défense Lincoln* étaient apparus et se pressaient devant les tribunaux de Los Angeles. J'en étais tout à la fois fier et agacé. J'avais, et plus d'une fois, entendu dire que, selon certains, c'étaient eux qui avaient servi d'inspiration au film. Et pour couronner le tout j'avais à trois reprises – au minimum – sauté dans la mauvaise Lincoln rien que le mois précédent.

Mais cette fois-ci, il n'y aurait pas d'erreur. Je descendais la côte lorsque je sortis mon portable et appelai Earl Briggs, mon chauffeur. Je l'avais repéré plus loin devant. Il me répondit aussitôt et je lui demandai d'ouvrir le coffre. Et raccrochai.

Je vis s'ouvrir le coffre de la troisième Lincoln dans la file et sus jusqu'où je devais aller. Une fois à la voiture, je posai ma mallette et ôtai ma veste, ma cravate et ma chemise. J'avais un tee-shirt en dessous, je n'allais donc pas perturber la circulation. Je choisis une Oxford bleu pâle dans le tas de rechange que je garde au cas où, la dépliai et commençai à la passer. Earl quitta son petit groupe de bavards. C'était par intermittence mon chauffeur depuis presque dix ans. Dès qu'il se mettait dans le pétrin, il venait me voir et me remboursait mes honoraires en me conduisant à droite et à gauche. Cette fois néanmoins, ce n'était pas pour ses propres ennuis qu'il payait. Je m'étais occupé de défendre sa mère contre une procédure d'expulsion et avais réglé la situation de telle sorte qu'elle ne se retrouve pas à la rue. J'y avais gagné environ six mois de boulot de la part de son fils.

J'avais étalé ma chemise abîmée sur l'aile de la voiture. Il la prit et l'examina.

— C'est quoi, ça? me demanda-t-il. Quelqu'un vous a renversé un plein saladier d'Hawaiian Punch dessus?

— C'est à peu près ça, oui. Allons-y.

— Je croyais que vous étiez de tribunal toute la journée?

— C'est ce que je pensais, moi aussi. Mais des fois, y a du changement.

26

— Bon, alors, où on va ?

— Commençons par passer Chez Philippe.

— Ça marche.

Il s'installa à l'avant, je sautai à l'arrière. Après qu'il eut marqué un bref arrêt à la sandwicherie d'Alameda Street, je lui demandai d'obliquer vers l'ouest. L'arrêt suivant fut pour Menorah Manor, près de Park La Brea dans le district de Fairfax. Je l'informai que j'en aurais pour environ une heure et quittai la voiture avec ma mallette. Je rentrai ma nouvelle chemise dans mon pantalon, mais ne me donnai pas la peine de réagrafer ma cravate. Je n'en aurais pas besoin.

Menorah Manor était une maison de retraite située dans Willoughby Street, à l'est de Fairfax Avenue. Je signai le registre à l'entrée et pris l'ascenseur jusqu'au second, où j'informai l'infirmière de garde que je devais voir mon client David Siegel pour une consultation juridique et qu'on ne devait donc pas me déranger dans sa chambre. C'était une femme agréable et elle avait l'habitude de me voir. Elle acquiesça d'un hochement de tête et je descendis le couloir jusqu'à la chambre 334.

J'entrai et refermai derrière moi après avoir accroché le panneau *Ne pas déranger* à la poignée de la porte. David « Legal » Siegel était allongé sur son lit, les yeux rivés à l'écran d'un poste de télévision boulonné au mur d'en face, son coupé. Ses mains blanches et osseuses reposaient sur sa couverture, un sifflement sourd sortant du tube qui lui apportait de l'oxygène aux narines. Il sourit en me voyant.

— Mickey ! me lança-t-il.

— Legal, comment ça va aujourd'hui ?

— Pareil qu'hier. Tu m'as apporté quelque chose ?

Je tirai une chaise à moi et la positionnai de façon à être dans son champ de vision. À quatre-vingt-un ans, il ne pouvait guère se déplacer. J'ouvris ma mallette sur le lit et la tournai pour qu'il puisse y glisser la main.

— *French Dip*[1] de Chez Philippe, le vrai. Ça te va ?

— Ah, putain ! s'exclama-t-il.

Menorah Manor étant un lieu kasher, le coup de la consultation juridique me servait à contourner le règlement. Les endroits où Legal Siegel avait mangé au cours de ses quelque cinquante et un ans d'avocat à la cour lui manquaient. J'étais heureux de lui apporter ces régals culinaires. Legal Siegel avait été l'associé de mon père. C'était le stratège du cabinet, mon père n'en étant que le porte-parole, celui qui mettait en œuvre ces stratégies au prétoire. Après la mort de ce dernier – j'avais alors cinq ans –, Legal ne m'avait pas abandonné. C'était lui qui m'avait emmené à mon premier match des Dodgers quand j'étais gamin, et lui encore qui m'avait fait faire mes études de droit plus tard.

L'année d'avant, j'étais allé le voir après avoir perdu l'élection au poste de district attorney, scandales et autodestruction oblige. Je cherchais une stratégie de vie et Legal Siegel me secondait. Nos réunions étaient donc des consultations parfaitement légitimes entre un avocat et son client, à ceci près qu'à la réception on ne comprenait pas que le client, c'était moi.

---

1. Sandwich servi chaud, composé de fines tranches de bœuf trempant dans leur jus.

Je l'aidai à déballer son cadeau et lui ouvris la barquette en plastique contenant le *jus*[1] qui donnait tout leur goût aux sandwichs de Chez Philippe. Il y avait aussi un cornichon en saumure coupé en tranches et enveloppé dans du papier-alu.

Legal sourit dès sa première bouchée et pompa l'air avec son bras tout maigre comme s'il venait de remporter une grande victoire. Je souris à mon tour. J'étais heureux de lui avoir apporté quelque chose. Il avait deux fils et tout un tas de petits-enfants, mais qui ne venaient le voir qu'aux vacances. Comme il le disait : « Ils ont besoin de toi jusqu'au moment où tu ne leur es plus utile. »

Quand j'étais avec lui, nous parlions surtout d'affaires et il me suggérait des stratégies. C'était un vrai champion dans l'art de prédire les plans de l'accusation et le déroulement du procès. Peu importait qu'il n'ait plus mis les pieds dans un prétoire de tout ce siècle et que les codes de procédure pénale aient changé depuis son époque. Il avait l'expérience de base et toujours un coup à jouer. De fait, il préférait parler de « tours ». Il y avait ainsi « le tour en double aveugle », « le tour des robes du juge », etc. J'étais allé le voir dans la période sombre qui avait suivi l'élection. Je voulais apprendre des choses sur mon père et savoir comment il s'était débrouillé dans l'adversité. Au final, j'en avais appris davantage sur le droit, en quoi il a tout du plomb mou et comment on peut le tordre et le mouler. « Le droit est malléable, me disait-il toujours. Il y a moyen de le plier. »

---

1. En français dans le texte.

Je considérais qu'il faisait partie de mon équipe et cela m'autorisait à discuter de mes dossiers avec lui. Il avançait des idées et suggérait des « tours », parfois je m'en servais et ça marchait, mais pas toujours.

Il mangeait lentement. J'avais constaté que lorsque je lui donnais un sandwich, il pouvait mettre une heure à le grignoter en mâchant consciencieusement. Il avalait tout ce que je lui apportais.

— La nana du 330 est morte hier soir, me dit-il entre deux bouchées. C'est dommage.

— Désolé de l'apprendre. Elle avait quel âge ?

— Elle était jeune. Soixante-dix et quelques. Elle est morte comme ça dans son sommeil et ils l'ont déménagée ce matin.

Je hochai la tête. Je ne savais pas quoi dire. Il avala une autre bouchée et glissa la main dans ma mallette pour y prendre une serviette.

— T'as pas pris de jus, Legal. C'est le meilleur !

— J'aime ça plutôt sec. Dis, t'as fait le coup du drapeau rouge ? Comment ça a marché ?

En s'emparant de la serviette, il avait repéré la capsule de sang supplémentaire que je garde dans un sachet Ziploc. Je l'ai toujours au cas où j'avalerais la première par mégarde.

— Comme sur des roulettes.

— T'as eu ton non-lieu ?

— Ouaip. Même que… ça t'embêterait que je me serve de ta salle de bains ?

Je passai la main dans ma mallette et y pris un autre sachet Ziploc, celui où se trouve ma brosse à dents. Puis je gagnai la salle de bains et me brossai les dents. La teinture rouge commença par rendre ma brosse toute rose, mais finit vite par disparaître entièrement dans la bonde.

Je regagnais ma chaise lorsque je remarquai que Legal n'en était qu'à la moitié de son sandwich. Je savais que le reste devait être froid et qu'il n'y avait aucun moyen de l'apporter à la salle de jour pour le réchauffer au micro-ondes. Malgré tout, Legal était toujours heureux.

— Je veux des détails, dit-il.

— Disons que j'ai essayé de casser le témoin, mais qu'elle n'a pas lâché. Un vrai roc. Alors, je me suis retourné vers la table, j'ai donné le signal et il a fait son numéro. Il m'a frappé un peu plus fort que ce à quoi je m'attendais, mais je ne me plains pas. Et le meilleur, c'est que je n'ai même pas eu à requérir le non-lieu. Le juge y est allé direct, tout seul.

— En passant outre à l'objection de l'accusation ?

— Oh oui !

— Génial. Qu'ils aillent se faire foutre.

Legal Siegel était avocat de la défense jusqu'au bout des ongles. Pour lui, tout dilemme d'éthique ou de zone grise pouvait être réglé en se rappelant qu'il est du devoir sacré de tout avocat d'offrir la meilleure défense à son client. Peu importe si cela signifie induire un non-lieu quand tout tombe à l'eau.

— Bon, mais maintenant, toute la question est de savoir s'il voudra bien négocier.

— En fait, c'est une femme et je crois que oui. T'aurais dû la voir après la bagarre ! Elle avait une trouille bleue et je ne pense pas qu'elle ait envie de revenir pour un autre procès. Je vais attendre une semaine avant de demander à Jennifer de l'appeler. Je crois qu'elle sera prête à discuter.

Jennifer, à savoir Jennifer Aronson, mon associée. Elle allait devoir reprendre la représentation de Leonard Watts parce que si je continuais à l'assurer, la manœuvre apparaîtrait pour ce qu'elle était vraiment, à savoir ce à quoi avait fait allusion Medina au prétoire.

Elle avait refusé de négocier un accord avant procès parce que Leonard avait, lui, refusé de donner son complice, le gars qui emboutissait les véhicules des victimes. Watts n'ayant aucune envie de cafter, Medina n'avait eu, elle, aucune envie de discuter. La situation serait différente dans une semaine, me disais-je, et ce, pour plusieurs raisons : j'avais vu l'essentiel de la manière dont l'accusation avait joué l'affaire lors du premier procès, le témoin principal de Medina était effrayé par ce qui s'était produit sous ses yeux au prétoire, et engager un nouveau procès coûterait cher au contribuable. En plus de quoi, j'avais laissé Medina entrapercevoir ce qui pourrait arriver si, par experts interposés, la défense offrait aux jurés un joli tableau des dangers inhérents aux reconnaissance et identification interraciales. C'est là quelque chose qu'aucun procureur ne souhaite affronter devant un jury.

— Tiens, repris-je, il se pourrait même qu'elle m'appelle avant que je sois obligé d'aller la voir.

Cela tenait du vœu pieux, mais je voulais que Legal se sente heureux de m'avoir fourni cette stratégie.

Je profitai de ce que j'étais debout pour sortir la capsule de sang de la mallette et la jeter dans la poubelle réservée aux déchets toxiques qui se trouvait dans la chambre. Je n'en avais plus besoin et ne voulais pas courir le risque qu'elle se casse et me bousille tous mes dossiers.

Mon portable se mettant à bourdonner, je le sortis de ma poche. C'était Lorna Taylor, l'assistante en charge de mon emploi du temps, mais je décidai de laisser faire la messagerie. Je la rappellerais après ma visite à Legal.

— Qu'est-ce que tu as d'autre en route ? me demanda ce dernier.

J'écartai les mains.

— Eh bien, comme je n'ai pas de procès pour l'instant, faut croire que j'ai toute la semaine de libre. Je pourrais aller faire un tour au tribunal histoire de voir si je ne pourrais pas me trouver un ou deux clients mis en examen. Bosser ne me ferait pas de mal.

Non seulement cela ne me ferait pas de mal côté revenus, mais travailler me permettrait aussi de m'occuper au lieu de penser à tout ce qui allait mal dans ma vie. C'est d'ailleurs dans ce sens que l'exercice du droit était devenu pour moi bien plus qu'un art et une vocation. Cela m'empêchait de perdre la raison.

En allant voir ce qui se passait au Department 130, la chambre des mises en accusation du Criminal Courts Building du centre-ville, j'avais une chance de récolter des clients que l'avocat commis d'office ne pouvait prendre pour cause de conflit d'intérêts. Lorsque le district attorney lance un procès contre plusieurs accusés, l'avocat commis d'office ne peut en défendre qu'un seul, ce qui met tous les autres dans une situation de conflit d'intérêts. Et si ces autres clients n'ont pas d'avocats, le juge leur en désigne un. Et si moi, je suis là à me tourner les pouces, à tous les coups j'hérite d'une affaire. C'est certes payé au tarif public, mais c'est mieux que pas de travail et pas de paie du tout.

— Quand je pense, reprit Legal, qu'à un moment donné de l'automne dernier, tu avais cinq points d'avance dans les sondages et que là, tu en es réduit à chercher des affaires d'occasion à la chambre des mises en accusation…

L'âge aidant, Legal avait oublié les trois quarts des filtres sociaux auxquels on a normalement recours pour parler poliment.

— Merci, Legal, lui renvoyai-je. Ça, je peux toujours compter sur toi pour me donner une exacte et juste estimation de là où j'en suis dans la vie. C'est rafraîchissant.

Il leva ses mains osseuses en un geste que je pris pour une excuse.

— C'était juste pour dire…

— Ben tiens.

— Bon alors, et ta fille ?

C'était sa façon de fonctionner. Il lui arrivait de ne plus pouvoir se rappeler ce qu'il avait avalé au petit déjeuner, mais il n'oubliait jamais que j'avais perdu plus qu'une élection l'année précédente. Le scandale m'avait coûté l'amour, la compagnie de ma fille et toute possibilité de remettre de l'ordre dans ma famille désunie.

— Rien n'a changé de ce côté-là, mais, je t'en prie, ne parlons pas de ça aujourd'hui, lui répondis-je.

Je vérifiai à nouveau mon portable en sentant le vibreur signaler l'arrivée d'un SMS. Lorna. Elle avait dû comprendre que je ne prenais pas d'appels et n'écoutais pas mes messages. Un SMS, c'était différent.

Qu'elle ait repris le numéro du code pénal de Californie désignant le meurtre attira mon attention. Le moment était venu d'y aller.

— Tu sais, Mickey, si je t'en parle, c'est parce que toi, tu ne parles jamais d'elle, reprit Legal.

— Je n'ai aucune envie d'en parler. C'est trop pénible. Je me saoule tous les vendredis soir rien que pour pouvoir passer les trois quarts de mon samedi à dormir. Et tu sais pourquoi ?

— Non, je ne vois vraiment pas pourquoi tu devrais vouloir te saouler. Tu n'as rien fait de mal. Tu as fait ton boulot avec ce… ce Galloway, si c'est bien comme ça qu'il s'appelle.

— Je me pinte le vendredi soir pour être hors course le samedi parce que c'était le samedi que je voyais ma fille. Oui, il s'appelait bien Gallagher, Sean Gallagher, et que j'aie fait mon boulot ou pas n'a aucune importance dans cette affaire. Des gens sont morts, Legal, et à cause de moi. Comme si on pouvait se cacher derrière cette excuse quand deux personnes se font ratatiner à un croisement par le gars que tu as libéré ! Et maintenant, il faut que j'y aille.

Je me levai et lui montrai mon portable comme si c'était la raison qui m'obligeait à partir.

— Quoi ? ! Je ne te vois pas pendant un mois entier et il faut déjà que tu files ? Je n'ai pas fini mon sandwich, moi !

— Je suis passé mardi dernier, Legal. Et je reviendrai un jour de la semaine prochaine. Et si ce n'est pas

---

1. *As soon as possible*, « dès que possible ».

la semaine prochaine, ce sera celle d'après. Tiens bon et ne lâche rien.

— « Ne lâche rien » ? Et ça voudrait dire quoi, hein ?

— Ça veut dire : ne laisse pas filer ce que tu as. C'est mon demi-frère de flic[1] qui m'a dit ça un jour. Finis ton sandwich avant qu'on vienne te le piquer.

Je me dirigeai vers la porte.

— Hé, Mickey Mouse ! me lança-t-il.

Je me retournai. C'était comme ça qu'il m'appelait quand je n'étais qu'un bébé – je pesais 2,5 kilos à la naissance. En temps normal, je lui aurais dit de ne plus m'appeler comme ça. Là, je le laissai faire pour pouvoir m'esquiver.

— Quoi ?

— Ton père appelait toujours les jurés les « dieux du verdict ». Tu te rappelles ?

— Oui. Parce que ce sont eux qui décident de l'innocence ou de la culpabilité de l'accusé. Où veux-tu en venir, Legal ?

— Au fait qu'il y a plein de gens pour nous juger tous les jours et sur tout ce que nous faisons. Ceux qui nous disent coupables sont innombrables. Y a pas besoin d'en rajouter.

J'acquiesçai d'un signe de tête, mais ne pus m'empêcher de lui renvoyer ceci :

— Sandy Patterson et sa fille, Katie.

Ma réponse parut l'éberluer. Il ne reconnaissait pas ces deux noms. Moi, bien sûr, je ne pouvais pas les oublier.

---

1. Harry Bosch.

— La mère et la fille qu'a tuées Gallagher. Ma culpabilité à moi.

Je refermai la porte derrière moi et laissai le panneau *Ne pas déranger* accroché à la poignée. Peut-être Legal Siegel arriverait-il à terminer son sandwich avant que les infirmières ne passent et ne découvrent notre crime.

Chapitre 3

De retour à la Lincoln, j'appelai Lorna Taylor qui, en guise de salutation, me servit les mots mêmes qui me font toujours l'effet d'avoir une épée à double tranchant en travers du corps. Ceux qui m'excitent et me répugnent tout à la fois.

— Mickey, tu as une affaire de meurtre, si ça t'intéresse…

L'idée d'avoir une affaire de meurtre peut vous enflammer les sangs pour de multiples raisons. Et d'un, et c'est le plus important, c'est le crime le plus grave du code et celui où les enjeux professionnels sont les plus élevés. Défendre quelqu'un qui est soupçonné de meurtre exige d'être au meilleur de sa forme. Pour hériter de ce genre d'affaire, il faut avoir la réputation même qui vous a mis au plus haut. Et, cerise sur le gâteau, il y a l'argent. Que l'affaire aille jusqu'au procès ou pas, assurer la défense d'un assassin coûte cher parce que cela prend énormément de temps. Décrochez-vous une affaire de meurtre avec un client qui paie et il y a toutes les chances que ça vous assure toute votre année.

L'inconvénient, c'est le client. Si je ne doute absolument pas que des innocents soient accusés de meurtre, je dois dire que, les trois quarts du temps, les flics et les procureurs ne se trompent pas et qu'il ne vous reste plus qu'à négocier ou faire baisser la durée et les conditions du châtiment. Et tout ce temps-là, vous êtes assis à côté d'un individu qui a pris une vie. L'expérience n'est jamais agréable.

— Tu me donnes les détails ?

J'étais assis à l'arrière de la Town Car, mon grand bloc-notes ouvert sur l'abattant de ma table de travail. Earl avait pris la 3e Rue en direction du centre-ville, à savoir tout droit à partir du district de Fairfax.

— Appel en PCV de Men's Central[1], dit-elle. Je l'ai accepté, et le type est un certain Andre La Cosse. Il dit avoir été arrêté pour meurtre hier soir et veut t'engager. Et écoute un peu ça : quand je lui ai demandé comment il avait eu ton nom, il m'a dit que c'était la femme qu'il est accusé d'avoir tuée qui t'avait recommandé. À l'entendre, elle lui aurait assuré que tu étais le meilleur.

— Qui est-ce ?

— C'est ça qui est dingue. D'après lui, elle s'appellerait Giselle Dallinger. Je l'ai passée à l'application anticonflits d'intérêts et elle n'y est pas répertoriée. Comme tu ne l'as jamais représentée, je ne vois pas trop comment elle a pu avoir ton nom et te recommander à ce type avant de se faire censément assassiner par lui.

L'application anticonflits d'intérêts est un logiciel qui numérise toutes nos affaires et nous permet de savoir en quelques secondes si un client potentiel est déjà passé au tribunal en qualité de témoin, victime ou client. Après quelque vingt ans et plus de travail dans ce

---

1. Prison pour hommes de Los Angeles.

métier, je ne peux pas me rappeler les noms de tous mes clients, et encore moins ceux des individus rattachés à ces affaires. Cette application nous économise énormément de temps. Avant son apparition, il n'était pas rare que je commence à creuser un dossier pour découvrir que j'avais un conflit d'intérêts à représenter mon nouveau client à cause d'un autre plus ancien auquel j'avais eu affaire, témoin ou victime.

Je baissai les yeux sur mon bloc-notes. Je n'avais fait qu'y inscrire les noms, rien d'autre.

— Bon, qui est à l'origine de l'affaire ?

— Le LAPD, West Bureau Homicide.

— C'est tout ce qu'on a ? Le type a dit autre chose ?

— Il dit que sa première comparution est pour demain matin et il veut que tu y sois. À l'entendre, tout ça est un coup monté et il n'a pas tué cette femme.

— Qui était… son épouse ? sa petite amie ? une collègue de bureau ? autre chose ?

— Il dit qu'elle travaillait pour lui, c'est tout. Je sais que tu n'aimes pas que tes clients te causent par téléphone depuis la prison, alors je ne lui ai rien demandé sur l'affaire.

— Très bien, ça, Lorna.

— Et tu es où, à part ça ?

— Je suis allé voir Legal. Je suis sur le chemin du retour. Je vais voir si je peux aller jeter un coup d'œil à ce type et en apprendre un peu plus. Tu peux joindre Cisco et lui demander d'effectuer les premières recherches ?

— Il s'y est déjà mis. Je l'entends parler avec quelqu'un en ce moment même.

Cisco Wojciechowski est mon enquêteur. C'est aussi le mari de Lorna et tous les deux travaillent chez elle,

dans son appartement en copropriété de West Hollywood. Il se trouve que Lorna est aussi mon ex-épouse.
La deuxième, après celle qui m'a donné mon seul
enfant – qui a aujourd'hui seize ans et ne veut plus
avoir affaire à moi. Il m'arrive de penser que je ferais
bien d'avoir un graphique d'évolution sur un tableau
blanc afin de me souvenir de tout le monde et des relations de tout le monde avec tout le monde, mais au
moins n'y a-t-il aucune jalousie entre Lorna, Cisco et
moi, seulement de solides relations de travail.

— O.K., demande-lui de m'appeler. Ou alors, je
l'appellerai après la prison.

— Parfait. Bonne chance.

— Une dernière chose. Ce La Cosse est un client qui
paie ?

— Oh oui ! Il m'a dit qu'il n'avait pas de liquide,
mais qu'il avait de l'or et d'autres trucs qu'il pouvait
changer sur le « marché des matières premières ».

— Tu lui as annoncé la couleur ?

— Je lui ai dit qu'il te faudrait 25 000 dollars rien
que pour commencer et plus après. Ça ne l'a pas fait
flipper le moins du monde.

Les accusés capables non seulement de lâcher
25 000 dollars de dépôt, mais d'être prêts à le faire, sont
en nombre infime et ne se rencontrent que de loin en
loin. Je ne savais rien de l'affaire, mais tout cela s'annonçait pour le mieux.

— Bien, je te rappelle dès que j'en sais plus.

— Haut les cœurs !

*

Le beau ballon commença à se dégonfler avant même que je pose les yeux sur mon nouveau client. J'avais déposé une attestation d'engagement de représentation au bureau de la prison et attendais que les gardes trouvent La Cosse et me l'installent dans une salle d'interrogatoire lorsque Cisco me fit part des premiers renseignements qu'il avait glanés à toutes les sources humaines et numériques dans l'heure qui s'était écoulée depuis que nous avions hérité de l'affaire.

— Bon, alors, deux ou trois trucs, dit-il. Le LAPD a fait passer un communiqué sur ce meurtre dès hier, mais ne dit rien d'une quelconque arrestation pour l'instant. Giselle Dallinger, trente-six ans, a été retrouvée tôt lundi matin dans son appartement de Franklin Avenue, à l'ouest de La Brea. Elle y a été découverte par des pompiers appelés sur les lieux parce qu'on y avait mis le feu. Le corps était brûlé, mais on soupçonne que l'incendie a été provoqué pour essayer de maquiller le meurtre en accident. On attend toujours le rapport d'autopsie mais, d'après le communiqué, certains indices prouveraient que la victime a été étranglée. La presse la qualifie de femme d'affaires, mais le *Times* a publié une brève sur son site où il est dit que, d'après les autorités du maintien de l'ordre, ce serait une prostituée.

— Génial. Et donc, c'est quoi, ce client? Un micheton?

— En fait, le *Times* précise que c'est un associé que les flics ont interrogé. Que ce monsieur soit La Cosse ou quelqu'un d'autre, on n'en sait rien, mais il suffit de faire le rapprochement pour...

— Pour se retrouver avec un mac.

— C'est bien ce qui me semble.

— Super. Ça m'a l'air d'être un mec au poil.

— Bon, mais vois plutôt le bon côté des choses : Lorna nous dit que c'est un client qui paie.

— Je le croirai quand j'aurai le fric dans ma poche.

Soudain je pensai à ma fille, Hayley, et à une des dernières choses qu'elle m'avait dites avant de couper les ponts avec moi. Elle avait traité mes clients de « lie de la société », ne voyant en eux que des voleurs, des drogués et des assassins. À l'heure qu'il était, je n'aurais pu lui opposer quoi que ce soit. Dans ma liste de clients on trouvait en effet le voleur qui détroussait les vieilles dames en emboutissant leurs voitures, un type qu'on accusait d'avoir violé une femme lors d'un rendez-vous galant, un escroc qui piquait de l'argent dans un fonds de soutien aux étudiants et divers autres truands antisociaux. Et voilà que je venais très probablement d'y ajouter un assassin – et un assassin trafiquant dans le business du sexe.

Je commençais à me dire que je les méritais tout autant qu'ils me méritaient, moi. Nous étions tous des losers au jeu de la chance, bref, le genre d'individus qui n'incitent pas les dieux du verdict à sourire.

Ma fille avait connu les deux personnes que mon client Sean Gallagher avait tuées. Katie Patterson était une camarade de classe. Et sa mère la dame qui accueillait les élèves de sa promotion le matin à l'école. Hayley avait dû changer d'établissement afin d'échapper au mépris qu'on lui avait voué lorsque les médias – et par là, j'entends tous les médias – avaient révélé que J. Michael Haller Junior, qui se présentait au poste de district attorney du comté de Los Angeles, était celui-là même qui avait réussi à épargner une énième accusation de conduite en état d'ivresse à ce Gallagher en faisant jouer un défaut de procédure.

Le résultat de tout cela était que Gallagher se baladait dans la nature et continuait de boire et de rouler grâce à mes prétendus talents de défenseur, et que, aussi fort que Legal Siegel ait tenté d'apaiser ma conscience avec le sempiternel refrain du « tu ne faisais que ton devoir », je savais, jusque dans les plus sombres recoins de mon âme, que le verdict était bel et bien coupable. Coupable aux yeux de ma fille, coupable à mes yeux. Tout autant.

— Hé, Mick, t'es toujours avec nous ?

Je sortis de ma lugubre rêverie et m'aperçus que j'étais toujours au téléphone avec Cisco.

— Oui, oui. Tu sais qui s'occupe de l'affaire chez les flics ?

— D'après le communiqué, ce serait l'inspecteur Mark Whitten du West Bureau. On n'a pas le nom de son collègue.

Je ne connaissais pas ce Whitten et, pour ce que j'en savais, ne m'étais jamais trouvé confronté à lui dans aucune affaire.

— Bon. Autre chose ?

— C'est tout ce que j'ai pour le moment, mais j'y travaille.

Les renseignements qu'il m'avait donnés avaient tempéré mon enthousiasme. Cela dit, je n'étais pas encore prêt à me débarrasser de l'affaire. Toute question de culpabilité mise à part, un chèque est un chèque. Et j'avais besoin de fric pour maintenir le cabinet Haller & Associates à flot.

— Je te rappelle dès que j'ai vu le bonhomme, à savoir tout de suite.

Un garde me conduisit vers un des box réservés aux avocats et à leurs clients. J'y entrai.

Andre La Cosse avait déjà pris place sur une chaise de l'autre côté de la table séparée en deux par une paroi de Plexiglas haute de un mètre. Les trois quarts des clients que je vais voir à Men's Central jouent les grands décontractés et adoptent une attitude cavalière quand ils sont en taule. Simple mesure de sécurité. Si vous n'avez pas l'air inquiet d'être enfermé dans un bâtiment en acier avec douze cents autres criminels violents, il y a des chances qu'ils vous laissent tranquille. Mais si vous montrez de la peur, les prédateurs le voient et l'exploitent. Et s'approchent.

La Cosse était différent. Pour commencer, il était plus petit que ce à quoi je m'attendais. De constitution assez frêle, il me donnait l'impression de n'avoir jamais soulevé un haltère. Il portait l'ample combinaison orange des détenus, mais semblait animé d'une fierté qui faisait mentir son état. Il ne montrait pas vraiment qu'il avait peur, mais ne faisait pas non plus démonstration de cette nonchalance exagérée que j'avais si souvent vue dans ce genre d'endroit. Il se tenait tout droit au bord de sa chaise, ses yeux me suivant comme deux rayons laser lorsque j'entrai dans le petit espace. Il y avait quelque chose de formel dans la manière dont il se comportait. Il avait les cheveux soigneusement lissés sur les côtés et l'on aurait pu croire qu'il s'était mis de l'eye-liner.

— Andre, lui lançai-je en m'asseyant, Michael Haller. Vous avez appelé mon cabinet pour que je m'occupe de votre affaire.

— Effectivement. Je ne devrais pas être ici. Quelqu'un l'a tuée après mon départ, mais personne ne veut me croire.

— Doucement, lui renvoyai-je. Laissez-moi m'installer.

Je sortis un bloc-notes de ma mallette et un stylo de ma poche de chemise.

— Avant que nous ne parlions de tout cela, permettez que je commence par vous poser deux ou trois questions.

— Allez-y.

— Que je vous dise d'entrée de jeu : vous ne pourrez jamais me mentir, Andre. Vous comprenez ? Vous mentez, je m'en vais… chez moi, c'est la règle. Je ne peux pas travailler pour vous si nous n'avons pas une relation telle que je puisse croire que tout ce que vous me direz est la stricte vérité devant Dieu.

— Ce ne sera pas un problème. La vérité est la seule chose que j'aie de mon côté pour l'instant.

Je lui posai toute une série de questions de base afin de me bâtir rapidement une petite bio pour mes dossiers. La Cosse avait trente-deux ans, n'était pas marié et habitait un appartement en copropriété à West Hollywood. Il n'avait pas de famille dans les environs, ses plus proches parents étant ses père et mère à Lincoln, Nebraska. À l'entendre, il n'avait pas de casier judiciaire en Californie, dans le Nebraska ou ailleurs, et n'avait même jamais eu droit à quelque chose d'aussi bénin qu'une amende pour excès de vitesse. Il me donna les numéros de téléphone de ses parents et les deux siens, portable et fixe – ils me serviraient à le retrouver au cas où il sortirait de prison et ne respecterait pas nos engagements financiers. Ces questions réglées, je levai le nez de mon bloc-notes.

— Comment gagnez-vous votre vie, Andre ?

— Je travaille chez moi. Je suis programmateur. Je monte et gère des sites Web.

— D'où connaissez-vous Giselle Dallinger, la victime dans cette affaire ?

— Je m'occupais de tous ses médias sociaux. Ses sites Web, Facebook, e-mail, absolument tout.

— Vous êtes donc une espèce de mac numérique ?

Il s'empourpra aussitôt.

— Pas du tout ! s'écria-t-il. Je suis un homme d'affaires et elle est… enfin était… une femme d'affaires. Et non, je ne l'ai pas tuée, mais ici personne ne veut me croire.

De ma main libre, je lui fis signe de se calmer.

— On baisse d'un cran. Je suis de votre côté, vous vous rappelez ?

— Ça n'en donne pas l'impression quand vous posez des questions pareilles.

— Êtes-vous gay, Andre ?

— Quelle importance cela peut-il avoir ?

— Aucune, mais cela pourrait en avoir beaucoup quand le procureur se mettra à parler mobiles. Alors… ?

— Eh bien oui, si vous voulez savoir. Je ne m'en cache pas.

— Sauf qu'ici, peut-être que vous devriez, pour votre sécurité. Je peux aussi demander à ce qu'on vous place dans un module pour homosexuels dès que vous serez mis en examen demain.

— Je vous en prie, ne vous donnez pas cette peine. Je ne veux pas être classé de quelque manière que ce soit.

— C'est vous qui décidez. C'était quoi, le site Web de Giselle?

— Giselleforyou.com. Celui-là, c'était le principal.

Je l'inscrivis dans mon bloc-notes.

— Parce qu'il y en avait d'autres?

— Elle avait des sites dédiés à chaque penchant particulier. Ils apparaissaient dès qu'on lançait une recherche avec certains termes. C'est ça que j'offre… une présence pluriplateformes. C'est pour ça qu'elle m'a contacté.

Je hochai la tête comme si j'admirais sa créativité et son sens des affaires.

— Et depuis combien de temps étiez-vous en affaires avec elle?

— Elle est venue me voir il y a à peu près deux ans de ça. Elle voulait une présence pluridimensionnelle en ligne.

— Elle est venue vous voir? Que voulez-vous dire par là? Pourquoi est-elle venue vous voir? Vous passez des annonces en ligne?

Il fit non de la tête comme s'il avait affaire à un enfant.

— Non, pas d'annonces. Je ne travaille qu'avec des gens qui m'ont été recommandés par quelqu'un que je connais déjà et en qui j'ai confiance. Elle m'avait été recommandée par une autre cliente.

— Qui était?

— Problème de confidentialité. Je ne veux pas que cette femme se retrouve entraînée dans cette histoire. Elle ne sait rien et n'a rien à voir avec ça.

À mon tour, je hochai la tête comme si j'étais en présence d'un enfant.

— Je laisse passer pour cette fois, Andre. Mais si je prends l'affaire, à un moment ou à un autre j'aurai besoin de savoir qui vous a recommandé la victime. Et ce n'est pas à vous de dire si untel, unetelle ou quoi que ce soit a à voir avec tout ça. Ça, c'est moi qui en décide. Vous comprenez?

Il acquiesça d'un hochement de tête.

— Je lui ferai passer le message, dit-il. Dès que j'ai son accord, je vous mets en relation. Mais je ne mens pas et je ne trahis pas non plus la confiance qu'on a en moi. Ce sont mes affaires et ma vie qui en dépendent.

— Bien.

— Et… que voulez-vous dire par « si je prends l'affaire »? Je croyais que c'était déjà fait? Non parce que… vous êtes là, non?

— Je n'ai pas encore décidé.

Je jetai un coup d'œil à ma montre. Le sergent auquel je m'étais adressé m'avait dit que je n'aurais droit qu'à une demi-heure avec La Cosse. J'avais encore trois sujets de discussion à couvrir – la victime, le crime et mes honoraires.

— Il ne nous reste pas beaucoup de temps, alors pressons un peu. Quand avez-vous vu Giselle Dallinger pour la dernière fois… en personne, je veux dire?

— Tard dimanche soir… et quand je l'ai quittée, elle était toujours en vie.

— Où?

— À son appartement.

— Pourquoi y étiez-vous?

— Pour récupérer de l'argent qu'elle me devait, mais je n'en ai pas vu la couleur.

— Quel argent et pourquoi ne l'avez-vous pas eu?

— Elle était allée faire un boulot et l'arrangement que j'avais conclu avec elle était de toucher un pourcentage sur ce qu'elle gagnait. Je lui avais trouvé quelque chose sur le site « Special Pretty Woman » et je voulais ma part… avec ces filles, si on ne prend pas son fric tout de suite, il a tendance à disparaître dans leurs narines et ailleurs.

Je rédigeai un résumé de ce qu'il venait de me déclarer, même si je n'étais pas très sûr de savoir ce que ça sous-entendait.

— Vous êtes donc en train de me dire que Giselle se droguait ?

— Oui, je dirais que oui. Elle gérait encore, mais ça faisait partie du boulot et de ce genre d'existence.

— Parlez-moi de ce « Special Pretty Woman ». Qu'est-ce que ça cache ?

— Le client prend une suite au Beverly Wilshire, comme dans le film *Pretty Woman*. Giz avait quelque chose de Julia Roberts, vous savez ? Surtout après que j'eus retouché ses photos. Vous devriez pouvoir comprendre la suite.

Je n'avais pas vu le film, mais savais qu'il racontait l'histoire d'une prostituée au cœur d'or qui rencontre l'homme de ses rêves lors d'un rendez-vous payant au Beverly Wilshire.

— À combien ça s'élevait ?

— C'était supposé rapporter 2 500 dollars.

— Et votre commission ?

— Mille, mais je n'ai rien touché. À l'entendre, il se serait agi d'un appel à vide.

— Et c'est quoi ?

— Elle se rend à l'hôtel, mais il n'y a personne, ou alors celui qui lui ouvre dit ne pas l'avoir appelée. Je vérifie tout ça du mieux que je peux. Les identités, tout.

— Et donc, vous ne l'avez pas crue.

— Disons que j'ai eu des doutes. L'homme qui se trouvait dans la chambre, je lui avais parlé. Je l'avais appelé par l'intermédiaire du standardiste de l'hôtel. Mais elle a prétendu qu'il n'y avait personne et que la chambre n'avait même pas été réservée.

— Bref, vous vous êtes disputés ?

— Un peu, oui.

— Et vous l'avez frappée.

— Quoi ? Non ! Je n'ai jamais frappé une femme. Ni un homme d'ailleurs ! Ce n'est pas moi qui ai fait ça. Vous ne pouvez donc pas avoir…

— Écoutez, Andre, je ne fais que rassembler les infos. Et donc, vous ne l'avez pas frappée et ne lui avez fait aucun mal. L'avez-vous touchée à un endroit quelconque du corps ?

Il hésita et je sus tout de suite qu'il y avait un problème.

— Dites-moi, Andre.

— Eh bien… oui, je l'ai… empoignée. Elle refusait de me regarder et ça m'a fait penser qu'elle mentait. Alors, je l'ai attrapée par le cou… mais seulement d'une main. Elle s'est mise en colère, moi aussi, et c'est tout. Je suis parti.

— Rien de plus ?

— Non, rien. Enfin… dans la rue, quand j'ai regagné ma voiture, elle m'a jeté un cendrier de son balcon. Mais elle m'a raté.

— Dans quels termes êtes-vous parti de son appartement ?

— Je lui ai dit que j'allais retourner à l'hôtel, frapper moi-même à la porte du type et récupérer notre argent. Et je suis parti.

— Quel était le numéro de la chambre et comment s'appelait ce type ?

— Il était à la 837. Et s'appelait Daniel Price.

— Vous êtes-vous rendu à l'hôtel ?

— Non, je me suis contenté de rentrer chez moi. J'avais décidé que ça n'en valait pas la peine.

— Mais ça vous paraissait la valoir quand vous l'avez attrapée par le cou.

Il reconnut la contradiction, mais ne me donna aucune autre explication. Je laissai tomber… pour le moment.

— Bon. Que s'est-il passé ensuite ? Quand les flics sont-ils arrivés ?

— Ils se sont pointés hier, aux environs de 5 heures.

— Du matin ou de l'après-midi ?

— De l'après-midi.

— Vous ont-ils dit comment ils étaient remontés jusqu'à vous ?

— Ils connaissaient le site Web. C'est ce qui les a menés à moi. Ils m'ont dit avoir des questions à me poser et j'ai été d'accord pour leur parler.

C'est toujours une erreur de parler spontanément aux flics.

— Vous rappelez-vous leurs noms ?

— Il y avait l'inspecteur Whitten, et c'est lui qui a fait l'essentiel de la conversation. Son collègue s'appelait quelque chose comme Weeder. Un truc dans ce goût-là.

— Pourquoi avez-vous accepté de leur parler ?

— Je ne sais pas. Peut-être parce que je n'avais rien fait de mal et que je voulais aider. Je me suis dit assez bêtement qu'ils essayaient de trouver ce qui était arrivé à la pauvre Giselle, je n'ai pas pensé une seconde qu'ils arrivaient avec dans le crâne une idée de ce qui s'était passé en voulant simplement m'y inclure.

Bienvenue dans mon univers! me dis-je.

— Saviez-vous si elle était morte avant leur arrivée ?

— Non, je n'avais pas arrêté de l'appeler et de lui laisser des textos et des messages de toute la journée. Je regrettais vraiment l'explosion de la veille au soir. Mais elle ne rappelait pas et je pensais qu'elle était encore en colère suite à notre dispute. Et c'est là qu'ils ont débarqué et m'ont dit qu'elle était morte.

Il est évident que lorsqu'une prostituée est retrouvée morte, une des premières personnes que l'on interroge est son mac, même si c'est un mac numérique qui ne correspond pas vraiment au stéréotype du cogneur sadique qui garde les femmes de son écurie sous son contrôle à coup de menaces et de mauvais traitements.

— Les flics ont-ils enregistré la conversation qu'ils ont eue avec vous ?

— Pas que je sache.

— Vous ont-ils informé du droit que vous garantit la Constitution d'avoir un avocat présent lors de l'interrogatoire ?

— Oui, mais ça, c'est venu plus tard, au commissariat. Je ne pensais pas avoir besoin d'un avocat. Je n'avais rien fait de mal. Du coup, j'ai dit : « D'accord, parlons. »

— Avez-vous signé une quelconque déclaration de renoncement à vos droits ?

— Oui, j'ai signé un papier… sans l'avoir vraiment lu.

Je ne laissai pas paraître mon mécontentement. Les trois quarts des gens qui ont affaire au système judiciaire

finissent par être leurs pires ennemis. C'est, et littéralement, à force de parler qu'ils se passent les menottes.

— Racontez-moi comment ça s'est passé. Vous avez
commencé à leur parler chez vous et après, ils vous ont
emmené au West Bureau, c'est ça ?

— Oui, on est restés chez moi environ un quart
d'heure avant qu'ils me descendent au commissariat. Ils
m'ont dit qu'ils voulaient me montrer quelques photos
de suspects, mais ce n'était qu'un mensonge. Ils m'ont
mis dans une petite salle d'interrogatoire et n'ont pas
arrêté de me poser des questions. Et, à la fin, ils m'ont
dit que j'étais en état d'arrestation.

Je savais que pour procéder à cette arrestation, ils
devaient avoir des preuves matérielles ou des témoignages qui, d'une manière ou d'une autre, le reliaient à
ce meurtre. En plus de quoi, il avait dû leur dire quelque
chose qui ne cadrait pas avec les faits. Et dès qu'il avait
menti, ou qu'ils l'avaient cru, ils l'avaient arrêté.

— Bon, et vous leur avez dit vous être rendu à l'appartement de la victime dimanche soir.

— Oui, et je leur ai précisé qu'elle était toujours en
vie quand j'en suis sorti.

— Leur avez-vous dit que vous l'aviez attrapée par
le cou ?

— Oui.

— Avant ou après qu'ils vous ont lu vos droits et
fait signer une déclaration de renoncement à ces mêmes
droits ?

— Euh… je ne m'en souviens pas. Avant, je crois.

— Pas de problème. Je retrouverai ça. Vous ont-ils
parlé d'autres éléments de preuve, confronté à d'autres
choses qu'ils auraient eues ?

— Non.

Je jetai de nouveau un coup d'œil à ma montre. Je commençais à manquer de temps. Je décidai d'arrêter tout de suite les questions sur l'affaire. Les trois quarts des renseignements, je les découvrirais dans la phase d'échange des pièces entre la défense et l'accusation si jamais je prenais l'affaire. Sans compter qu'il est toujours bon de limiter les infos qu'on obtient directement du client. Je serais coincé avec tout ce qu'il pourrait me dire et cela risquait d'affecter les tactiques que je serais amené à suivre avant ou pendant le procès. Si, par exemple, il me disait avoir effectivement tué Giselle, je ne pourrais plus le faire passer à la barre pour nier les faits. Cela me rendrait coupable de parjure par subornation.

— Bien, ne parlons plus de tout ça pour l'instant. Comment allez-vous me payer si je prends votre affaire ?

— En or.

— C'est ce qu'on m'a dit, mais comment ? D'où vient cet or ?

— Je le garde en lieu sûr. Tout mon argent est sous forme d'or. Si vous prenez mon affaire, je vous le ferai livrer avant ce soir. Votre assistante m'a informé que vous aviez besoin de 25 000 dollars pour démarrer. Je vais regarder le cours au New York Mercantile Exchange et la somme vous sera livrée, tout simplement. Je n'ai pas vraiment été en mesure de vérifier le marché d'ici mais, à mon avis, un lingot d'une livre devrait suffire.

— Vous comprenez bien que cette somme ne couvrira que mes frais initiaux, n'est-ce pas ? Et que si cette affaire va jusqu'aux audiences préliminaires et ensuite au procès, vous aurez besoin de plus. Vous pouvez certainement trouver moins cher, mais ça ne sera pas aussi bon.

— Oui, je comprends. Je vais devoir payer pour prouver mon innocence. Mais l'or, je l'ai.

— Alors, tout est parfait. Demandez à votre livreur de l'apporter à mon assistante. Je vais en avoir besoin avant votre première comparution demain au tribunal. C'est à ce moment-là que je saurai si vous êtes sérieux.

Je savais que l'heure filait, mais j'étudiai longuement La Cosse pour essayer de voir comment il réagissait. Son histoire d'innocence était plausible, mais je ne savais pas ce que la police avait dans son jeu. Je ne disposais que de la version d'Andre et me doutais bien qu'au fur et à mesure des révélations à venir, j'en viendrais à me dire qu'il n'était pas aussi innocent qu'il le prétendait. C'est toujours comme ça.

— Bien, une dernière chose, Andre. Vous avez dit à mon assistante que je vous avais été recommandé par Giselle en personne, c'est exact ?

— Oui, elle m'avait dit que vous étiez le meilleur avocat de la ville.

— Comment le savait-elle ?

Il parut surpris. Pour lui, tout notre entretien présupposait quelque chose d'entendu depuis le début – à savoir que je connaissais Giselle Dallinger.

— Elle m'avait dit qu'elle vous connaissait, que vous l'aviez déjà défendue dans plusieurs affaires. Et qu'une fois, vous lui aviez même trouvé un très bon arrangement à l'amiable.

— Et vous êtes sûr que c'est de moi qu'elle parlait ?

— Oui, bien sûr ! Elle m'a dit que vous aviez réussi un superbe coup de circuit. Même qu'elle vous surnommait Mickey Mantle[1].

J'en eus le souffle coupé. J'avais en effet eu une cliente – prostituée qui plus est – qui m'appelait comme ça. Mais je ne l'avais pas revue depuis une éternité. Pas depuis le jour où je l'avais mise dans un avion avec assez d'argent en poche pour refaire sa vie et ne plus jamais revenir.

— Giselle Dallinger n'était pas son vrai nom, si ?

— Je ne sais pas. C'était le seul que je lui connaissais.

Quelqu'un frappa fort sur la porte en acier dans mon dos. Le temps qu'on m'avait accordé touchait à sa fin. Un autre avocat avait besoin de la salle pour s'entretenir avec un client. Je regardai La Cosse en face de moi. Je n'avais plus à me demander si j'allais l'avoir comme client ou pas.

J'allais prendre l'affaire, cela ne faisait aucun doute.

1. Légende du base-ball américain (1931-1995) connue pour ses coups de circuit et qui a toujours joué pour les Yankees de New York.

Chapitre 4

Earl me conduisit au Starbucks de Central Avenue et se gara le long du trottoir. Je restai dans la voiture le temps qu'il aille nous chercher des cafés. J'allumai mon portable sur la tablette et utilisai le Wi-Fi du café pour me connecter. Après trois variations sur l'intitulé, j'entrai *www.giselleforyou.com* et ouvris le site Web de la femme qu'Andre La Cosse était accusé d'avoir assassinée. Ses photos avaient effectivement été retouchées, la chevelure avait changé et un chirurgien plastique était passé par là depuis la dernière fois que je l'avais vue, mais je n'eus plus de doute : Giselle Dallinger était bien mon ancienne cliente Gloria Dayton[1].

Ça changeait tout. En plus du problème de conflit d'intérêts soulevé par le fait que j'allais représenter quelqu'un qu'on accusait d'avoir tué une de mes anciennes clientes, il y avait les sentiments que j'éprouvais pour Gloria Dayton et la découverte brutale qu'elle s'était servie de moi, et d'une manière pas très différente de celle dont s'étaient servis les hommes à son endroit presque toute sa vie durant.

_____

1. Cf. *La Défense Lincoln*.

Gloria avait été un de mes projets, quelqu'un dont je m'étais soucié bien au-delà des limites ordinaires de la relation avocat-client. Je ne saurais dire comment cela était arrivé, mais elle avait un sourire abîmé, une ironie sardonique et une connaissance de soi des plus pessimistes qui m'avaient attiré. Je l'avais ainsi eue au moins six fois comme cliente au fil des ans. Et toujours dans des affaires de prostitution, de drogue, de racolage et autres délits du même acabit. Elle était complètement enferrée dans ce type d'existence, mais me faisait toujours l'effet de mériter de s'élever au-dessus de ça et de s'en sortir. Je n'avais rien d'un héros, mais j'avais fait tout mon possible pour elle. Je lui avais décroché des programmes de soins avant procès, la possibilité d'entrer en cure de désintoxication, des thérapies et, une fois, j'avais même réussi à la faire prendre au City College de Los Angeles après qu'elle m'avait dit s'intéresser à l'écriture. Rien de tout cela n'avait marché très longtemps. Au bout d'une année ou deux, elle m'appelait au téléphone… elle était de nouveau en prison et avait besoin d'un avocat. Lorna m'avait même conseillé de la laisser tomber ou de l'aiguiller vers un autre avocat, parce qu'en fait c'était une cause perdue. Mais je n'avais pas pu. La vérité était que j'aimais côtoyer Gloria Dayton, ou plutôt Glory Days[1] comme on l'appelait dans la profession à cette époque. Elle avait une vision tordue du monde qui s'accordait bien à son sourire tout aussi tordu. C'était un vrai chat sauvage et elle ne laissait personne la caresser à part moi.

---

1. « Jours de gloire ».

Ce qui ne signifie nullement qu'il y avait quoi que ce soit de romantique ou de sexuel dans nos relations. Rien de tel. En fait, je ne suis même pas vraiment sûr qu'on aurait pu voir en nous des amis. Nous nous retrouvions bien trop peu souvent pour ça. Mais je me souciais d'elle et c'est pour ça qu'il me peinait de la savoir morte. Sept ans durant je l'avais crue tirée d'affaire et je pensais que c'était moi qui l'y avais aidée. Elle avait pris l'argent que je lui avais donné et s'était envolée pour Hawaï, où elle prétendait avoir un client de longue date qui voulait l'accueillir chez lui et l'aider à prendre un nouveau départ dans la vie. De temps en temps je recevais des cartes postales d'elle, parfois même des cartes de vœux à Noël. Toutes me disaient qu'elle s'en sortait bien et n'avait pas rechuté. Et cela me donnait l'impression d'avoir réussi quelque chose à quoi il est très rare de parvenir dans un prétoire ou un couloir de tribunal : j'avais changé le cours d'une vie.

Earl une fois revenu avec les cafés, je refermai mon portable et lui demandai de me ramener chez moi. Puis j'appelai Lorna et lui demandai d'organiser une réunion générale le lendemain matin à 8 heures. Andre La Cosse devait comparaître devant la chambre des mises en accusation avec la deuxième fournée, soit entre 10 heures et midi. Je voulais retrouver mon équipe et mettre tout en route avant. Je dis aussi à Lorna de me sortir tous les dossiers qu'on avait sur Gloria Dayton.

— Pourquoi veux-tu ces dossiers ? me demanda-t-elle.

— Parce que c'est elle la victime, lui répondis-je.

— Oh mon Dieu, tu en es sûr ?

— Oui, j'en suis sûr. Les flics ne s'en sont pas encore rendu compte, mais c'est elle.

— Je suis vraiment navré, Mickey. Je sais que tu… que tu l'aimais bien.

— Oui, c'est vrai. Je pensais justement à elle l'autre jour et envisageais même de descendre à Hawaï, quand les tribunaux sont fermés à Noël. J'allais l'appeler dès mon arrivée.

Elle garda le silence. Cette idée d'aller à Hawaï était pour moi un moyen de supporter les vacances sans voir ma fille. Mais je l'avais mise de côté dans l'espoir que ça change. Je me disais que le jour de Noël, je recevrais peut-être un coup de fil m'invitant à venir dîner avec elle. Ce que je n'aurais pas pu faire si j'étais allé à Hawaï.

— Écoute, repris-je en cessant de penser à tout ça, Cisco est là ?

— Non, je crois qu'il est parti où habitait la victime, enfin… Gloria… histoire de voir ce qu'il pourrait découvrir.

— Bon, d'accord, je l'appelle. À demain.

— Oh, Mickey, attends une minute. Tu veux que Jennifer assiste à la réunion, elle aussi ? Je crois qu'elle est de tribunal au comté.

— Absolument. Si elle a un conflit, vois un peu si elle pourrait demander à un des Jedi Knights de la remplacer.

Je l'avais embauchée quelques années plus tôt, au sortir même de l'école de droit de l'université de Southwestern. Elle s'occupait de ce qui était alors notre secteur plus que florissant de la défense des propriétaires menacés de saisie. Il avait un peu baissé en volume l'année précédente tandis que la défense au pénal effectuait sa remontée, mais Jennifer traitait encore beaucoup de dossiers. Un groupe d'avocats spécialisés dans ce domaine s'était bientôt constitué, tous finissant par se réunir une fois par mois, lors de déjeuners ou de dîners où l'on se racontait des histoires de saisies et s'échangeait des stratégies de lutte. Ils s'étaient donné le titre de Jedi Knights[1], soit, en abrégé, les JEDTI ou Juristes engagés dans la défense des titres et de leur intégrité, tous les membres de la confrérie allant jusqu'à se remplacer pour des comparutions auxquelles ils ne pouvaient assister en raison de leur emploi du temps.

Je savais que Jennifer ne verrait aucun inconvénient à ce qu'on la sorte de son travail sur les saisies pour aller voir un peu ce qui se passait du côté pénal de notre cabinet. Lorsque je l'avais embauchée, elle m'avait tout de suite dit qu'elle voulait faire carrière dans la défense au pénal. Et depuis peu elle ne cessait de me suggérer à coups d'e-mails et à chacune de nos réunions hebdomadaires que le moment était venu d'engager un autre associé pour reprendre le secteur saisies et lui permettre de s'immerger plus profondément dans celui des affaires criminelles. J'avais résisté parce que en embaucher un autre me rapprocherait du moment où je devrais finir par travailler comme tout le monde, à savoir dans des bureaux, avec une secrétaire, une photocopieuse et tout le tintouin. Je n'aimais pas plus les frais généraux que cela allait me coûter que l'idée de rester coincé dans du dur. J'adorais travailler sur ma banquette arrière et sans idée préconçue.

---

1. Littéralement, « les chevaliers du Jedi ».

Mon coup de fil à Lorna terminé, j'abaissai ma vitre et laissai l'air me souffler à la figure. Cela me rappela que j'aimais cette manière de travailler.

Bien vite néanmoins, je remontai ma vitre pour pouvoir entendre ce que Cisco allait me raconter au téléphone. Je l'appelai, il m'informa qu'il était effectivement en train de faire du porte à porte dans l'immeuble où Giselle Dallinger avait vécu et était morte.

— Des trucs intéressants ?

— Quelques-uns. En fait, elle ne bougeait pas beaucoup. Et elle n'avait pas énormément de visiteurs. Elle devait bosser hors de chez elle.

— Comment on entre ?

— Il y a un portail de sécurité en bas. Elle devait ouvrir par l'Interphone.

Voilà qui n'était pas vraiment bon pour La Cosse. Les flics devaient se dire qu'elle connaissait son assassin et l'avait laissé entrer.

— Des enregistrements d'activité à la porte ?

— Non, le système n'enregistre pas.

— Des caméras ?

— Non.

Là, ça pouvait soit le servir soit le desservir.

— Bon, dès que t'auras fini, j'aurai d'autres trucs pour toi.

— Je peux toujours revenir. Le gérant de l'immeuble est très coopératif.

— Parfait. On se retrouve tous demain matin à 8 heures. Avant, à condition que tu puisses, j'aimerais que tu me passes un nom à l'ordi. Gloria Dayton. Tu trouveras sa date de naissance dans les dossiers de Lorna. Je veux savoir où elle a passé ces dernières années.

— Entendu. Qui est-ce ?

— C'est notre victime, mais ça, les flics ne le savent pas encore.

— C'est La Cosse qui te l'a dit ?

— Non, j'ai trouvé ça tout seul. C'est une de mes anciennes clientes.

— Tu sais que ça pourrait me servir ? J'ai vérifié à la morgue et ils ne confirment pas l'identification parce que le corps et l'appartement ont brûlé. Et il n'y a plus trace d'empreintes nulle part. Ils espéraient découvrir son ADN quelque part dans les tuyaux, ou alors trouver un dentiste.

— Ouais, ben, sers-t'en si ça peut t'aider. Je viens de regarder les photos sur le site *giselleforyou.com* et il s'agit bien de Gloria Dayton, une ancienne cliente partie à Hawaï il y a environ sept ans. Enfin… c'est ce que je croyais. Andre m'a dit avoir travaillé avec elle ici même ces deux dernières années. Bref, je veux le tableau complet.

— Ça marche. Pourquoi est-elle partie il y a sept ans ?

Je marquai une pause avant de répondre et repensai à la dernière fois que j'avais travaillé pour elle.

— J'avais eu une affaire qui m'avait rapporté gros et où elle avait joué un certain rôle. Je lui avais donc donné 25 000 dollars à condition qu'elle me promette de lâcher le métier et de refaire sa vie. Il y avait aussi un type. Elle l'avait cafté pour obtenir un arrangement à l'amiable avec le district attorney et c'était moi qui avais négocié le marché. Bref, elle avait tout intérêt à quitter la ville au plus vite.

— Et ça pourrait avoir un rapport avec ce qui nous occupe ?

— Je ne sais pas. Ça remonte à loin et le mec a récolté perpète.

Hector Arrande Moya. Je me souvenais encore de son nom, et de la façon dont il roulait les *r*. Les Fédéraux le voulaient sérieusement et Gloria savait où le trouver.

— Je mets Bullocks sur l'affaire dès demain, repris-je en appelant Jennifer Aronson par son surnom. À défaut d'autre chose, on pourrait se servir de ce mec comme d'un homme de paille.

— Et tu aurais le droit de prendre l'affaire alors que la victime était une de tes anciennes clientes ? Y aurait pas comme un conflit d'intérêts ?

— Y a des solutions. C'est au système judiciaire qu'on a affaire, Cisco. Il est malléable.

— Compris.

— Une dernière chose… Dimanche soir, elle avait une passe prévue au Beverly Wilshire, mais ça ne s'est pas fait. Le gars n'aurait pas été au rendez-vous. Va donc tâter un peu le terrain de ce côté-là, histoire de voir ce que tu peux faire remonter à la surface.

— T'as un numéro de chambre ?

— Oui, le 837. Et le mec s'appelait Daniel Price. Renseignements de La Cosse. À l'entendre, Gloria prétendait que la chambre n'avait même pas été réservée.

— Je m'en occupe.

Mon appel à Cisco terminé, je rangeai mon portable et me contentai de regarder par la vitre alors que nous approchions de Fareholm Drive, où j'habite. Earl me passa les clés et se dirigea vers sa voiture garée le long du trottoir. Je lui rappelai qu'on commencerait tôt le lendemain et montai les marches conduisant à ma porte.

Je posai mes affaires sur la table de la salle à manger et allai chercher une bière à la cuisine. En refermant la porte du frigo, je jetai un coup d'œil aux photos et cartes postales retenues par des aimants et trouvai enfin celle représentant le cratère de Diamond Head, à Oahu. C'était la dernière que m'avait envoyée Gloria Dayton. Je l'ôtai de sa pince magnétique et lus ce qu'elle avait écrit au verso.

Bonne année, Mickey Mantle !
J'espère que tu vas bien. Ici tout se passe super au soleil. Je vais à la plage tous les jours. De L.A., il n'y a que toi qui me manques. Viens donc me voir un jour.

Gloria

Je passai des mots au timbre. L'oblitération datait du 15 décembre 2011, soit presque un an plus tôt. Et cette même oblitération, que je n'avais eu aucune raison de vérifier avant, disait : *Van Nuys, Californie.*

J'avais eu la preuve de son subterfuge sur mon frigo pendant près d'un an et n'avais rien vu. Cela me confirma son tour de passe-passe et le rôle que j'y avais joué sans même le savoir. Je ne pus m'empêcher de me demander pourquoi elle s'était donné tout ce mal. Je n'étais quand même que son avocat. Elle n'avait pas besoin de me mener en bateau. Si je n'avais plus jamais entendu parler d'elle, je n'aurais eu aucun soupçon et ne me serais pas lancé à sa recherche. Tout cela me parut aussi étrange que peu nécessaire, voire un rien cruel. Surtout cette dernière phrase où elle m'invitait à venir la voir. Et si j'y étais effectivement allé à Noël pour échapper au désastre de ma vie personnelle? Que se serait-il passé si je ne l'avais pas trouvée en arrivant?

*

Je pris une douche en gardant longtemps la tête sous le jet plein de force. Plus d'un de mes clients avait connu une triste fin au fil des ans. Cela faisait partie intégrante du boulot et, par le passé, j'avais toujours envisagé la mort et le deuil en termes de business. Les récidivistes étaient ce qui me nourrissait et savoir que je venais de perdre un client ne me rendait jamais très heureux. Mais avec Gloria Dayton, c'était différent. Il ne s'agissait pas de business. L'affaire était personnelle. Sa mort faisait naître toutes sortes de sentiments en moi, de la déception à la colère en passant par le vide intérieur et l'agacement. J'étais en colère contre elle non seulement à cause du mensonge dont elle s'était rendue coupable à mon égard, mais encore parce qu'elle était restée dans l'univers qui avait fini par la tuer.

Lorsque, l'eau chaude finissant par manquer, j'arrêtai la douche, je compris que ma colère manquait sa cible. Tout ce qu'avait fait Gloria avait une raison et un but. Elle m'avait probablement moins coupé de sa vie que protégé de quelque chose. De quoi, je ne le savais pas, mais j'allais devoir le découvrir.

Après m'être habillé, j'errai dans ma maison vide et m'arrêtai devant la porte de la chambre de ma fille. Elle n'était plus revenue dans cette pièce depuis un an et rien n'y avait changé depuis son départ. La revoir me fit penser à ces parents qui ont perdu un enfant et laissent la chambre comme figée dans le temps. Sauf que moi, mon enfant, je ne l'avais pas perdue dans une tragédie. Je l'avais chassée de chez moi.

J'allai chercher une autre bière à la cuisine et retrouvai le rituel nocturne qui consiste à décider si je vais sortir ou rester à la maison. Devoir démarrer tôt le lendemain matin me poussant à choisir la deuxième solution, je sortis du frigo deux ou trois plats cuisinés à emporter. J'avalai une moitié de steak avec des restes de salade sauce *Green Goddess*[1] rapportés le dimanche soir précédent de Chez Craig, un restaurant de Melrose Avenue où je mange souvent seul au bar. Je mis la salade dans une assiette et le steak dans une poêle sur la cuisinière pour le réchauffer.

Puis j'ouvris la poubelle pour y jeter les emballages et retrouvai la carte postale de Gloria. Je réfléchis à ce que j'avais fait un peu plus tôt et la ressortis des ordures. Et en réétudiai le recto et le verso en me demandant ce qui l'avait poussée à me l'envoyer. Avait-elle voulu que je remarque le cachet de la poste et que je me lance à sa recherche ? Cette carte postale était-elle une espèce d'indice que je n'avais pas vu ?

Je n'avais pas encore de réponses à ces questions, mais décidai de les trouver. Je rapportai la carte au frigo, l'y refixai sur la porte avec un aimant et la positionnai à hauteur d'œil de façon à être sûr de la voir tous les jours.

---

1. Sauce à base de mayonnaise, estragon, jus de citron et poivre.

Chapitre 5

Earl Briggs étant arrivé tard chez moi ce mercredi matin-là, je fus le dernier à me présenter à la réunion générale de 8 heures, au troisième étage d'un bâtiment tout en lofts de Santa Monica Boulevard, près de la rampe d'accès à l'autoroute 101. L'immeuble était à moitié vide et nous y avions accès chaque fois que nous en avions besoin. Jennifer assurait en effet la défense du propriétaire menacé de saisie et celui-ci lui réglait ses honoraires en nous permettant d'occuper les lieux. Il avait acheté et rénové la bâtisse quelque six ans plus tôt, à un moment où les loyers étaient élevés et où il semblait y avoir plus de sociétés de production de films indépendants que d'équipes de tournage disponibles pour filmer leurs projets. Bientôt néanmoins, l'économie s'était effondrée et les producteurs prêts à investir dans des films indépendants étaient devenus aussi rares que les places de parking devant le restaurant Ivy. Bon nombre de sociétés avaient plié bagage, le propriétaire de l'immeuble étant maintenant tout heureux de louer même seulement la moitié de ses locaux. Il avait fini par faire faillite et c'est alors qu'il était venu au cabinet Haller & Associates après avoir découvert une des pubs que nous faisons passer par e-mail lorsque des biens commencent à figurer sur les registres de saisies.

Comme les trois quarts des hypothèques accordées avant le krach, la sienne avait été regroupée avec d'autres et revendue. Cela nous donnait une ouverture. Jennifer s'en était prise à la réputation de la banque émettrice de l'hypothèque et avait réussi à ralentir la procédure dix mois durant, tandis que notre client essayait de retourner la situation. Mais il n'y avait plus beaucoup de demandes pour des lofts de deux cent quatre-vingts mètres carrés à East Hollywood et la pente se faisant de plus en plus glissante, il en était venu à les louer au mois à des orchestres de rock ayant besoin d'espace où répéter. La saisie n'était plus très loin. Tout dépendait du nombre de mois pendant lesquels Jennifer réussirait à retarder l'échéance finale.

La bonne nouvelle pour le cabinet Haller & Associates était que les musiciens de rock dorment tard. Tous les jours, l'immeuble était très largement désert et calme jusqu'en fin d'après-midi, au plus tôt. Petit à petit, nous en étions venus à prendre ce loft pour nos réunions hebdomadaires. Il était vaste et vide, avec parquet, cinq mètres de hauteur sous plafond, murs en brique apparente, piliers de soutien et un pan entier de fenêtres offrant une belle vue sur le centre-ville. Mais le mieux était encore la salle de réunion installée dans le coin sud-ouest de la pièce : complètement fermée, elle était équipée d'une longue table et de huit chaises. C'était là que nous nous retrouvions pour faire le tour des dossiers et que, pour l'heure, nous allions élaborer une stratégie de défense pour Andre La Cosse, notre mac numérique accusé de meurtre.

La salle de réunion avait une baie vitrée permettant de voir le reste du loft. En traversant le grand espace vide de la pièce, je remarquai que toute mon équipe se tenait debout autour de la table à regarder quelque chose. Je me dis que ce devait être la boîte de doughnuts que Lorna avait pris l'habitude de nous apporter de Chez Bob.

— Désolé du retard, lançai-je en entrant.

Cisco détournant la masse imposante de son corps de la table, je m'aperçus que ce n'était pas des doughnuts qu'on regardait. Sur le plateau se trouvait un lingot d'or qui brillait aussi fort que le soleil lorsqu'il franchit la crête des montagnes au petit matin.

— Ça ne m'a pas l'air de faire une livre, avançai-je.

— Ça en fait plus, me renvoya Lorna. C'est un lingot d'un kilo.

— Il doit se dire qu'on ira au procès, lâcha Jennifer.

Je souris et jetai un œil à la crédence qui courait tout le long du mur gauche de la pièce. Lorna y avait disposé le café et les doughnuts. Je posai ma mallette sur la table et gagnai la cafetière : j'avais plus besoin de caféine que d'or pour me mettre en route.

— Ça va comme on veut ? lançai-je en tournant le dos à tout le monde.

J'eus droit à un beau concert d'assentiments tandis que j'apportais mon café et un doughnut avec glaçage à la table pour m'y asseoir. Il était difficile de voir autre chose que ce lingot d'or.

— C'est arrivé comment ? demandai-je.

— Par camion blindé, répondit Lorna. Ça vient du Gold Standard Depository. La Cosse a passé l'ordre de livraison de sa cellule. J'ai dû signer un reçu en trois exemplaires. C'est un garde armé qui me l'a livré.

— Bon, mais… combien vaut le kilo d'or ?

— Dans les 54 000 dollars, dit Cisco. On vient de vérifier.

Je hochai la tête. La Cosse m'avait réglé plus de deux fois la somme initialement prévue. Cela me plut.

— Lorna, repris-je, tu sais où se trouve St. Vincent's Court ? C'est en centre-ville.

Elle fit non de la tête.

— C'est dans le quartier des bijoutiers. En retrait de la 7ᵉ Rue, à la hauteur de Broadway. Il y a des grossistes spécialisés dans l'achat et la vente d'or. Cisco et toi n'avez qu'à y aller pour l'échanger, enfin… si c'est vraiment de l'or. Dès que vous avez le fric et que vous l'avez déposé sur le compte, vous me passez un SMS pour m'avertir, que je puisse donner une quittance à La Cosse.

Lorna regarda Cisco et acquiesça d'un hochement de tête.

— On y descendra juste après la réunion.

— Bien, parfait. Quoi d'autre ? As-tu apporté le dossier Gloria Dayton ?

— Les dossiers, tu veux dire, me reprit-elle en se penchant par terre pour en remonter un tas de vingt centimètres d'épaisseur.

Elle me les glissa à travers la table, mais je les repoussai fort adroitement vers Jennifer.

— Bullocks, lui dis-je, tous ces dossiers sont à vous.

Elle fronça les sourcils mais, devoir oblige, tendit la main pour les accepter. Elle avait attaché ses cheveux en arrière en une queue-de-cheval, genre *business woman*. Je savais que son froncement de sourcils mas-quait le fait qu'elle était prête à accepter n'importe quelle tâche ayant à voir avec une affaire de meurtre. Je savais aussi que je pouvais compter sur le meilleur de son travail.

— Qu'est-ce que je dois chercher dans tout ça ? voulut-elle savoir.

— Je ne sais pas encore. Je veux seulement avoir un regard neuf sur ces dossiers. Je veux que vous vous familiarisiez avec toutes ces affaires et avec Gloria Dayton. Je veux que vous sachiez tout ce qu'il y a à savoir sur cette dame. Cisco travaille sur son profil dans les années qui ont suivi ces histoires.

— D'accord.

— Et je veux aussi que vous regardiez autre chose.

Elle posa son carnet de notes devant elle.

— D'accord, répéta-t-elle.

— Quelque part dans le dernier dossier en date, vous allez trouver les notes de mon ancien enquêteur, Raul Levin. Elles concernent un dealer et l'hôtel où il était descendu. Ce dealer s'appelait Hector Arrande Moya. Il bossait pour le cartel de Sinaloa et les Fédéraux le voulaient sérieusement. J'aimerais que vous me sortiez tout ce que vous pourrez sur lui. Je crois me souvenir qu'il a eu droit à perpète. Trouvez-moi où il est et ce qu'il fabrique.

Elle acquiesça d'un signe de tête, mais me dit ne pas très bien comprendre la logique de cette nouvelle tâche.

— Pourquoi traquer ce monsieur ? me demanda-t-elle.

— Gloria l'a donné aux Fédéraux pour obtenir un arrangement à l'amiable avec le district attorney. Il est tombé, et plutôt bien, et il se pourrait qu'on ait besoin d'une théorie d'appoint à un moment ou à un autre.

— Je vois. La défense de l'homme de paille.

— Voyez juste ce que vous pourrez trouver.

— Raul Levin est-il toujours dans le coin ? Je pourrais peut-être commencer par lui et voir un peu s'il se souvient de ce Hector.

— L'idée est bonne, mais non, il n'est plus dans le coin. Il est mort.

Je la vis jeter un coup d'œil à Lorna et Lorna lui faire comprendre de laisser tomber.

— C'est une longue histoire et nous pourrons en parler un jour, ajoutai-je.

Sombre moment, mais qui passa.

— Bon, dit-elle, je vais voir ce que je peux vous trouver toute seule.

Je reportai mon attention sur Cisco.

— Et toi, qu'est-ce que tu as pour nous ? lui demandai-je.

— Des petites choses pour l'instant. Tu m'as d'abord demandé de passer Gloria à l'ordinateur depuis la dernière fois que tu as travaillé pour elle. C'est ce que j'ai fait. Je suis passé par tous les canaux, numériques aussi bien qu'humains mais, en gros, elle a quasi disparu depuis ta dernière affaire avec elle. Tu m'as dit qu'elle avait déménagé à Hawaï, mais si elle l'a fait, elle n'y a jamais obtenu de permis de conduire, réglé des factures d'eau, de gaz ou d'électricité, fait installer le câble ou acquis quelque bien que ce soit et ce, dans aucune des îles de l'archipel.

— Elle m'avait dit qu'elle allait vivre chez un ami, lui renvoyai-je. Quelqu'un qui allait prendre soin d'elle.

Il haussa les épaules.

— C'est bien possible, dit-il, mais les trois quarts des gens laissent une trace derrière eux, ne serait-ce qu'une ombre, et je n'ai absolument rien trouvé. À mon avis, il est plus probable que ce soit à ce moment-là qu'elle a commencé à se réinventer. Tu sais bien… nouveau nom, nouvelles pièces d'identité, tout ça, quoi.

— Giselle Dallinger.

— Ça se peut, mais il se peut aussi que ça se soit passé plus tard. D'habitude, les gens qui se lancent dans ce genre de choses ne s'en tiennent pas à une seule identité. C'est cyclique. Dès qu'ils croient que quelqu'un leur colle au train d'un peu trop près ou que l'heure est venue de changer complètement, ils recommencent tout le processus.

— Je sais, mais elle ne bénéficiait pas du programme de protection des témoins. Elle voulait seulement prendre un nouveau départ et tout ça me semble un peu extrême.

C'est alors que Jennifer se mêla de notre petite conversation à deux.

— Je ne sais pas, dit-elle. Si j'avais un dossier pareil et que je veuille recommencer ma vie quelque part, je commencerais par laisser tomber mon nom. Aujourd'hui, tout est numérisé et beaucoup de renseignements sont de fait rendus publics. Il n'est pas impossible que la dernière chose qu'elle ait souhaitée ait été de voir quelqu'un mettre le nez dans tous ces trucs.

Elle tapota la pile de dossiers posés devant elle. La remarque était pertinente.

— O.K., dis-je, et Giselle Dallinger ? À quel moment apparaît-elle ?

— Je n'en suis pas très sûr, répondit Cisco. Son permis de conduire actuel a été émis au Nevada il y a deux ans. Elle ne l'a pas changé en déménageant ici[1]. Elle loue son appartement de Franklin Avenue depuis seize mois en donnant des références à Las Vegas où elle aurait été locataire pendant quatre ans. Je n'ai pas eu le temps d'aller y voir de plus près, mais ce sera fait très rapidement.

Je sortis un bloc-notes de ma mallette et y reportai quelques questions que j'allais avoir besoin de poser à Andre La Cosse la prochaine fois que nous nous parlerions.

— Bien, autre chose? enchaînai-je. Es-tu passé au Beverly Wilshire hier?

— Oui, mais avant d'y venir, parlons un peu de l'appartement de Franklin Avenue.

J'acquiesçai. C'était son rapport après tout. Il pouvait bien me le présenter comme il voulait.

— Commençons par l'incendie. Il a été signalé pour la première fois lundi à 0 h 51, lorsque les détecteurs de fumée se sont déclenchés dans le couloir juste devant son appartement et que les résidents ont effectivement vu de la fumée passer sous sa porte. L'incendie a dévasté le séjour… où se trouvait le corps… et fortement endommagé la cuisine et les deux chambres. Il est clair que les détecteurs de fumée à l'intérieur de l'appartement n'ont pas fonctionné et une enquête est en cours pour savoir pourquoi.

---

1. Aux États-Unis, le permis de conduire doit être renouvelé périodiquement et chaque fois qu'on déménage d'un État dans un autre.

— Et le système d'extinction automatique d'incendie ?

— Il n'y en avait pas. C'est un vieux bâtiment et il a été enregistré sans. Cela dit, d'après ce que j'ai appris à la caserne des pompiers, ce décès a donné lieu à deux enquêtes.

— Deux ? répétai-je.

C'était quelque chose dont j'allais peut-être pouvoir me servir.

— Deux, oui. Aussi bien les flics que les pompiers ont commencé par dire que c'était un accident, la victime s'endormant sur le canapé en fumant. L'accélérateur aurait été le chemisier en polyuréthane qu'elle portait. Ce sont les premières conclusions du coroner qui les ont fait changer d'avis. Les restes ont été mis dans des sacs, étiquetés sur les lieux du crime et expédiés au Bureau du coroner.

Il regarda ses notes griffonnées dans un carnet qui paraissait bien minuscule dans sa grosse main.

— Une assistante du légiste, une certaine Celeste Frazier, a procédé à un examen préliminaire du corps et déterminé que l'hyoïde était fracturé en deux endroits. Ce qui a changé la donne plus que rapidement.

Je jetai un coup d'œil à Lorna et compris qu'elle ne savait pas de quoi on parlait.

— L'hyoïde est un petit os en forme de fer à cheval qui protège la trachée, lui dis-je en me touchant l'avant du cou pour lui montrer. S'il est brisé, cela signifie qu'un coup y a été porté. La victime a été asphyxiée, étranglée.

Elle me remercia d'un signe de tête et je demandai à Cisco de poursuivre.

— Ils sont donc repartis sur les lieux avec des spé-cialistes des homicides et des incendies volontaires et maintenant, c'est à une enquête complète pour meurtre que nous avons affaire. Ils ont frappé aux portes et j'ai pu parler à des tas de gens avec lesquels ils s'étaient entretenus. Plusieurs d'entre eux m'ont dit avoir entendu une bagarre dans son appartement aux environs de 23 heures dimanche soir. Des cris. Un homme et une femme qui se disputaient pour des histoires de fric.

Il se reporta de nouveau à son carnet de notes pour y trouver un nom.

— Une certaine Annabeth Stephens habite juste en face de l'appartement de la victime et avait l'œil collé au judas quand elle a vu un type en partir après la dispute. À l'entendre, il était entre 23 h 30 et minuit parce que les infos étaient terminées et qu'elle est allée se coucher à minuit. Plus tard, elle a identifié Andre La Cosse quand les flics lui ont montré un paquet de photos d'identité.

— C'est elle qui te l'a dit ?

— Oui.

— Savait-elle que tu travaillais pour le type qu'elle a identifié ?

— Je lui ai dit que j'enquêtais sur le décès de sa voisine d'en face et c'est de son plein gré qu'elle m'a parlé. Je ne me suis pas identifié plus précisément parce qu'elle ne m'a rien demandé de plus.

Je lui adressai un petit signe de tête : arriver à sou-tirer avec autant de finesse les faits à un témoin clé de l'accusation aussi tôt dans la partie était du bon boulot.

— Quel âge a cette Mme Stephens ?

— Dans les soixante-cinq ans. Elle doit rester plan-tée devant ce judas une bonne partie de son temps.

Des fouineuses comme ça, il y en a dans tous les immeubles.

Jennifer s'en mêla.

— Si elle dit que le type est parti avant minuit, comment les flics expliquent-ils que le détecteur de fumée du couloir ne se soit déclenché que cinquante minutes plus tard ?

— Il pourrait y avoir plusieurs explications, répondit Cisco en haussant les épaules. D'abord, la fumée a pu mettre du temps à passer sous la porte, l'incendie n'en continuant pas moins à brûler dans l'appartement pendant ce temps-là. Ensuite, le type a peut-être mis le feu avec un retardateur ou un truc quelconque pour avoir le temps de sortir et de ne plus être dans le rouge. Ou alors, un mélange des deux.

Il glissa la main dans sa poche et en retira un paquet de cigarettes et des allumettes. Il sortit une cigarette du paquet en le secouant et la plaça à l'intérieur du sachet d'allumettes fermé.

— Y a pas plus vieux comme astuce, reprit-il. On allume la cigarette et elle brûle jusqu'au moment où elle touche les allumettes. Qui s'enflamment et mettent le feu à l'accélérateur. Ça donne entre trois et dix minutes d'avance au bonhomme, tout dépend de la cigarette utilisée.

J'acquiesçai d'un hochement de tête – plus pour moi-même que pour Cisco. Je commençais à deviner ce dont l'État allait accuser mon client et songeai à quelques stratégies possibles.

— Saviez-vous, reprit Cisco, que dans les trois quarts des États de l'Union, la loi interdit la vente de toute marque de cigarettes mettant moins de trois minutes à se consumer toutes seules ? C'est même pour ça que les pyromanes se servent de cigarettes de marques étrangères.

— Dément, dis-je, mais… et si on revenait à notre affaire ? Qu'est-ce que tu as glané d'autre dans cet immeuble ?

— C'est à peu près tout pour l'instant. Mais je vais y retourner. Des tas de gens étaient absents quand j'ai frappé chez eux.

— C'est parce qu'ils avaient l'œil collé au judas et qu'ils ont eu la trouille en te voyant.

J'avais dit ça pour plaisanter, mais la remarque comportait un soupçon de vérité. Cisco roulait en Harley et s'habillait en conséquence, son uniforme habituel étant un jean noir, des bottes, un tee-shirt moulant noir avec un gilet en cuir par-dessus. Taille imposante, accoutrement et yeux au regard pénétrant, à voir tout ça derrière un judas, il n'y avait pas à s'étonner que certains n'aient pas eu envie de lui ouvrir. De fait, j'avais nettement été plus surpris d'apprendre qu'un témoin avait accepté de coopérer avec lui. C'est même pour cela que je m'étais donné la peine d'être sûr que cette coopération avait été parfaitement volontaire. La dernière chose dont j'avais besoin était de tomber sur un témoin qui se retourne contre moi à la barre. C'était aussi pour cela que je les validais tous en personne.

— Non parce que tu devrais peut-être songer à mettre une cravate… de temps en temps, précisai-je. J'en ai toute une collection d'amovibles, tu sais ?

— Non, merci, me répondit-il catégoriquement. Bon, alors, on peut passer à l'hôtel ou tu veux continuer à me flinguer ?

— Doucement, mon grand, je te chambre un peu, rien de plus. Allez, parle-nous de l'hôtel. Tu as beaucoup travaillé hier soir.

— Et très tard, ajouta-t-il. Toujours est-il que c'est à l'hôtel que ça commence à sentir bon.

Il ouvrit son ordinateur portable et y entra une commande en parlant, ses gros doigts martyrisant le clavier.

— J'ai réussi à obtenir la coopération des types de la sécurité du Beverly Wilshire et je ne portais même pas de cravate. Ils m'ont…

— O.K., O.K. ! On arrête avec les cravates.

— Parfait.

— Continue. Qu'est-ce qu'ils t'ont raconté là-bas ?

Chapitre 6

Cisco déclara que ce n'était pas ce qu'on lui avait raconté à l'hôtel qui avait de l'importance. Mais ce qu'on lui avait montré.

— L'essentiel des espaces publics de cet hôtel est sous caméras de surveillance vingt-quatre heures sur vingt-quatre et sept jours sur sept, dit-il. Résultat, ils ont presque toute la visite que notre victime a rendue à l'hôtel ce dimanche soir-là sur enregistrement numérique. Ils m'en ont fourni une copie moyennant une petite commission que je passerai en note de frais.

— Pas de problème, dis-je.

Il tourna son ordinateur de façon que tout le monde puisse voir.

— En me servant du logiciel de correction de base de l'ordinateur, j'ai pu réorganiser tous les angles de vue et arriver à une reconstitution continue en temps réel. On peut suivre la victime tout le temps qu'elle a passé à l'hôtel.

— Projette-nous ça, Scorsese !

Il appuya sur la touche *Envoi* et nous commençâmes à regarder. Le play-back était en noir en blanc et sans le son. Il y avait du grain, mais pas au point d'obscurcir complètement les visages et d'empêcher toute identification. Le premier plan fut une vue en hauteur de l'entrée de l'hôtel. L'horodateur en haut de l'écran indiquait 21 h 44. Il y avait beaucoup de retardataires qui venaient récupérer leur clé à la réception et d'autres clients qui allaient et venaient, mais je repérai Gloria-Giselle sans aucune difficulté lorsqu'elle traversa l'entrée pour gagner les ascenseurs. Elle portait une robe noire qui lui arrivait aux genoux, rien de trop *risqué*[1] donc, et avait l'air tout à fait à l'aise et chez elle. Elle portait aussi un sac de chez Saks pour mieux se faire passer pour quelqu'un de tout à fait à sa place dans cet établissement.

— C'est elle ? demanda Jennifer en désignant une femme assise sur une ottomane et qui laissait voir pas mal de « jambe ».

— Trop évident, dis-je. Non, c'est celle-là.

Je lui montrai la partie droite de l'écran et y suivis Gloria qui souriait à un type de la sécurité posté à l'entrée de l'ascenseur avant de lui passer devant sans aucune hésitation.

L'angle de vue changeant, nous eûmes droit à une série d'images prises du plafond de l'alcôve des ascenseurs. Nous y vîmes Gloria en attendre un en vérifiant ses e-mails sur son téléphone. Puis, une cabine arrivant, elle y montait, les plans suivants la montrant à l'intérieur.

Après quoi, elle appuyait sur le bouton du huitième et, l'ascenseur se mettant en marche, elle soulevait son sac et regardait dedans, l'angle de la caméra ne permettant pas d'en voir le contenu.

---

1. En français dans le texte.

Arrivée au huitième, elle descendait de la cabine et là, l'écran redevint noir.

— Bon, à partir de là, on n'a plus rien, dit Cisco. Il n'y a pas de caméras dans les étages clients.

— Pourquoi? lui demandai-je.

— Ils m'ont dit que c'était une question de respect de la vie privée. Filmer les gens qui entrent dans telle ou telle chambre peut attirer plus d'ennuis qu'autre chose dès qu'on a affaire à des histoires de divorce et qu'il y a des citations à comparaître et autres trucs de ce genre.

J'acquiesçai. L'explication semblait valable.

L'écran revenant à la vie, nous vîmes Gloria reprendre l'ascenseur pour redescendre. Grâce à l'horodateur, je remarquai que cinq minutes s'étaient écoulées, ce qui signifiait qu'elle avait probablement frappé à la porte de la chambre 837 et attendu un bon bout de temps devant.

— Y a-t-il un téléphone de courtoisie au huitième? demandai-je. A-t-elle passé tout ce temps à frapper à la porte ou s'est-elle contentée d'appeler la réception pour savoir si la chambre était occupée?

— Non, il n'y a pas de téléphone, me répondit Cisco. Mais regarde ça.

De retour au rez-de-chaussée, Gloria sortait de la cabine et gagnait un téléphone posé sur une table collée au mur. Elle composait un numéro et se mettait à parler.

— Voilà, dit-il. Elle demande à être mise en relation avec la chambre. Et l'opératrice l'informe qu'il n'y a pas de Daniel Price inscrit dans les registres de l'hôtel et qu'il n'y a personne à la chambre 837.

Et Gloria raccrochait, son langage corporel indiquant clairement son agacement et sa frustration. Elle avait fait le déplacement pour rien. Elle retraversait alors l'entrée, et d'un pas plus rapide qu'à l'aller.

— Et maintenant, regardez ça, reprit Cisco.

Gloria avait parcouru la moitié du hall d'entrée lorsqu'un type faisait son apparition à l'écran quelque dix mètres derrière elle. Il portait un chapeau mou et, tête baissée, regardait l'écran de son téléphone portable. Il semblait, lui aussi, se diriger vers la sortie, et n'avait rien de soupçonnable hormis le fait que son chapeau masquait ses traits et qu'il avançait en regardant par terre.

Mais soudain Gloria changeait de direction et repartait vers le comptoir de la réception. Cela obligeait le type derrière elle à lui aussi changer maladroitement de direction. Puis il obliquait vers l'ottomane et s'y asseyait.

— Il la suit ? demanda Lorna.

— Attends, dit Cisco.

À l'écran, on voyait alors Gloria gagner le comptoir, attendre que le réceptionniste ait fini de s'occuper du client avant elle, puis lui poser une question. Il tapait quelque chose sur son clavier, consultait son écran et faisait non de la tête. Il était manifestement en train de lui dire qu'il n'y avait aucun Daniel Price enregistré pour la nuit. Pendant ce temps-là, le type restait assis, la tête baissée, le rebord de son chapeau mou lui masquant toujours le visage. Il regardait bien son téléphone, mais ne s'en servait pas.

— Il n'est même pas en train de s'en servir pour écrire, reprit Jennifer. Il ne fait que le regarder fixement.

— Non, c'est Gloria qu'il regarde, dis-je. Pas son téléphone.

Il était impossible d'en être certain à cause du chapeau, mais il semblait assez clair qu'il la suivait. En ayant fini à la réception, elle se tournait à nouveau et, encore une fois, se dirigeait vers la sortie. Puis elle prenait un téléphone portable dans son sac à main et y entrait un numéro abrégé. Et avant même d'arriver devant la porte, elle disait vite quelque chose dans l'appareil avant de le remettre dans son sac. Et de sortir enfin de l'hôtel.

Mais avant même qu'elle disparaisse, le type au chapeau se levait et traversait l'entrée derrière elle. Il accélérait le pas dès qu'elle franchissait la porte, ce qui semblait confirmer qu'en se dirigeant inopinément vers la réception, Gloria avait démasqué celui qui la suivait.

Puis, l'homme au chapeau ayant quitté l'entrée, c'était la caméra à l'extérieur qui prenait le relais et montrait une Town Car noire semblable à la mienne s'arrêter devant Gloria à l'emplacement réservé au voiturier. Elle ouvrait la portière et jetait le sac Saks à l'arrière, où elle se glissait ensuite. La voiture déboîtait du trottoir et disparaissait de l'écran. L'homme au chapeau mou traversait alors les allées de voiturage et disparaissait de l'écran à son tour, sans avoir jamais, même seulement une fois, relevé assez la tête pour qu'on puisse voir son nez.

Le visionnage terminé, tout le monde garda le silence un bon moment, chacun prenant le temps de se repasser la scène dans la tête.

— Alors ? finit par demander Cisco.

— Alors, quelqu'un la suivait, répondis-je. J'imagine que tu as demandé qui était ce gars aux types de l'hôtel.

— Oui, et il n'y travaille pas. Et ils n'avaient aucun agent de sécurité en plongée ce soir-là. Quel qu'il soit, ce type n'est pas de l'hôtel.

Je hochai la tête et réfléchis encore à ce que je venais de voir.

— Il ne l'a pas suivie quand elle entrait, fis-je remarquer. Cela signifie-t-il qu'il était déjà dans la place ?

— J'ai aussi un suivi du bonhomme, dit Cisco.

Il retourna l'ordinateur vers lui et, après quelques manipulations, fit monter une deuxième vidéo. Puis il tourna de nouveau son ordinateur, cette fois vers nous, et appuya sur la touche *Envoi*. Et fournit le commentaire.

— Bon, alors, dit-il, le voilà assis dans l'entrée à 21 h 30. Il était là pour elle parce qu'il reste assis comme ça jusqu'à son arrivée. Là aussi, j'ai un suivi.

Il reprit l'ordinateur, lança la vidéo et tourna l'appareil à nouveau vers nous. Les images provenant de plusieurs caméras étant synchrones avec les indications de l'horodateur, nous vîmes Gloria traverser l'entrée avec l'homme au chapeau mou derrière elle, ledit chapeau tournant au fur et à mesure qu'elle passait de l'autre côté de la salle. L'inconnu attendait ensuite qu'elle redescende du huitième et la suivait dehors après qu'elle s'était brusquement arrêtée à la réception.

Le spectacle terminé, Cisco referma son ordinateur.

— Bien, alors qui est-ce ? demandai-je.

Il écarta les bras – envergure : pas loin de deux mètres dix.

— Tout ce que je peux te dire, c'est qu'il ne travaille pas pour l'hôtel.

Je me levai et me mis à faire les cent pas derrière la table. Je me sentais tout excité. L'homme au chapeau était mystérieux, et les mystères jouent toujours en faveur de la défense. Parce qu'ils posent des questions, ils conduisent au doute raisonnable[1].

— Sais-tu si les flics sont passés à l'hôtel ?

— Pour ce qui est d'hier soir, pas que je sache, dit-il. Ils ont déjà présenté leur dossier au district attorney. Ils doivent se moquer de ce qu'elle faisait quelques heures avant d'être assassinée.

Je hochai la tête. C'était stupide de sous-estimer l'accusation.

— T'inquiète pas pour ça, lui dis-je, ils s'y intéresseront.

— Et s'il travaillait pour Gloria ? voulut savoir Jennifer. Pour assurer sa sécurité, enfin… quelque chose comme ça.

— Bonne question, dis-je en acquiesçant d'un signe de tête. Je demanderai à La Cosse avant qu'il passe en première comparution. Je lui demanderai aussi pour la Town Car qui attendait Gloria. Peut-être avait-elle un chauffeur attitré. Mais il y a quelque chose qui ne colle pas dans… dans cette vidéo. Ça ne cadre pas avec un type qui travaillerait pour elle. Il donne l'impression de savoir qu'il y a des caméras de surveillance, il n'enlève jamais son chapeau et garde toujours la tête baissée. Ce type ne voulait pas être filmé.

— Et en plus, il était déjà là avant qu'elle arrive, fit remarquer Cisco. Non, non, il l'attendait.

— Et il se conduit comme s'il savait qu'elle allait monter et redescendre tout de suite, ajouta Lorna. Il savait qu'il n'y avait personne dans cette chambre.

---

1. Aux États-Unis, il n'y a pas de condamnation possible s'il subsiste le moindre doute raisonnable dans la tête des jurés.

Je cessai de faire les cent pas et montrai l'ordinateur de Cisco du doigt.

— Ça ne peut être que lui, dis-je. Daniel Price, c'est lui. Il nous reste à savoir qui c'est.

— Euh… je peux dire quelque chose ? lança Jennifer.

J'acquiesçai et lui donnai la parole.

— Avant de commencer à s'exciter sur ce mystérieux type au chapeau, il ne faudrait pas oublier que notre client a avoué aux flics s'être trouvé avec la victime dans son propre appartement après, et je dis bien *après* – que ce type l'ait suivie ou pas suivie – s'être disputé avec elle et l'avoir prise par le cou. Alors, moi, plutôt que de m'inquiéter de savoir ce qui s'est passé avant qu'il se trouve chez elle, je chercherais plutôt à savoir ce qu'a fait ou n'a pas fait La Cosse quand il était dans la place, non ?

— C'est effectivement de la plus haute importance, répondis-je tout de suite. Mais tout ça a besoin d'être vérifié. Il faut retrouver ce type et voir ce qu'il fabriquait. Cisco, peux-tu élargir un peu le champ de tes recherches ? Cet hôtel se trouve tout au bout de Rodeo Drive. Il y a forcément d'autres caméras dans le coin. Qui sait si en le suivant nous n'arriverons pas à une voiture et à une plaque d'immatriculation ? La piste n'est pas encore totalement froide.

Il acquiesça.

— Je m'en occupe, dit-il.

Je consultai ma montre. Il fallait que je me dépêche d'aller à la chambre des mises en accusation en centre-ville.

— Bien, repris-je, autre chose ?

Personne ne disant rien, Lorna finit par lever timidement la main.

— Oui?

— Juste pour te rappeler qu'à 14 heures tu as la conférence de mise en état pour Ramsey à la Chambre 30.

Je grognai. Une autre de mes clientes absolument éblouissantes, Deirdre Ramsey, était accusée de complicité dans la commission de divers crimes, l'affaire étant une des plus bizarres qui m'ait échu depuis bien des années. Deirdre Ramsey avait pour la première fois attiré l'attention du public l'année précédente, le jour où elle était devenue la victime anonyme d'une horrible agression perpétrée au cours du braquage d'une supérette. D'après les premiers rapports, cette femme de vingt-six ans comptait au nombre des quatre clients et des deux employés se trouvant sur place lorsque deux hommes masqués et lourdement armés y étaient entrés pour dévaliser le magasin. Clients et employés, tout le monde avait été poussé et enfermé à clé dans une resserre pendant que les gangsters ouvraient le coffre à argent liquide avec une barre à mine.

Puis ils étaient revenus dans la resserre et avaient ordonné aux prisonniers de leur donner portefeuilles, bijoux et habits. Et pendant que le premier gardait les autres, le second avait violé Ramsey devant tout le monde. Les deux hommes s'étaient ensuite enfuis avec 280 dollars et deux boîtes de bonbons en plus des effets personnels des victimes. Ce crime n'avait pas été résolu avant des mois. Le conseil municipal avait offert une récompense de 25 000 dollars pour tout renseignement conduisant à l'arrestation des suspects et Ramsey avait déposé une plainte pour négligence contre la corporation propriétaire du magasin : d'après elle, la protection des clients n'y était pas suffisante. Sachant très bien que la dernière chose qu'ils voulaient était de voir Ramsey raconter son calvaire devant des jurés, la direction de la corporation, dont le siège se trouvait à Dallas, avait opté pour un règlement à l'amiable et dédommagé Ramsey à hauteur de 250 000 dollars.

Sauf que l'argent est le grand destructeur des relations humaines. Quinze jours après que Ramsey avait touché cette somme, les enquêteurs avaient reçu un coup de fil d'une femme leur demandant si la récompense promise par le conseil municipal était toujours d'actualité. Informée que c'était bien le cas, elle leur avait alors raconté une bien étrange histoire. Elle leur avait en effet affirmé que ces 250 000 dollars de dédommagement étaient le but véritable du hold-up et que le voleur-violeur de Ramsey n'était autre que son petit ami, Tariq Underwood. À entendre l'informatrice, le viol faisait partie d'une arnaque très astucieuse et consensuelle, d'un plan que Ramsey avait elle-même élaboré afin de devenir riche.

Il se trouvait que la cafteuse était la meilleure amie de Ramsey, enfin… jusqu'au jour où elle s'était sentie injustement tenue à l'écart du pactole auquel Ramsey avait eu droit. Des écoutes téléphoniques s'ensuivirent sur ordre du tribunal, Ramsey, son petit ami et son associé dans le hold-up avaient été bientôt arrêtés. Le Bureau des avocats commis d'office assurant la défense d'Underwood, il y avait eu conflit d'intérêts pour Ramsey et c'était moi qui avais hérité du dossier. L'affaire ne rapporterait pas gros et avait pas mal de chances d'être perdue, mais Ramsey avait refusé de plaider coupable. Elle voulait aller au procès et je n'avais pas eu d'autre choix que d'y aller avec elle. Tout cela risquait de mal finir.

Cette audience qu'on me rappelait me flinguait pas mal l'élan que j'avais pris ce jour-là. Lorna entendit mon grognement.

— Tu veux que j'essaie de la repousser ? me proposa-t-elle.

Je réfléchis. C'était tentant.

— Vous voulez que je vous remplace ? me lança Jennifer.

Parce que bien sûr, elle en avait envie. Elle était prête à prendre toutes les affaires criminelles que je pouvais lui donner.

— Non, lui répondis-je, le dossier est vraiment nul. Je ne peux pas vous faire ça. Lorna, vois un peu ce que tu peux faire. J'aimerais assez avancer avec La Cosse dès aujourd'hui, si c'est possible.

— Je te tiens au courant.

Tout le monde prenait déjà un dernier doughnut, voire se dirigeait vers la porte.

— Bien, dis-je, chacun a sa mission et sait ce qu'il doit faire dans ce dossier. On reste en contact et on me communique tout ce qu'on apprend.

Je me fis une autre tasse de café et fus le dernier à sortir. Earl m'attendait à la voiture dans le parking de derrière. Je lui demandai de gagner le centre-ville et de ne pas prendre l'autoroute. Je voulais arriver assez tôt pour pouvoir parler avec Andre La Cosse avant qu'on l'amène devant le juge.

Chapitre 7

Je réussis à avoir un quart d'heure d'entretien avec mon client avant qu'il ne soit emmené à la salle d'audience avec le reste du troupeau, aux fins de première comparution devant le juge. Il avait été enfermé dans une cellule surpeuplée en retrait de la chambre des mises en accusation, et je dus me pencher près des barreaux et lui parler en chuchotant afin que les autres détenus ne puissent pas nous entendre.

— Andre, lui dis-je, on n'a pas énormément de temps. Dans quelques minutes vous allez être conduit au prétoire pour y voir le juge. Ce sera bref et gentil, les charges vous seront lues et une date sera prise pour votre mise en examen.

— Je ne vais pas plaider coupable ?

— Non, pas maintenant. Il ne s'agit que d'une formalité. Après votre arrestation, la justice n'a que quarante-huit heures pour vous faire passer devant un juge et enclencher la procédure.

— Et la caution ?

— Vous ne l'obtiendrez pas à moins que le lingot que vous nous avez envoyé n'ait beaucoup de petits frères. C'est de meurtre que vous êtes accusé. On parlera bien de caution, mais elle sera probablement, et au bas mot, de deux millions de dollars, voire deux et demi. Ce qui nous donne un dépôt de garantie de 200 000 dollars. Vous avez ça en or ? Et cette somme, vous ne la récupérerez pas, vous savez ?

Il s'affaissa un peu et appuya le front contre les barreaux qui nous séparaient.

— Je ne supporte pas cet endroit, dit-il.

— Je sais mais, pour l'instant, vous n'avez pas le choix.

— Vous ne m'avez pas dit que vous pourriez me mettre ailleurs ?

— Oui, je peux. Dites-moi de le faire et je vous obtiens le statut de prisonnier à part.

— Faites-le. Je ne veux pas retourner là-bas.

Je me penchai encore plus près et murmurai encore plus bas.

— Il vous est arrivé quelque chose cette nuit ?

— Non, mais ce sont de vraies bêtes. Je ne veux pas être avec eux.

Je ne lui dis pas que, peu importait l'endroit dans le système carcéral, il n'allait pas apprécier. Des bêtes, il y en avait partout.

— Je le signale au juge, dis-je à la place. Bon et maintenant, j'ai deux ou trois questions à vous poser sur notre affaire avant qu'on entre dans la salle, d'accord ?

— Allez-y. Vous avez reçu l'or ?

— Oui, je l'ai reçu. Il y en a plus que nous n'en demandions, mais tout servira à votre défense et ce qui ne sera pas utilisé vous sera rendu. J'ai un reçu si vous voulez mais, à mon avis, à Men's Central il vaudrait mieux ne pas vous promener avec un bout de papier disant que vous avez du fric.

— Oui, vous avez raison. Gardez-le pour l'instant.

— Bien. Passons aux questions. Giselle disposait-elle d'un quelconque système de sécurité dont vous auriez connaissance ?

Il hocha la tête comme s'il n'était pas très sûr de la réponse, mais finit par me dire :

— Elle avait une alarme anticambriolage, mais je ne sais pas si elle s'en est déjà servie et je…

— Non, c'est de bonshommes que je parle. Avait-elle un garde du corps ou quelqu'un qui s'occupait de sa sécurité lorsqu'elle se rendait à un rendez-vous, répondait à un appel, enfin… vous appelez ça comme vous voulez.

— Oh non, rien de ce genre dont elle m'aurait parlé. Elle avait un chauffeur qu'elle pouvait appeler s'il y avait un problème, mais d'habitude il se contentait de rester dans la voiture.

— Justement, ma question suivante le concernait. Qui est-ce et comment puis-je le joindre ?

— Il s'appelle Max et c'était un de ses amis. Il avait un autre boulot dans la journée et ne la conduisait que le soir. Et d'ailleurs, en gros, elle ne travaillait elle aussi que le soir.

— Max comment ?

— Je ne connais pas son nom de famille. Je ne l'ai même jamais rencontré. Elle mentionnait rarement son existence. Elle disait que c'était son balèze.

— Mais il n'entrait pas avec elle.

— Pas que je sache, non.

Je remarquai qu'un autre prisonnier s'était mis à aller et venir dans son dos, juste derrière son épaule gauche. Il essayait d'écouter notre conversation.

— Allons un peu plus loin, dis-je.

Nous suivîmes les barreaux jusqu'à l'autre bout de la cellule. « M. Grandes Oreilles » resta en retrait.

— Bien, repris-je. Parlez-moi du coup de téléphone que vous avez passé à l'hôtel pour vérifier si le client de Julia Roberts était là. Comment tout cela s'est-il passé ? (Je jetai un coup d'œil à ma montre.) Et faites vite.

— Eh bien, il nous a contactés par le site Web. Je lui ai donné le prix et…

— Par e-mail ?

— Non, il a téléphoné. De l'hôtel. J'ai vu son identifiant à l'écran.

— Bon, continuez. Il a appelé de l'hôtel et après… ?

— Je lui ai dit le prix qu'elle prenait, il m'a dit que ça lui allait et nous avons fixé le rendez-vous à 21 h 30 le soir même. Il m'a donné son numéro de chambre et je lui ai dit que j'avais besoin de le rappeler pour confirmation. Il m'a dit pas de problème et je l'ai rappelé.

— Vous avez appelé l'hôtel et vous avez demandé qu'on vous passe la chambre 837.

— C'est ça. On me l'a passée et c'était bien lui. Je lui ai confirmé qu'elle serait là à 21 h 30.

— O.K., et vous n'aviez jamais fait affaire avec ce type avant ?

— Non, jamais.

— Comment a-t-il payé ?

— Il n'a pas payé. C'est pour ça que je me suis bagarré avec Giz. Elle m'a dit qu'il n'avait pas payé parce qu'il n'y avait personne dans la chambre. À l'entendre, le type de la réception lui avait dit qu'il était déjà parti et là, j'ai tout de suite su que c'étaient des conneries parce que moi, je lui avais parlé dans la chambre.

— D'accord, d'accord, mais vous aviez discuté du mode de paiement avec lui? Vous savez bien… liquide ou carte de crédit.

— Oui. Il voulait payer en liquide. C'est pour ça que je suis allé voir Giz chez elle, pour récupérer ma part. Si le type avait payé par carte, c'est moi qui aurais mené la transaction et je me serais payé tout de suite. C'est parce qu'il a payé en liquide que j'ai voulu aller récupérer le fric avant qu'elle puisse tout dépenser ou le perdre.

Je commençais à mieux comprendre sa façon de mener ses affaires.

— Et c'est toujours comme ça que vous faisiez?

— Oui.

— C'était automatique?

— Oui, c'était toujours pareil.

— Et la voix du type? Vous l'avez reconnue? Ce n'était pas celle d'un ancien client?

— Non, je ne l'ai pas reconnue et en plus, il m'a dit que c'était la première fois qu'il appelait. Mais… le rapport avec notre affaire?

— Il n'y en a peut-être pas, mais tout peut aussi en dépendre. Étiez-vous fréquemment en contact avec Giselle?

Il haussa les épaules.

— Tous les jours par SMS. On s'en servait beaucoup, mais quand j'avais besoin d'une réponse rapide, je l'appelais sur son portable. Disons deux ou trois fois par semaine.

— Et vous la voyiez souvent?

— Une à deux fois par semaine quand le client payait en liquide. Dans ces cas-là, je passais la voir pour récupérer la somme. Parfois, on se retrouvait devant un café ou on déjeunait ensemble et je prenais l'argent.

— Et elle n'en gardait jamais un peu pour elle?

— On avait déjà eu des problèmes avant.

— Comment ça?

— C'est essentiellement avec elle que j'ai appris que l'argent est fait pour être dépensé. Plus je le lui laissais, plus elle risquait de le flamber. Je n'attendais donc jamais très longtemps avant d'aller le récupérer.

Je vis la file des prisonniers qui venaient de comparaître être redirigée vers la cellule de détention. Ç'allait être le tour de La Cosse.

— O.K., juste une seconde, lui dis-je.

Je m'accroupis et ouvris ma mallette sur le sol carrelé. J'en sortis un stylo et la pièce que je voulais lui faire signer, puis me relevai.

— Andre, lui dis-je, voici un formulaire de levée de toute restriction suite à un conflit d'intérêts. J'ai besoin que vous me le signiez si vous voulez que je vous représente. Vous y reconnaissez savoir que la victime que vous êtes accusé d'avoir assassinée était une de mes anciennes clientes. Par ce document, vous renoncez à toute réclamation pouvant émaner d'un conflit d'intérêts que j'aurais à vous représenter. Vous déclarez ici et maintenant que cela ne vous gêne pas. Dépêchez-vous de me signer ça avant qu'on vous voie avec ce stylo.

Je le lui glissai entre les barreaux avec la pièce et il signa. Et parcourut rapidement la page en me la repassant.

— Qui est Gloria Dayton ? me demanda-t-il.

— C'est Giselle. Elle s'appelait Gloria Dayton, en fait.

Je me penchai pour ranger le document dans ma mallette.

— Encore deux ou trois choses, repris-je en me relevant. Hier, vous m'avez dit vouloir recontacter la cliente qui s'est portée garante pour Giselle lorsqu'elle est venue vous voir. Vous l'avez fait ? J'ai besoin de lui parler.

— Oui, et elle n'y voit aucun inconvénient. Vous pouvez l'appeler. Elle s'appelle Stacey Campbell. Comme la marque de soupe.

Il me donna son numéro, je le notai dans la paume de ma main.

— Vous connaissez son numéro par cœur ? Les trois quarts des gens ne se rappellent plus aucun numéro depuis qu'on les enregistre dans les portables.

— Si j'avais stocké tous ces numéros dans mon portable, les flics les auraient en ce moment même. Nous changeons souvent de numéro, voire de téléphone, et je les mémorise tous. Je ne connais pas de façon plus prudente de procéder.

J'acquiesçai d'un signe de tête. Impressionnant.

— O.K., dis-je, ça marche. Allons voir le juge.

— Vous n'aviez pas dit « deux ou trois choses » ?

— Ah si.

Je glissai ma main dans la poche de ma veste, en sortis un petit tas de cartes de visite et les lui passai entre les barreaux.

— Vous pouvez les mettre sur le banc là-bas ? lui demandai-je.

— Vous plaisantez ?

— Non, non, ces gens cherchent toujours un bon avocat. Surtout quand ils sortent d'ici pour aller voir l'avocat commis d'office qui va s'occuper de leur affaire en plus de trois cents autres. Étalez-les un peu sur le banc et je vous retrouve au prétoire.

— Comme vous voudrez.

— Et n'oubliez pas : vous pouvez parler de votre avocat tant qu'il vous plaira, mais pas un mot sur votre affaire. À personne ou ça vous reviendra en pleine figure, ça, je vous le garantis.

— Compris.

— Bien.

*

La chambre des mises en accusation est l'endroit où la justice pénale est prise de folie consommatrice, ceux et celles qui sont pris dans ses filets étant livrés au marché. Je quittai la cellule de détention et me retrouvai dans un océan d'avocats de la défense, de procureurs, d'enquêteurs et de toutes sortes d'équipes de soutien, chacun allant et venant dans une danse sans chorégraphie présidée par le juge Mary Elizabeth Mercer. Il est de son devoir de faire respecter la garantie que confère la Constitution à tout prévenu d'avoir droit à un procès rapide, d'être informé des charges qui pèsent contre lui et de se voir attribuer un défenseur s'il n'y a pas pourvu lui-même. Dans la pratique, cela signifie que tout accusé ne passe que quelques minutes devant un

100

juge avant d'entamer un long et habituellement très tortueux périple à travers le système.

Dans les chambres de première comparution, les tables des avocats sont aussi grandes que celles des conseils d'administration, le but étant de pouvoir y faire asseoir plusieurs avocats en même temps, ceux-ci devant y préparer leurs dossiers tandis que leur client est appelé à la barre. Des défenseurs allaient et venaient en plus grand nombre encore près de l'enclos situé à la gauche du juge, endroit où les accusés sont amenés depuis les cellules de détention par groupes de six. Puis ils restaient debout à côté de leurs clients pour la lecture des charges et attendaient qu'on fixe la date où ces derniers seraient formellement mis en accusation et pourraient demander un plaider-coupable. Pour les non-initiés – et cela inclut les accusés et leurs parents qui s'entassent sur les bancs en bois réservés à l'assistance –, il est difficile de suivre et de comprendre ce qui se passe à ce moment-là. La seule chose qu'ils peuvent appréhender, c'est que le système judiciaire se met en branle et prend le contrôle de leurs vies.

Je gagnai le bureau de l'huissier où l'ordre de comparution des prévenus est affiché sur une écritoire à pinces. Il avait barré les trente premiers noms de sa liste. Le juge Mercer expédiait très efficacement son lot du matin. Je vis le nom d'Andre La Cosse à côté du numéro 38. Cela signifiait qu'il y avait un groupe de six prévenus avant le sien, et cela me donnait le temps de trouver un endroit où m'asseoir pour vérifier mes messages.

Les neuf chaises disposées autour de la table de la défense étaient prises. Je jetai un coup d'œil à celles qui s'alignaient le long de la barrière séparant l'assistance de l'aire de travail du tribunal et repérai un espace libre. J'y allais lorsque je reconnus un des types à côté desquels j'avais des chances de me retrouver. Ce n'était pas un avocat. C'était un flic, et un flic avec un passé auquel, coïncidence, nous avions fait allusion ce matin-là lors de notre réunion générale. Lui aussi me reconnut, et fit la grimace lorsque je me postai à côté de lui.

L'entretien se fit en chuchotant, de façon à ne pas attirer l'attention du juge.

— Tiens donc, ne serait-ce pas Mickey Mouth[1] en personne, le grand orateur qui défend les ordures au prétoire ?

J'ignorai la pique. Elle venait d'un flic et j'avais l'habitude.

— Ça fait une paie, inspecteur Lankford ! lui lançai-je.

Lee Lankford était un des inspecteurs des Homicides de Glendale qui avaient travaillé sur le meurtre de mon ancien enquêteur Raul Levin. Les motifs de sa grimace, de ses insultes et des frictions qui existaient manifestement toujours entre nous étaient nombreux. Pour commencer, il semblait nourrir une haine génétique envers tous les avocats. Il y avait aussi le petit accrochage survenu entre nous lorsqu'il m'avait, à tort, accusé d'avoir assassiné Levin. Cela n'avait évidemment pas beaucoup aidé que je finisse par trouver la solution de l'affaire à sa place.

— On est bien loin de Glendale, lui lançai-je en sortant mon portable. Vous ne procédez pas aux mises en examen à la cour supérieure de Glendale ?

---

1. « Mickey la grande gueule ».

— Haller, vous êtes comme d'habitude en retard sur votre temps. Je ne travaille plus à Glendale maintenant. Je me suis mis en retraite.

Je hochai la tête comme si je pensais que c'était une bonne chose, et souris.

— Ne me dites pas que vous êtes passé de l'autre côté, repris-je. Vous ne travaillez quand même pas pour un de ces défenseurs, si ?

Il eut l'air dégoûté.

— Je ne risque pas de travailler pour l'un d'entre vous, bande d'ordures ! Non, je travaille pour le district attorney maintenant. Et d'ailleurs, y a un siège qui vient de se libérer à la grande table. Pourquoi n'iriez-vous pas vous y asseoir avec vos gens ?

Je fus bien obligé de sourire. Il n'avait pas changé depuis ces sept années ou plus que je ne l'avais pas revu. J'appréciai de pouvoir l'enquiquiner un peu.

— Non, non, je me sens mieux ici.

— Génial.

— Et l'inspectrice Sobel ? Toujours dans la police ?

À l'époque, c'était avec elle que je communiquais. Elle ne se trimballait pas tout un sac de préjugés comme lui.

— Toujours, toujours, dit-il, et elle va bien. Dites-moi un peu… lequel de ces bons citoyens menottés comme il faut est votre client aujourd'hui ?

— Oh, le mien fait partie du lot suivant. Un vrai battant, ce mec. C'est un mac qu'on accuse d'avoir tué une de ses propres filles. Ça vous réchauffe le cœur, les histoires de ce genre.

Il s'adossa un peu plus à sa chaise et je compris que je l'avais surpris.

— Laissez-moi deviner, dit-il. La Cosse ?

J'acquiesçai.

— C'est ça même. Parce que c'est aussi votre client ?

Un sourire méprisant se dessina sur son visage.

— Et comment ! Même que maintenant je vais adorer chaque minute de cette affaire !

Les enquêteurs dépêchés auprès des district attorneys effectuent des tâches subalternes pour eux, les vrais enquêteurs restant les inspecteurs de police qui prennent l'affaire dès les premières constatations effectuées sur les lieux du crime. Mais lorsque le dossier est bouclé et passe de la police au bureau du procureur, les enquêteurs du district attorney ont pour tâche d'aider à la préparation de celui à présenter au procès. Leur travail consiste à localiser les témoins, à les faire venir au tribunal et à contrecarrer les manœuvres de la défense, des témoins et autres. Il s'agit là d'un étrange assortiment de responsabilités de seconde zone. Leur boulot se résume à être prêts à faire tout ce qui pourrait être nécessaire dans la période menant au procès.

La plupart des enquêteurs du district attorney sont donc d'anciens flics, en majorité à la retraite comme Lankford. Ils mangent à deux râteliers : d'abord en touchant une pension de la police, et ensuite en se faisant payer un salaire par le Bureau du district attorney. Plutôt pas mal comme boulot, à condition de le décrocher. Ce qui me paraissait inhabituel, c'était de constater que Lankford avait déjà été mis sur l'affaire La Cosse. Celui-ci n'avait même pas comparu devant le juge que Lankford avait non seulement hérité du dossier, mais qu'en plus il se trouvait déjà dans la salle d'audience.

— Je ne comprends pas trop, repris-je. Les flics n'ont déposé le dossier qu'hier et vous êtes déjà dessus ?

— Je suis à la division des Homicides, moi. On obtient nos affaires par rotation. Celle-là est à moi et je voulais juste jeter un coup d'œil au bonhomme, histoire de voir à qui j'allais avoir affaire. Mais maintenant que je sais qui est son avocat, je sais très exactement à qui j'ai affaire.

Sur quoi il se leva et se retourna pour me regarder. Je remarquai le badge attaché à sa ceinture et les bottes en cuir noir qu'il portait sous le pantalon avec ourlet de son costume. Ça ne l'arrangeait pas, mais personne ne se serait risqué à le mettre en boule en lui en faisant la remarque.

— On va bien rigoler, ajouta-t-il, et il partit.

— Vous n'attendez pas qu'il arrive ?

Il ne me répondit même pas. Il franchit le portillon et descendit l'allée conduisant à la porte située à l'arrière de la salle.

Je le regardai s'éloigner, puis restai assis sans bouger pendant quelques instants et songeai à la menace voilée qu'il m'avait adressée et au fait que j'allais devoir inclure dans l'équation la présence d'un type du cabinet du procureur qui bandait rien qu'à l'idée de travailler contre moi.

Ça ne commençait pas bien.

Mon portable bourdonnant dans ma main, je regardai le texto. C'était Lorna qui nous donnait une bonne nouvelle pour contrebalancer un peu l'épisode Lankford.

C'était bien un lingot d'or. 52 K dollars dépo-
sés sur le compte bloqué.

On avait signé, c'était parti. Quoi qu'il arrive, au
moins je serais payé. J'oubliai un peu Lankford. Puis
une silhouette me faisant de l'ombre, je levai la tête et
découvris un des gardiens de la cellule en train de me
toiser.

— Haller, c'est bien vous, non ? me lança-t-il.

— Oui, c'est moi. Qu'est-ce que...

Il me lâcha tout un tas de cartes de visite en cascade
sur la tête. Mes cartes de visite. Celles que j'avais données à La Cosse.

— Vous recommencez ça et vous n'avez plus
jamais le droit d'aller voir un de vos petits fumiers de
clients là-bas derrière ! m'assena-t-il. Pas pendant mon
service, en tout cas.

Je me sentis rougir : plusieurs avocats nous observaient. Le seul bon point là-dedans était que Lankford
avait raté le spectacle.

— Pigé ? reprit le garde.

— Oui, oui.

— Bien.

Il s'éloigna et je commençai à ramasser mes cartes.
Le spectacle était terminé, les autres avocats firent
demi-tour et retournèrent à leurs affaires.

Chapitre 8

Cette fois, il n'y avait qu'une Lincoln garée le long du trottoir lorsque je quittai le tribunal. Tout le monde était déjà parti déjeuner quelque part. Je montai à l'arrière et dis à Earl de prendre la direction d'Hollywood. Je ne savais pas où habitait Stacey Campbell, mais me doutais bien que ce n'était pas en centre-ville. Je sortis mon portable, regardai le numéro que je m'étais noté dans la main et l'entrai dans l'appareil. Elle répondit promptement et d'une voix étudiée, tout à la fois douce et sexy, avec tout ce que, d'après moi, une voix de prostituée doit avoir.

— Bonjour, ici Stacy Starry-Eyed[1].

— Euh… Stacey Campbell ?

Le doux et le sexy disparurent de sa voix et laissèrent place à un ton dur avec un rien de rocailleux dû à la cigarette.

— Qui est à l'appareil ?

— Je m'appelle Michael Haller et suis l'avocat d'Andre La Cosse. Il me dit s'être entretenu avec vous et vous auriez accepté de me parler de Giselle Dallinger.

---

1. « Émerveillée ». Littéralement : « les yeux pleins d'étoiles ».

— Le problème, c'est que je n'ai aucune envie d'être traînée devant un tribunal.

— Ça n'est pas mon intention. Je veux seulement m'entretenir avec quelqu'un qui la connaissait et peut me parler d'elle.

Silence.

— Madame Campbell, serait-il possible que je passe vous voir ou que je vous rencontre quelque part ?

— Non, c'est moi qui vais vous retrouver. Je ne veux personne chez moi.

— Pas de problème. D'accord pour tout de suite ?

— J'ai besoin de me changer et de mettre mon postiche.

— Où et à quelle heure ?

Un deuxième silence s'ensuivit. J'allais lui dire qu'elle n'avait pas à mettre son postiche pour moi lorsqu'elle me lança :

— On se fait un Toast ?

Il était 12 h 10, mais je compris qu'une femme avec ce genre d'occupation pouvait très bien à peine se lever.

— Euh, oui, très bien. J'essaie de trouver où on pourrait prendre un petit déjeuner.

— Quoi ? Non ! Je vous parle de Toast, le café ! C'est dans la 3e Rue, près de Crescent Heights.

— Oh, d'accord. Je vous y retrouve. On dit vers 13 heures ?

— J'y serai.

— Je réserve une table et vous y attendrai.

Je mis fin à la conversation, dis à Earl où aller, puis j'appelai Lorna pour voir si elle avait réussi à repousser ma conférence de mise en forme.

— Ça ne marche pas. D'après Patricia, le juge veut en finir avec ce dossier. Finis les délais, Mickey. Il te veut à son cabinet à 14 heures.

Patricia était la greffière du juge Companioni. De fait, c'était elle qui gérait le prétoire et l'emploi du temps, et quand elle disait que le juge entendait démarrer une affaire, en réalité, c'était elle qui le voulait. Elle en avait assez de tous les délais que je lui avais demandés alors que j'essayais de convaincre ma cliente d'accepter l'arrangement proposé par le district attorney.

Je réfléchis un instant. Même si Stacey Campbell se pointait à l'heure – ce sur quoi, je le savais, je ne pouvais guère compter –, il n'y avait probablement aucune chance que je lui soutire tous les renseignements que je voulais et puisse ensuite regagner le tribunal en centre-ville avant deux bonnes heures. Je pouvais annuler le rendez-vous au Toast, mais je n'en avais aucune envie. Les mystères et motivations en jeu dans l'affaire de Gloria retenaient toute mon attention. Je voulais savoir ce que cachait son subterfuge et m'occuper d'un autre dossier était hors de question.

— O.K., dis-je, j'appelle Bullocks et je vois si elle est toujours d'accord pour me remplacer.

— Pourquoi ? Tu es toujours en première comparution ?

— Non, je me dirige vers West Hollywood pour l'affaire de Gloria.

— Tu veux dire l'affaire La Cosse, non ?

— Oui.

— Et aller à West Hollywood ne peut pas attendre ?

— Non, Lorna, ça ne peut pas attendre.

— Elle te tient toujours, pas vrai ? Même morte.

— Je veux juste savoir ce qui s'est passé. C'est pour ça que j'ai besoin de contacter Bullocks tout de suite. Je te rappelle plus tard.

Je coupai la communication avant d'avoir droit au sermon habituel sur le fait de travailler à l'émotion dans une affaire. Mes relations avec Gloria avaient toujours posé problème à Lorna qui ne pouvait comprendre qu'elles n'avaient rien à voir avec le sexe. Qu'il ne s'agissait en rien d'une fixation sur une pute, mais plutôt d'avoir trouvé quelqu'un avec qui, Dieu sait pourquoi, on partage la même vision du monde. Ou du moins on le pense.

Quand je l'appelai, Jennifer Aronson me répondit qu'elle était à la bibliothèque de l'école de droit de Southwestern et y travaillait les dossiers que je lui avais confiés dans la matinée.

— Je passe d'une affaire à l'autre pour essayer de me familiariser avec tout le dossier, me dit-elle. À moins, bien sûr, qu'il y ait quelque chose de précis à trouver.

— Pas vraiment, non. Avez-vous trouvé des notes sur Hector Arrande Moya ?

— Non, aucune. Je m'étonne même que vous vous soyez rappelé son nom sept ans après.

— Je me souviens de noms, et parfois d'affaires, mais jamais des dates de naissance ni des anniversaires de mariage. Ça me cause régulièrement des problèmes. Il faudrait que vous voyiez un peu son statut actuel et que…

— C'est ce que j'ai fait en premier. J'ai attaqué avec les archives en ligne du *L.A. Times* et retrouvé plusieurs articles sur son affaire. C'était monté au niveau fédéral. Vous m'avez dit avoir conclu un accord avec le Bureau du district attorney, mais il est clair que les Fédéraux ont repris la main.

J'acquiesçai. Plus je reparlais d'une affaire et plus elle me revenait en mémoire.

— Oui, il y a effectivement eu un mandat d'arrêt fédéral. Le district attorney a dû se faire marcher sur les pieds parce que Moya avait été cité à comparaître. Du coup, les Fédéraux avaient le droit d'être les premiers sur l'affaire.

— Ça leur donnait aussi la possibilité de frapper plus fort. Il y a une clause « arme à feu » dans les statuts du trafic de drogue qui rendait Moya passible de la réclusion à perpétuité, et c'est ce qu'il a récolté.

Ça non plus, je ne l'avais pas oublié. Je me souvenais très bien que ce type avait écopé d'une peine à perpète pour quelques grammes de cocaïne trouvés dans sa chambre d'hôtel.

— J'imagine qu'il y a eu appel ? Vous avez vérifié avec PACER ?

Le PACER, ou *Public Access to Court Electronic Records*, était le logiciel du gouvernement fédéral permettant d'accéder à la banque de données des archives des tribunaux. On y trouvait rapidement tous les documents déposés lors d'une affaire. C'était par là qu'il fallait commencer.

— Oui, j'ai vérifié et j'ai ressorti le jugement. Il a été condamné en 2006. Après, il y a eu appel plénier… avec les attaques habituelles pour insuffisance de preuves, erreurs de la cour en réponse aux requêtes et condamnation déraisonnable. Rien de tout cela n'a été plus loin que Pasadena. Décision *per curiam*[1] tout à la fin.

---

1. Décision prise par la cour, sans mention nominale d'un ou de plusieurs juges dans l'arrêt.

Elle parlait de la cour d'appel du 9ᵉ circuit sise à Pasadena, dans South Grand Avenue. C'était là que les appels concernant les affaires de Los Angeles étaient interjetés, là aussi qu'ils étaient étudiés par un collège de trois juges qui rejetaient ceux qu'ils estimaient sans valeur et faisaient passer les autres à un autre collège, lui aussi composé de trois juges du circuit ayant juridiction sur tout l'ouest de l'État. Comme Aronson m'avait dit que Moya n'était jamais allé plus loin que Pasadena, cela signifiait que sa condamnation avait été confirmée par les juges chargés d'évaluer les appels. Moya avait perdu la première manche.

Il avait alors décidé de déposer une demande de recours en *habeas corpus*[1] auprès de l'US District Court pour obtenir une révision, ce qui ne laissait que peu de chances de lui épargner sa sentence. C'était comme de tirer un panier à trois points juste avant la fin du match. Après cette requête, il n'y avait plus aucune possibilité de révision, à moins que de nouveaux éléments de preuve – et de première importance – ne soient avancés.

— Et côté vingt-deux cinquante-cinq ? demandai-je en me référant au numéro du Code fédéral désignant l'*habeas corpus*.

— Eh bien oui, dit-elle. Il a joué l'incompétence de son conseil en prétendant que celui-ci ne lui avait jamais négocié un arrangement par plaider-coupable... mais là encore, il s'est fait jeter.

— Qui était l'avocat plaidant ?

---

1. Requête destinée à vérifier la validité constitutionnelle d'un emprisonnement ou d'une détention.

— Un certain Daniel Daly. Vous le connaissez?

— Oui, je le connais, mais il travaille au fédéral et j'essaie toujours d'éviter ces types. Je ne l'ai jamais vu plaider mais, d'après ce que j'ai entendu dire, c'est un fonceur.

De fait, je le connaissais du Four Green Fields, où nous descendions boire des martinis dry le vendredi soir pour fêter la fin de la semaine.

— Lui ou un autre, il n'y avait pas grand-chose à faire pour aider Moya, reprit Jennifer. Il est tombé et il est toujours à terre. Il en est à sa septième année de perpète et rien ne changera plus pour lui.

— Où est-il?

— À Victorville.

Située à cent vingt kilomètres au nord de Los Angeles, la Federal Correctional Institution de Victorville se trouve juste à côté d'une base aérienne en plein désert. Pas vraiment l'endroit rêvé où passer le restant de ses jours. On dit que si les vents du désert ne vous y dessèchent pas complètement avant de vous emporter, ce sont les bangs supersoniques incessants des jets de l'armée de l'air vous passant au-dessus de la tête qui vous rendent fou. Je pensais à tout cela lorsque Aronson reprit la parole.

— Faut croire que les Fédéraux ne plaisantent pas, dit-elle.

— Ce qui signifie?

— Vous savez bien… Perpète pour deux ou trois grammes de cocaïne, c'est un peu dur.

— Ça! Côté sentence, ils sont impitoyables. C'est même pour ça que je ne défends pas au niveau fédéral. Je n'aime pas dire à mes clients de renoncer à tout espoir. Ni non plus négocier un arrangement avec le procureur pour voir un juge n'en tenir aucun compte et assommer mon client.

— Ça arrive ?

— Bien trop souvent. Une fois, j'ai eu un type… euh, on oublie. Ça remonte à loin et je n'ai pas envie de m'étendre là-dessus.

En revanche, je m'étendis sur Hector Arrande Moya et la manière dont un arrangement fort mignon que j'avais négocié pour une cliente l'avait, lui, expédié au pénitencier de Victorville avec une peine de perpète. Je ne m'étais pas vraiment donné la peine de suivre l'affaire après avoir conclu mon marché avec Leslie Faire, l'assistante du district attorney. Je n'y voyais qu'une énième journée dans les mines de sel. Arrangement vite fait, nom d'hôtel et numéro de chambre en échange d'un report des charges contre ma cliente. Gloria Dayton avait suivi une cure de désintoxication au lieu d'aller en prison, Hector Arrande Moya terminant, lui, et à jamais, en prison fédérale… et sans jamais savoir qui avait donné le tuyau aux autorités et comment il leur était parvenu.

Ou alors… ?

Sept ans s'étaient écoulés depuis. Il semblait bien improbable que du cœur même d'une prison fédérale il ait pu réussir à se venger de Gloria Dayton. Cela dit, aussi tirée par les cheveux que soit cette idée, elle pouvait m'être utile dans ma défense de La Cosse. Mon boulot consisterait alors à anticiper les manœuvres de l'accusation. À faire en sorte qu'au moins un des dieux du verdict réfléchisse comme un grand et se dise : « Hé mais, minute, et le type là-bas dans le désert, celui qui croupit en prison à cause de cette femme ? Et si… »

— Avez-vous découvert une quelconque audience traitant d'une requête en citation à comparaître ou suppression de témoignage pour absence de cause probable ? Quelque chose comme ça ?

— Oui, ça fait partie du premier appel pour erreur de la cour. Le juge a refusé qu'on appelle tout informateur confidentiel à la barre.

— Moya allait à la pêche. Il n'y avait qu'un seul informateur et c'était Gloria. Bon, mais... Quelque chose qui serait sous scellés ? Avez-vous eu connaissance de quoi que ce soit de ce genre ?

Les juges avaient pour habitude de mettre sous scellés tout ce qui touchait aux informateurs, mais les documents eux-mêmes étaient souvent référencés à l'aide de numéros ou de codes au PACER de façon qu'on sache au moins qu'ils existaient.

— Non, me répondit Jennifer. Seulement le RPS.

Le rapport de présentence contre Moya. Ces pièces étaient, elles aussi, toujours gardées sous scellés. Je réfléchis encore un moment.

— Bon, je ne veux pas laisser passer ça. Je veux voir la transcription des débats sur les informateurs confidentiels et la cause probable. Il va falloir que vous alliez à Pasadena pour y retirer des dossiers papier. Qui sait ? Avec un peu de chance, il y aura peut-être quelque chose là-dedans qui pourrait nous aider. À un moment ou à un autre, la DEA[1] et le FBI ont dû témoigner et dire comment ils étaient arrivés à l'hôtel et entrés dans la chambre. Je veux savoir ce qu'ils ont raconté.

---

1. *Drug Enforcement Administration*, équivalent de nos Stups.

— Vous pensez que le nom de Gloria aurait pu être mentionné ?

— Ça serait trop facile et trop inconsidéré. Mais s'il est fait mention d'un indic précis, il se pourrait qu'on ait du grain à moudre. Demandez aussi à voir le RPS. Après sept ans, il n'est pas impossible qu'ils vous laissent y jeter un œil.

— Il y a peu de chances. Ces pièces sont censées rester à jamais sous scellés.

— On peut toujours demander.

— Bon, eh bien moi, je peux partir pour Pasadena tout de suite. Je reprendrai le dossier Gloria plus tard.

— Non, non, Pasadena peut attendre. Je préfère que vous descendiez en centre-ville. Vous êtes toujours partante pour me remplacer dans l'affaire Deirdre Ramsey ?

— Absolument !

Elle en aurait quasi bondi dans le téléphone.

— Ne vous enflammez pas trop, lui conseillai-je. Comme je vous l'ai dit ce matin, cette affaire est nulle. Il faut juste que vous demandiez au juge de vous accorder encore un peu de temps et de patience. Dites-lui que nous savons bien que c'est une MST et que nous sommes tout près de convaincre Deirdre qu'il est dans son intérêt d'accepter l'offre du procureur et de mettre tout ça derrière elle. Il faudra aussi persuader Shelly Albert, c'est le procureur, d'attendre deux ou trois semaines avant de retirer son offre. Juste ça, deux ou trois semaines, rien de plus. D'accord ?

L'offre exigeait que Ramsey admette être coupable de complicité dans la commission d'un crime et témoigne contre son petit ami et partenaire dans

116

le hold-up. En échange, elle aurait droit à une peine de trois à cinq ans de prison. Avec le temps qu'elle y avait déjà passé et une réduction de peine pour bonne conduite, elle serait libre dans un an.

— Je peux le faire, dit-elle. Mais je laisserai probablement tomber la référence à la syph si ça ne vous gêne pas.

— Quoi ?

— La syphilis. Vous avez bien parlé de MST, non ? De maladie sexuellement transmissible.

Je souris et regardai par la vitre. Nous traversions Hancock Park. Grandes maisons, grandes pelouses et grandes haies.

— Ce n'est pas ça que ça veut dire, Jennifer. MST est un acronyme remontant à l'époque où je travaillais au Bureau des avocats commis d'office. Ça veut dire affaire « modèle spécial troc ». Quand j'étais au LAPD il y a vingt ans de ça, c'est ainsi qu'on divisait nos dossiers. Il y avait les MST et les MSP – les modèles spécial troc pour les arrangements avec le district attorney et les modèles spécial procès. Peut-être qu'aujourd'hui on parle de MSPC, modèles spécial plaider-coupable... pour éviter les confusions.

— Alors là... je suis sincèrement confuse.

— Pas autant que si vous alliez dire au juge Companioni que l'affaire est complètement syphilitique.

Nous rîmes tous les deux. Jennifer était un des esprits les plus brillants en droit et les plus avides de connaissance que j'avais jamais rencontrés, mais elle n'en était encore qu'à acquérir de l'expérience et à apprendre les usages et codes du pénal. Je savais que si elle s'y tenait, elle finirait par être le pire cauchemar de l'accusation chaque fois qu'elle entrerait dans un prétoire.

— Encore deux ou trois trucs, ajoutai-je en revenant à ce qui nous occupait. Essayez d'être au cabinet du juge avant Shelly et de prendre le siège à la gauche de Companioni.

— Euh, d'accord, dit-elle en hésitant. Pourquoi ?

— C'est l'histoire des parties gauche et droite du cerveau. Les gens sont plus aimables avec ceux qui se trouvent à leur gauche.

— Vous rigolez !

— Je ne plaisante pas. Chaque fois que je présente mes conclusions devant des jurés, j'essaie toujours d'être le plus loin possible à leur droite. Pour eux, je suis à gauche.

— C'est insensé.

— Essayez donc. Vous verrez.

— C'est impossible à prouver.

— Non vraiment, sans blague. Ça a fait l'objet de tests et d'études scientifiques. Allez voir sur Google.

— Je n'ai pas le temps. C'était quoi, l'autre chose ?

— Si vous commencez à vous sentir à l'aise avec le juge, dites-lui que ce qui nous aiderait vraiment à en finir avec ce dossier, ce serait que Shelly renonce à la coopération dans son offre. Je pense que nous pourrions y arriver si Deirdre n'avait pas à témoigner contre son petit copain. Nous serions même prêts à accepter la sentence telle qu'elle est, mais… pas de coopération. Et dites bien à Companioni qu'en plus, Shelly n'a pas besoin de ça. Elle a les enregistrements de nos trois lascars en train de parler de tout le truc. Sans oublier l'ADN dudit petit ami retrouvé sur le kit de viol. C'est

118

du tout cuit même sans le témoignage de Deirdre. Shelly n'en a pas besoin.

— O.K., je vais essayer. Mais j'espérais un peu que ça puisse être mon premier procès au pénal.

— Oh non, ce n'est pas une bonne idée. Ce que vous voulez, c'est gagner votre premier procès. En plus de quoi, à quatre-vingts pour cent, le droit pénal consiste à trouver le moyen de ne pas aller jusqu'au procès. Et pour le reste…

— Oui, tout est dans le mental. O.K., je comprends.

— Bonne chance.

— Merci, patron.

— Ne m'appelez pas patron. Nous sommes associés, vous ne l'avez pas oublié, si ?

— Exact.

Je rangeai mon portable et commençai à envisager la manière dont j'allais mener la conversation avec Stacey Campbell. Déjà nous longions le Farmers Market et étions presque arrivés.

Au bout d'un moment, je remarquai qu'Earl n'arrêtait pas de me regarder dans le rétroviseur. C'était ce qu'il faisait quand il avait quelque chose à me dire.

— Qu'est-ce qu'il y a, Earl ? finis-je par lui demander.

— Je me posais des questions sur ce que vous avez dit au téléphone. L'histoire des gens qu'on a à sa gauche et comment ça marche.

— Oui ?

— Eh bien, un jour… vous savez, à l'époque où je dealais dans les rues… un mec m'a braqué avec un flingue pour me piquer ma réserve.

— Oui ?

— Et le truc, c'est qu'à l'époque y avait un type qui flinguait les mecs pour leur piquer leur fric et leur drogue, vous voyez? Une balle dans le crâne et on prend tout. Et moi, je me suis dit que c'était lui et qu'il allait me tuer.

— Effrayant. Et qu'est-ce qui est arrivé?

— Ben, je l'ai convaincu de pas faire ça. Je lui ai juste parlé de ma fille qui venait de naître. Je lui ai donné ma réserve et il s'est barré. Après, y a eu une arrestation pour les autres meurtres et j'ai vu sa photo à la télé et c'était bien lui. Le type qui m'avait volé.

— Sacré coup de chance, Earl.

Il acquiesça d'un signe de tête et me regarda encore une fois dans le rétroviseur.

— Le truc, reprit-il, c'est qu'il était à ma droite et moi à sa gauche quand il est arrivé et moi, je lui ai causé et je l'ai convaincu de pas faire ça. C'est un peu comme vous avez dit. Comme s'il était tombé d'accord avec moi pour pas me flinguer.

Je hochai la tête d'un air entendu.

— Oublie surtout pas de raconter cette histoire à Bullocks la prochaine fois que tu la verras.

— J'oublierai pas.

— Bien, Earl. Je suis content que tu l'aies convaincu, ce type.

— Oui, moi aussi. Et ma mère et ma fille aussi.

Chapitre 9

J'arrivai au Toast en avance, attendis dix minutes pour avoir une table et la gardai en sirotant un café pendant vingt-cinq minutes. Des jeunes gens de West Hollywood du genre hipster qui attendaient n'avaient pas l'air très heureux de me voir monopoliser une table très recherchée et, qui plus est, sans même commander à manger. La tête toujours baissée, je lus mes e-mails jusqu'à ce que Stacey Starry-Eyed se pointe à 13 h 30, se glisse sur la chaise en face de moi et, ce faisant, m'enveloppe dans un lourd nuage de parfum.

Le postiche qu'elle portait était une perruque d'un beau blond quasi blanc avec des reflets bleus dans les crêtes. Cela s'harmonisait bien avec sa peau si-pâle-qu'elle-en-était-presque-bleue et les larges bandes de fard étincelant qu'elle s'était peintes sur les paupières. J'imaginai que les jeunes hipsters qui me détestaient déjà de leur avoir pris une de leurs tables devaient être maintenant quasi apoplectiques de rage envers moi. Stacey Starry-Eyed ne cadrait pas trop avec leur univers. Elle avait l'air de sortir d'une pochette de disque de rock *glamour* des années 1970.

— Alors comme ça, c'est vous l'avocat, me lança-t-elle.

Je lui renvoyai un sourire très *business style*.

— C'est bien ça.

— Glenda m'a parlé de vous. Elle m'a dit que vous étiez gentil. Mais elle a pas dit « beau ».

— Qui est Glenda ?

— Giselle. Quand on s'est rencontrées à Vegas, elle se faisait appeler Glenda « la bonne fée » Daville.

— Pourquoi a-t-elle changé de nom en arrivant ici ?

— Ça doit être que les gens changent, répondit-elle en haussant les épaules. Mais c'était toujours la même fille. C'est pour ça que je l'ai toujours appelée Glenda.

— Vous aviez donc déjà quitté Vegas pour venir ici et elle vous a suivie ?

— C'est à peu près ça, oui. On était restées en contact, vous voyez ? Elle m'a demandé comment ça allait, les passes et le reste. Je lui ai dit de venir si elle voulait et c'est ce qu'elle a fait.

— Et vous l'avez mise en relation avec Andre.

— Oui, pour qu'il la mette en ligne et lui prenne ses rendez-vous.

— Depuis combien de temps connaissiez-vous Andre ?

— Pas très longtemps. Dites, on peut pas se faire servir ici ?

Elle avait raison : la serveuse qui m'avait demandé toutes les cinq minutes si j'allais enfin commander quelque chose était devenue absolument invisible. Je me dis que c'était l'effet « Stacey », surtout sur les femmes. J'obtins l'attention d'un aide-serveur et lui demandai d'aller nous chercher la fille.

— Comment avez-vous trouvé Andre ? repris-je en attendant.

— Ça n'a pas été bien difficile. Je suis allée sur le Web et j'ai cherché sur d'autres sites de filles. Il était l'administrateur d'un grand nombre des meilleurs. Je lui ai donc envoyé un e-mail et on s'est rencardés.

— Combien de sites gère-t-il ?

— Je sais pas. Faudrait lui demander.

— Avez-vous jamais entendu dire qu'il se soit montré violent avec une des filles qu'il gère ?

Elle ricana.

— Vous voulez dire comme un vrai mac ?

J'acquiesçai.

— Non. Quand il veut être dur, il connaît des gens qui font le sale boulot pour lui.

— Du genre ?

— J'ai pas de noms. Je sais seulement qu'il est pas très physique. Y a même eu des fois où un type a essayé de lui écrémer ses gains et il a dû arrêter ça. Enfin, c'est ce qu'il m'a dit.

— Vous voulez dire des mecs qui essayaient de lui piquer ses trucs en ligne ?

— En gros, oui.

— Vous savez qui étaient ces types ?

— Non, je connais pas les noms, moi. Je sais juste ce qu'Andre m'a dit.

— Et les types qui lui font le sale boulot... vous les avez déjà vus ?

— Une fois, quand j'ai eu besoin d'eux. Y avait un type qui voulait pas payer et j'ai appelé Andre pendant que le micheton était sous la douche. Les mecs se sont pointés direct comme ça, dit-elle en claquant des doigts. Et pour le faire payer, ils l'ont fait payer ! Le mec croyait que parce qu'il passait dans une émission sur le câble dont personne avait jamais entendu parler, il avait pas à payer. Ben non, tout le monde paie.

La serveuse revint enfin à notre table. Stacey commanda un sandwich bacon, laitue, tomate sur… un toast – *quoi d'autre*? – et un Coca light. J'optai pour un poulet-salade dans un croissant et passai du café au thé glacé.

— De qui Glenda se cachait-elle ? demandai-je dès que nous fûmes à nouveau seuls.

Elle géra le changement de direction de manière plutôt décontractée.

— Tout le monde ne se cacherait donc pas de quelqu'un ou de quelque chose ! me renvoya-t-elle.

— Je ne sais pas. Mais elle ?

— Elle n'en parlait jamais, mais elle regardait beaucoup par-dessus son épaule, si vous voyez ce que je veux dire. Surtout quand elle est revenue ici.

Tout ça ne menait nulle part.

— Que vous a-t-elle dit sur moi ?

— Elle m'a dit que quand elle vivait ici avant, vous étiez son avocat, mais qu'elle pourrait jamais plus vous appeler si elle se faisait serrer.

La serveuse posant nos boissons sur la table, j'attendis qu'elle soit partie.

— Pourquoi n'aurait-elle pas pu m'appeler ?

— Je ne sais pas. Parce que tout se serait dégradé.

Ce n'était pas la réponse à laquelle je m'attendais. Je pensais qu'elle allait me dire que Gloria ne pouvait pas me rappeler parce que ç'aurait dévoilé sa trahison.

— « Se serait dégradé »? répétai-je. Ce sont les mots qu'elle a utilisés?

— C'est ce qu'elle a dit, oui.

— Et ça voulait dire?

— Je sais pas, elle disait juste des trucs, comme ça. Elle a dit que tout pourrait se dégrader. Je ne sais pas ce que ça voulait dire et elle m'en a plus reparlé.

Je commençais à l'agacer avec mes questions. Je m'adossai à mon siège et réfléchis. En dehors de m'offrir quelques paroles alléchantes sans plus d'explications, elle ne m'aidait pas vraiment. J'étais bien con d'avoir cru que Gloria Dayton – à condition que ce soit son vrai nom – se confie à une autre prostituée sur ce qu'elle avait vécu avant de la connaître.

Je n'étais plus sûr que d'une chose : tout cela me déprimait. Gloria-Glenda-Giselle s'était inextricablement enferrée dans ce genre de vie. Elle avait été incapable d'y renoncer et cela avait fini par tout lui coûter. C'était une vieille histoire et, dans un an, tout cela serait oublié, ou remplacé par autre chose.

Nos plats arrivèrent, mais j'avais perdu l'appétit. Je regardai Stacey Starry-Eyed étaler de grosses boules de mayonnaise sur son sandwich et le manger comme une petite fille, en se léchant les doigts après la première bouchée. Ça non plus, ça n'aidait pas à me remonter le moral.

Chapitre 10

Je restai longtemps à réfléchir assis sur la banquette arrière. Earl ne cessait de me regarder dans son rétroviseur en se demandant quand j'allais enfin lui donner notre prochaine destination. Mais je ne savais pas où aller. Je songeai à attendre que Stacey Campbell ressorte du restaurant après être allée aux toilettes et à la suivre afin de savoir où elle habitait, mais je savais que Cisco pourrait la retrouver si j'avais à nouveau besoin d'elle. Je consultai ma montre et m'aperçus qu'il était 14 h 45. Bullocks était probablement en plein travail au cabinet du juge Companioni pour sa conférence de mise en état. Je décidai d'attendre un peu avant de le rappeler.

— La Valley, Earl, finis-je par dire. J'ai envie d'aller voir la séance d'entraînement.

Il mit le contact et nous partîmes. Il remonta Laurel Canyon jusqu'à Mulholland Drive. Nous prîmes vers l'ouest et, après quelques virages, nous arrivâmes à l'entrée du parking de Fryman Canyon Park. Earl trouva une place, ouvrit la boîte à gants et me passa les jumelles par-dessus le dossier de son siège. J'ôtai ma veste et ma cravate et les laissai sur la banquette arrière en descendant de voiture.

— Je devrais être de retour dans une demi-heure environ, lui dis-je.

— Je vous attends ici.

Je refermai la portière et m'éloignai. Le Fryman Canyon descend le long de la face nord des Santa Monica Mountains jusqu'à Studio City. Je pris la piste Betty Dearing jusqu'à l'endroit où elle se divise et part vers l'ouest et vers l'est. Je la quittai et continuai de descendre à travers les broussailles jusqu'à un promontoire d'où l'on a une vue dégagée sur toute la ville en contrebas. Cette année-là, ma fille venait d'effectuer son transfert pour la Skyline School, dont le campus s'étendait sur deux niveaux, de Valleycrest Drive jusqu'au bord du parc. Le niveau inférieur abritait les bâtiments de l'école, le supérieur tout le complexe sportif. Lorsque j'arrivai à mon point d'observation, l'entraînement avait déjà débuté. Je parcourus le terrain avec mes jumelles et trouvai Hayley tout au bout dans les buts. Elle était devenue apprentie gardienne, ce qui était mieux qu'à l'école d'avant, où elle n'était que second couteau.

Je m'assis sur un gros rocher que j'avais arraché du sol et posé à cet endroit lors d'une précédente visite. Au bout d'un moment, je laissai mes jumelles retomber sur ma poitrine et me contentai de regarder, les coudes sur les genoux, la tête dans les mains. Elle arrêtait tous les tirs jusqu'au moment où une balle parfaitement ajustée lui passa à côté, alla frapper la barre transversale et entra dans le filet au rebond. En gros, elle avait l'air de bien s'amuser et se concentrer sur sa position semblait lui faire oublier tout le reste. J'aurais bien aimé pouvoir en faire autant. Oublier Sandy, Katie Patterson et tout le reste juste un instant. Surtout la nuit lorsque je fermais les yeux pour m'endormir.

J'aurais pu aller au procès pour régler le problème en force en obtenant d'un juge qu'il lui ordonne de venir chez moi un week-end et un mercredi sur deux comme avant. Mais je savais que ça ne ferait qu'empirer les choses. Faire ça à une gamine de seize ans, c'était courir le risque de la perdre à jamais. Je l'avais donc laissée partir et jouais l'attente. Je l'attendais et la regardais de loin. Je devais simplement garder l'espoir qu'un jour elle comprenne que le monde n'est pas tout noir ou tout blanc. Qu'il est gris et que son père y vit.

Je n'avais pas de mal à y croire parce que je n'avais pas d'autre choix. Mais il n'était pas aussi facile d'affronter la question nettement plus vaste qui flottait au-dessus de mon espoir tel un nuage d'orage. Celle de savoir comment on peut espérer être pardonné alors que tout au fond de soi, on ne se pardonne pas.

Mon portable bourdonnant, je pris l'appel et eus Bullocks qui venait juste de quitter le tribunal.

— Comment ça s'est passé ? lui demandai-je.

— Bien, je pense. Shelly Albert n'a pas vraiment apprécié, mais le juge l'a pressée de renoncer à la partie coopération de l'accord et elle a fini par lâcher prise. Nous avons donc un arrangement si nous arrivons à le faire accepter par Deirdre.

Comme il s'agissait d'une conférence de mise en état dans le cabinet même du juge, Ramsey n'avait pas eu à y assister en personne. Nous allions devoir aller lui rendre visite en prison et lui présenter la nouvelle offre du district attorney.

— Bien. On a combien de temps ?

— En gros, quarante-huit heures. Elle nous donne jusqu'à la fermeture de la boutique vendredi. Et le juge veut notre réponse lundi.

— Bien, alors on va la voir demain. Je vous présente et ce sera à vous de la convaincre.

— Ça me paraît bien. Où êtes-vous? J'entends des cris.

— À l'entraînement de foot.

— Non, vraiment? Vous et Hayley vous êtes rabibochés? Mais c'est génia…

— Pas exactement. Je ne fais que la regarder. Et donc, qu'est-ce que vous allez faire maintenant?

— Sans doute retourner à la bibliothèque et me remettre à mes dossiers. Il est probablement trop tard pour aller retirer des transcriptions à Pasadena.

— Bon, je vous laisse retourner au boulot. Merci de m'avoir remplacé pour Ramsey.

— Avec plaisir. J'ai beaucoup aimé, Mickey. Je veux travailler encore plus au pénal.

— Je suis sûr de pouvoir vous arranger ça. On se retrouve demain.

— Oh, encore une chose… Vous avez une seconde?

— Bien sûr. De quoi s'agit-il?

— Je me suis assise à gauche du juge comme vous m'aviez dit de le faire et vous savez quoi? J'ai l'impression que ça a marché. Il m'a écoutée patiemment chaque fois que je parlais et n'a pas arrêté d'interrompre Shelly dès qu'elle réagissait.

J'aurais pu lui dire que l'attention que lui avait portée le juge avait peut-être à voir avec le fait qu'elle était une jeune idéaliste de vingt-six ans tout à fait attirante et pleine d'énergie alors que, depuis perpète au Bureau du district attorney, Shelly Albert semblait porter tout le poids de la preuve sur ses épaules voûtées et son front constamment plissé.

— Vous voyez, je vous l'avais dit ! préférai-je lui lancer.

— Merci pour le tuyau. On se retrouve demain.

Je rangeai mon portable et repris mes jumelles pour regarder ma fille. L'entraîneur mettant fin à la séance à 16 heures, ses camarades quittaient déjà le terrain. Parce qu'elle venait d'arriver à l'école, Hayley était traitée comme une bleue et dut rassembler tous les ballons et les ranger dans un grand filet. Pendant l'entraînement, elle s'était retrouvée dans les bois en face de moi. Je n'avais donc pas vu son dos avant qu'elle se mette à ramasser les balles. J'eus chaud au cœur lorsque je vis que le numéro de son maillot vert était toujours le sept. Son numéro porte-bonheur. Et le mien. Et celui de Mickey Mantle. Elle n'en avait pas changé et c'était au moins un lien qui restait intact entre nous. J'y vis le signe que tout n'était pas perdu et que je devais continuer à garder espoir.

DEUXIÈME PARTIE

Mister Lucky

Mardi 2 avril

Chapitre 11

On n'a jamais qu'une seule affaire. On en a toujours beaucoup. Je compare souvent la pratique du droit avec l'art des bateleurs qui travaillent la foule sur les planches de Venice. Il y a celui qui fait tourner une véritable forêt d'assiettes sur des bâtons et, l'élan aidant, les garde en l'air et toujours en mouvement. Et il y a le type qui jongle avec des tronçonneuses à essence et les fait tourner de manière si précise que jamais il ne serre la main à la partie active des lames.

En plus de l'affaire La Cosse, j'avais eu plusieurs assiettes qui tournaient au fil des ans. Leonard Watts, le pirate de la route, obtint un arrangement qu'il accepta du bout des lèvres afin d'éviter un nouveau procès. Jennifer Aronson le lui avait négocié, tout comme elle l'avait fait pour Deirdre Ramsey qui, elle, accepta un arrangement en plaider-coupable et n'eut donc pas à témoigner contre son petit copain.

À la fin du mois de décembre, j'héritai d'une affaire un peu plus « tronçonneuse ». Un ancien client et artiste de l'arnaque depuis toujours, Sam Scales, s'était fait serrer par le LAPD suite à une escroquerie qui donnait un sens nouveau à l'expression « prédateur sans pitié ».

Il était accusé d'avoir monté un faux site Web et une page Facebook afin de solliciter des dons destinés à couvrir les frais d'enterrement d'un enfant tué lors d'un massacre perpétré dans une école du Connecticut. Beaucoup de gens s'étant montrés fort généreux, Scales était accusé d'avoir ratissé près de 50 000 dollars que les donateurs croyaient avoir offerts pour payer l'enterrement d'un enfant assassiné. L'arnaque avait bien fonctionné jusqu'au jour où les parents de l'enfant mort avaient eu vent de la manœuvre et contacté les autorités. Scales avait eu recours à divers écrans numériques pour cacher sa véritable identité mais, comme dans toutes les arnaques, il avait fini par avoir besoin de mettre cette somme dans un endroit accessible pour pouvoir ensuite l'empocher.

Cet endroit n'était autre que la succursale de la Bank of America de Sunset Boulevard. Lorsqu'il y était entré d'un pas décontracté et avait demandé qu'on lui verse l'argent en liquide, le guichetier avait remarqué le drapeau rouge accolé à son numéro de compte et avait fait traîner les choses pendant qu'on appelait la police. On lui avait expliqué que la banque ne disposait pas d'une pareille somme en liquide parce que l'établissement était situé dans une zone à haut risque, en d'autres termes que les risques de vol étaient plus élevés qu'ailleurs. On lui avait aussi raconté qu'il pouvait attendre que l'argent fasse l'objet d'une commande spéciale et soit livré à la banque par camion blindé comme tous les jours à 15 heures, ou aller dans une succursale du centre-ville où pareille quantité de liquide était plus facilement disponible. Artiste de l'arnaque incapable d'en voir une quand il en était l'objet, Scales avait choisi de commander la somme et de revenir la prendre plus tard. Et s'était repointé à 15 heures, pour faire la connaissance de deux inspecteurs de la division financière du LAPD. Les deux mêmes qui l'avaient déjà arrêté dans l'affaire pour laquelle je l'avais défendu – l'escroquerie du secours aux victimes d'un tsunami japonais.

Cette fois, tout le monde voulait sa peau – le FBI, la police d'État du Connecticut, jusqu'à la police montée canadienne qui avait sauté sur l'affaire parce qu'un certain nombre des victimes qui avaient donné de l'argent vivaient de l'autre côté de la frontière. Mais c'était le LAPD qui avait procédé à l'arrestation, et le district attorney du comté de Los Angeles qui avait donc tiré le premier. Comme il l'avait déjà fait avant, Scales m'avait appelé et j'avais pris la défense d'un type tellement vilipendé dans les médias pour le crime qu'il était censé avoir commis qu'on avait dû le mettre à l'isolement au pénitencier de Men's Central de peur que les autres prisonniers ne le molestent.

Pire encore pour mon client, l'indignation était telle que le district attorney, à savoir Damon Kennedy qui m'avait sévèrement battu aux élections l'année précédente, avait annoncé qu'il le poursuivrait lui-même en justice et avec toute la rigueur de la loi. Cela, bien sûr, seulement après que j'avais décidé de prendre la défense de Scales, le terrain étant maintenant fin prêt pour que Kennedy m'éreinte au maximum. Je m'étais enquis de la possibilité d'un arrangement – le district attorney tenait complètement Scales sur ce coup-là –, mais Kennedy n'en voulait à aucun prix. Il était gagnant à tous les coups, le savait, et n'avait nul besoin du moindre arrangement. Il allait faire durer l'affaire jusqu'à la dernière vidéo, jusqu'au dernier article de presse, jusqu'à la moindre parcelle d'attention qu'il pourrait en tirer. Cette fois, il ne fallait pas en douter, Sam Scales allait finir au tapis, et pour de bon.

Et côté personnel, son affaire ne m'aidait pas vraiment. Le *L.A. Weekly* avait publié un article sur « L'homme le plus haï d'Amérique » et répertorié toutes les arnaques dont il avait été accusé pendant deux décennies. Mon nom était souvent apparu dans ces portraits, ces articles finissant par faire de son éternel défenseur son apologiste officiel. Le scandale éclatant une semaine avant Noël, j'avais eu droit à un accueil glacial de ma fille qui, une fois de plus, avait cru que son père l'humiliait publiquement. Toutes les parties étaient convenues que j'aurais le droit d'aller voir Hayley et mon ex le matin de Noël avec des cadeaux. Mais ça ne s'était pas vraiment bien passé. Ce qui – je l'avais espéré – annonçait un dégel dans nos relations s'était transformé en tempête hivernale. Ce soir-là, j'avais fini par manger tout seul devant la télé.

C'était maintenant la première semaine d'avril et j'allais représenter Andre La Cosse devant le juge Nancy Leggoe à la Chambre 120 du Criminal Courts Building du centre-ville. Nous étions à six semaines du procès et Leggoe entendait les témoignages relatifs à la requête en suppression de pièces à conviction que j'avais formulée peu après l'audience préliminaire, et La Cosse était tenu d'y assister.

Il était assis à côté de moi à la table de la défense. Cela faisait maintenant presque cinq mois qu'il croupissait en prison et sa pâleur n'était qu'un des éléments montrant à quel point son état s'était détérioré. Certaines personnes supportent très bien un séjour derrière les barreaux. Andre n'était pas de ceux-là. Comme il me le disait souvent lorsque nous communiquions, la captivité lui faisait peu à peu perdre la raison.

Suite à l'échange obligatoire des pièces entre les parties qui avait commencé en décembre, j'avais reçu la vidéo de l'entretien qu'il avait eu avec l'enquêteur principal chargé de résoudre le meurtre de Gloria Dayton.

À l'appui de ma requête, j'arguais que cette conversation était en fait un interrogatoire et que les flics avaient trompé et forcé mon client à déclarer des choses qui l'incriminaient. Je faisais aussi remarquer que l'inspecteur qui l'avait interrogé dans une petite salle sans fenêtre du West Bureau avait piétiné ses droits constitutionnels en ne l'avertissant en bonne et due forme de son droit d'avoir un avocat qu'une fois les déclarations l'incriminant et le conduisant en détention obtenues.

Lors de cet interrogatoire, La Cosse avait nié avoir tué Dayton et ça, c'était bon pour nous. Ce qui était nettement moins bon, c'était le fait qu'il avait fourni aux flics un mobile et la possibilité matérielle du crime. Il avait en effet admis s'être trouvé dans l'appartement même de la victime le soir du meurtre et s'être disputé avec elle au sujet de l'argent qu'elle était censée avoir reçu du client du Beverly Wilshire. Il avait même reconnu l'avoir prise à la gorge.

Les preuves qu'il avait ainsi données contre lui-même étaient passablement accablantes et constituaient l'essentiel du dossier présenté par le district attorney ainsi qu'il avait été démontré lors de l'audience préliminaire. Et je demandais maintenant au juge d'éliminer cet entretien du dossier et d'interdire aux jurés d'en avoir connaissance. En plus des manœuvres d'intimidation auxquelles avait eu recours l'inspecteur dans la petite salle, La Cosse n'avait eu droit à la lecture de ses droits qu'après avoir mentionné qu'il s'était trouvé dans l'appartement de Dayton quelques heures avant sa mort et qu'il y avait eu dispute.

Les requêtes en suppression de pièces à conviction sont toujours les plus hasardeuses, mais celle-là valait le coup qu'on essaie. Si j'arrivais à faire exclure cette vidéo, toute l'affaire changeait. Il se pouvait même qu'elle bascule en sa faveur.

Conduite par le district attorney adjoint William Forsythe, l'accusation ouvrit l'audience avec le témoignage de l'inspecteur Mark Whitten sur les circonstances dans lesquelles s'était tenu l'entretien. Après quoi, il en fit passer l'enregistrement. D'une durée de trente et une minutes, celui-ci fut montré dans son intégralité sur un écran installé en face du box inoccupé par les jurés. Je l'avais regardé à de multiples reprises. Déroulé chronologique et questions, j'étais prêt à y aller lorsque Forsythe en termina avec Whitten et me le confia pour mon interrogatoire en contre en même temps qu'il me passait la télécommande. Whitten savait très bien ce qui l'attendait. Je l'avais attaqué comme il fallait lorsqu'il avait témoigné à l'audience préliminaire. Cette fois, l'attaque aurait lieu sous les yeux mêmes de Nancy Leggoe qu'on avait chargée de juger l'affaire. Et il n'y avait pas de jurés à séduire. Aucun dieu du verdict à tromper. Je restai assis à la table de la défense, mon client à côté de moi dans sa combinaison orange de détenu.

— Bonjour, inspecteur Whitten, lançai-je en dirigeant la télécommande vers l'écran. J'aimerais qu'on revienne au tout début de l'interrogatoire.

— Bonjour à vous, me renvoya-t-il. Et il s'agit d'un entretien, pas d'un interrogatoire. Comme je l'ai déjà dit, c'est de son plein gré que M. La Cosse a accepté de descendre me parler au commissariat.

— C'est en effet ce que j'ai entendu dire. Mais voyons un peu ça.

Je lançai la vidéo. À l'écran, la porte de la salle d'interrogatoire apparut aussitôt, puis s'ouvrit et La Cosse entra dans la pièce, suivi par Whitten qui lui posait la main sur l'épaule pour le conduire vers l'une des deux chaises installées de part et d'autre d'une petite table. J'arrêtai le play-back dès que La Cosse se fut assis.

— Dites-moi, inspecteur Whitten, qu'êtes-vous donc en train de faire avec votre main posée sur le haut du bras de mon client ?

— Je ne fais que le diriger vers un siège. Je voulais m'asseoir pour cette entrevue.

— Mais c'est très précisément vers cette chaise-là que vous le dirigez, n'est-ce pas ?

— Pas vraiment, non.

— Vous vouliez qu'il soit face à la caméra parce que vous aviez dans l'idée de lui arracher des aveux, n'est-ce pas ?

— Non, non.

— Seriez-vous donc en train de dire au juge Leggoe que vous ne vouliez pas qu'il s'assoie sur cette chaise afin de l'avoir juste en face de la caméra cachée dans cette salle ?

Il prit quelques instants pour composer sa réponse. Raconter des conneries à des jurés est une chose. Mais il devient vite très risqué d'essayer d'enfumer un juge qui en a vu d'autres.

— Faire asseoir le sujet avec lequel on va s'entretenir sur la chaise en face de la caméra est la procédure standard. Je ne faisais que la suivre.

— Ce serait donc suivre la procédure standard que de filmer les sujets qui viennent « s'entretenir avec vous » au commissariat comme vous l'avez déclaré au cours de votre témoignage ?

— Parfaitement.

Je haussai les sourcils de surprise, mais me rappelai qu'enfumer le juge ne servait pas non plus les intérêts de mon client, et cela incluait feindre la surprise après une réponse qu'on avait vue venir. Je passai à autre chose.

— Vous affirmez aussi ne pas avoir vu un suspect en M. La Cosse lorsqu'il est venu vous parler au commissariat ?

— Absolument. J'avais l'esprit complètement ouvert à son sujet.

— Il n'y avait donc aucun besoin de l'avertir de ses droits au début de cette prétendue « conversation » ?

Forsythe éleva une objection en arguant que la question avait été déjà posée et qu'il y avait été répondu lorsqu'il avait interrogé le témoin. Il était mince et avait dans les trente-cinq ans. Rougeaud et le cheveu blond-roux, il avait l'air d'un surfer en costume.

Le juge Leggoe refusa l'objection et me laissa poursuivre. Whitten dut répondre à la question.

140

— Je ne pensais pas que ce soit nécessaire, dit-il. Il n'était pas suspect lorsqu'il est descendu au commissariat de son plein gré, ni quand, toujours de son plein gré, il est entré dans cette pièce pour notre entretien. Je ne m'apprêtais qu'à prendre sa déclaration, mais il a fini par dire qu'il s'était trouvé dans l'appartement de la victime. Je ne m'attendais pas à ça.

Réponse donnée exactement comme il l'avait répétée avec Forsythe, j'en étais sûr. J'avançai la vidéo jusqu'au moment où Whitten quittait la pièce pour aller chercher le soda qu'il avait offert à mon client. Je figeai l'image de La Cosse resté seul dans la pièce.

— Inspecteur, que serait-il arrivé si, alors qu'il était seul dans cette salle, mon client avait eu besoin d'aller aux toilettes et s'était levé pour s'y rendre ?

— Je ne comprends pas. Nous l'aurions autorisé à y aller. Il ne l'a jamais demandé.

— Mais que se serait-il passé s'il avait décidé de se lever de la table et d'ouvrir la porte à ce moment-là ? Oui ou non, l'aviez-vous fermée à clé avant de quitter la pièce ?

— La réponse ne peut pas être oui ou non.

— Je crois que si.

Forsythe éleva de nouveau une objection au motif que cette réponse relevait du harcèlement. Le juge dit à l'inspecteur de répondre comme il l'entendait. Whitten mit de l'ordre dans ses pensées et rejoua l'échappatoire habituelle : question de procédure.

— Il est dans les procédures de la police de ne permettre à aucun citoyen d'accéder sans escorte à aucun lieu de travail dans un commissariat. Cette porte conduisant directement au bureau des inspecteurs, j'aurais contrevenu à la procédure en l'autorisant à se promener seul dans cette salle. Oui, j'avais donc fermé la porte à clé.

— Merci, inspecteur. Voyons donc si j'ai bien tout compris jusqu'à présent. M. La Cosse n'était pas un suspect dans votre affaire, mais vous l'avez enfermé dans cette pièce sans fenêtre et l'y avez maintenu sous surveillance constante, c'est bien ça ?

— Je ne sais pas si je parlerais de surveillance.

— Vous parleriez de quoi alors ?

— Nous enclenchons l'enregistrement chaque fois qu'il y a quelqu'un dans l'une de ces pièces. C'est la procédure…

— La procédure standard, oui, je sais. Passons à autre chose.

Je sautai une vingtaine de minutes d'enregistrement et arrivai au moment où Whitten se levait de sa chaise, ôtait sa veste et la posait en travers du dossier. Après quoi, il rapprochait son siège de la table, se tenait debout derrière elle et se penchait en avant, les mains posées sur la table. « Ainsi donc, vous ne savez rien de son assassinat, c'est bien ça que vous êtes en train de me dire ? » lançait-il à mon client.

Je figeai l'image.

— Inspecteur Whitten, pourquoi ôtez-vous votre veste à ce moment précis de l'interrogatoire ?

— De l'entretien, vous voulez dire. J'ai enlevé ma veste parce qu'il commençait à faire chaud dans la pièce.

— Mais vous venez de déclarer dans votre témoignage que la caméra était cachée dans le conduit d'aération de la clim'. Vous ne l'aviez pas branchée ?

— Je ne sais pas si elle marchait ou pas. Je n'ai pas vérifié avant d'entrer dans la salle.

— Ces prétendues salles d'« entretien » ne sont-elles pas appelées « boîtes à chaleur » par les inspecteurs parce qu'elles servent justement à faire suer, et littéralement, les suspects dans l'espoir de les pousser à coopérer et avouer ?

— Je n'ai encore jamais entendu cette expression.

— Vous ne l'avez vous-même jamais utilisée pour décrire cette pièce ?

J'avais montré l'écran et posé ma question avec tellement de surprise dans la voix que Whitten se dirait peut-être que j'avais quelque chose dans mon jeu dont il ignorait tout. C'était du moins ce que j'espérais. Mais ce n'était que du bluff et il para le coup en recourant à l'échappatoire habituelle des témoins.

— Je ne me rappelle pas avoir jamais utilisé cette expression, dit-il.

— Bien, et donc, vous ôtez votre veste et dominez M. La Cosse de toute votre hauteur… Pour l'intimider ?

— Non, j'avais seulement envie d'être debout. Ça faisait longtemps que nous étions assis.

— Avez-vous des hémorroïdes, inspecteur ?

Forsythe éleva aussitôt une nouvelle objection et m'accusa de vouloir embarrasser le témoin. Je remontrai au juge que j'essayais seulement de faire inscrire au procès-verbal un élément qui aide la cour à comprendre pourquoi l'inspecteur se sentait obligé de se lever après seulement vingt minutes d'interrogatoire. Leggoe maintint l'objection et m'enjoignit de continuer sans poser de questions personnelles au témoin.

— Bien, inspecteur, repris-je. Et M. La Cosse ? Aurait-il pu se lever s'il l'avait désiré ? Aurait-il pu vous regarder de haut lorsque vous étiez assis ?

— Cela ne m'aurait pas gêné, me répondit Whitten.

J'espérai que le juge se rende bien compte que les réponses de Whitten n'étaient en gros que du flan et faisaient partie du petit pas de deux dans lequel tous les inspecteurs se lancent tous les jours dans tous les commissariats du pays. Ils font de la corde raide sur les droits constitutionnels du pauvre gogo qu'ils ont devant eux et vont le plus loin possible jusqu'au moment où ils sont obligés de les lui lire. J'avais, moi, à démontrer qu'en fait Whitten l'avait soumis à un interrogatoire en règle et que, dans ces circonstances, La Cosse ne pouvait pas se sentir libre de partir. Si jamais Leggoe en était convaincue, elle tiendrait pour acquis que La Cosse s'était effectivement trouvé en état d'arrestation lorsqu'il était entré dans cette pièce et qu'il aurait donc fallu lui lire ses droits. Elle pourrait alors virer tout l'enregistrement vidéo du dossier et affaiblir d'autant plus les allégations du district attorney.

Je montrai à nouveau l'écran.

— Parlons un peu de ce que vous portiez, inspecteur, repris-je.

Pas à pas je l'obligeai à décrire le holster d'épaule et le Glock qu'il arborait, puis je passai à son ceinturon et le forçai à mentionner les menottes, le chargeur d'appoint de son arme, son badge et la bombe lacrymo qui y étaient accrochés.

— Dans quel but faisiez-vous étalage de tout cet armement pour M. La Cosse ?

Whitten hocha la tête comme si je l'agaçais.

— Il n'y avait aucun but. Il faisait chaud dans cette salle et j'avais enlevé ma veste. Je ne faisais étalage de rien du tout.

— Vous êtes donc en train de dire à la cour que montrer votre arme, votre badge, votre chargeur d'appoint et votre bombe lacrymo à mon client n'aurait pas servi à l'intimider?

— Oui, c'est exactement ce que je suis en train de lui dire.

— Et à ce moment-là? insistai-je en relançant la vidéo et en l'arrêtant au moment où Whitten écartait sa chaise de la table et posait un pied dessus de façon à vraiment dominer un La Cosse nettement plus petit et fluet.

— Je ne l'intimidais pas, déclara Whitten. Je m'entretenais avec lui.

Je jetai un coup d'œil aux notes que j'avais portées dans mon bloc et m'assurai que j'avais bien couvert tout ce que je voulais faire apparaître aux minutes. Je ne pensais pas que Leggoe statue en ma faveur ce jour-là, mais me dis que j'avais encore une chance en appel. En attendant, j'avais déjà engagé un autre round avec Whitten. Cela me préparait mieux au procès où j'aurais vraiment à le démolir.

Avant de mettre fin à mon interrogatoire en contre, je me penchai vers La Cosse et, courtoisie oblige, conférai avec lui.

— Quelque chose que j'aurais oublié? lui demandai-je.

— Je ne crois pas, me répondit-il en chuchotant. À mon avis, le juge sait très bien ce qu'il était en train de faire.

— Espérons-le.

Je me redressai sur mon siège et regardai Leggoe.

— Je n'ai plus de questions à poser, madame le juge.

Suite à un accord conclu au préalable, Forsythe et moi devions soumettre par écrit nos arguments sur la requête après ce témoignage. Me doutant assez bien après l'audience préliminaire de ce que déclarerait Whitten, j'avais déjà rédigé mon document. Je le soumis à Leggoe et en donnai des copies à Forsythe et à la greffière. Le district attorney adjoint déclara que sa réponse serait prête le lendemain après-midi, Leggoe disant alors qu'elle statuerait rapidement et bien avant le début du procès. Qu'elle affirme ainsi que sa décision n'interférerait pas avec le déroulement du procès indiquait fortement que ma requête n'avait guère de chances de l'emporter. Dans ses derniers arrêts, la Cour suprême des États-Unis avait modifié la loi concernant les affaires de droits Miranda[1] et donné nettement plus de latitude à la police dans la question de savoir où et quand les suspects doivent être informés de leurs droits constitutionnels. Je me doutais que Leggoe ne se prononcerait pas différemment rien que pour faire avancer les choses.

Elle ajourna l'audience, les deux gardes du tribunal venant aussitôt à la table de la défense pour ramener La Cosse à sa cellule de détention. Je leur demandai la permission de conférer quelques minutes avec lui, ils me répondirent que je pourrais le faire à la cellule. J'adressai un signe de tête à Andre et lui dis que je le retrouverais dans quelques instants.

---

1. Nom donné à l'ensemble des droits constitutionnels que la police doit lire au suspect avant toute arrestation.

Les gardes l'emmenant, je me levai et commençai à remettre dans ma mallette les dossiers et carnets de notes que j'avais étalés sur la table avant l'audience. Forsythe vint me voir pour m'exprimer sa sympathie. Il me faisait l'effet d'être un bon gars et, pour l'instant, pour autant que je le savais, il n'avait pas joué au con dans l'échange des pièces ou autre.

— Ça doit être dur, me lança-t-il.

— Comment ça ? lui renvoyai-je.

— Non, parce que cogner et cogner comme ça en sachant que les chances de réussir sont de quoi ? Un pour cinquante ?

— Pourquoi pas un pour cent, hein ? N'oubliez pas que ça peut être sacrément chouette quand on décroche la timbale !

Il acquiesça. Je savais qu'il avait autre chose en tête que s'apitoyer sur le sort de l'avocat de la défense.

— Alors, finit-il par dire, on aurait une chance de mettre fin à ce truc avant le procès ?

Il parlait arrangement à l'amiable. Il avait lancé un premier ballon d'essai en janvier, puis un deuxième en février. Je n'avais pas répondu à sa première offre – à savoir accepter une condamnation pour meurtre sans préméditation, ce qui aurait valu quinze ans à La Cosse. Ignorer sa proposition avait amené une amélioration lorsqu'il était revenu à la charge en février. Cette fois, le district attorney était prêt à parler crime « dans le feu de la passion » et laisser La Cosse plaider le meurtre sans intention de donner la mort. Cela le condamnait quand même à un minimum de dix ans de taule. Comme il est de mon devoir, j'avais transmis l'offre à mon client, qui l'avait refusée tout net. « Dix ans en valent cent pour un crime qu'on n'a pas commis », avait-il dit. Et il y avait de la ferveur dans sa voix lorsqu'il m'avait fait cette remarque. Cela m'avait poussé à me ranger dans son camp, à penser que, peut-être même, il était effectivement innocent.

Je regardai Forsythe et hochai la tête.

— Andre n'a pas peur, lui répondis-je. Il dit toujours ne pas avoir commis ce crime et veut toujours voir si vous arriverez à prouver le contraire.

— Bref, pas d'arrangement, c'est ça?

— Non, pas d'arrangement.

— On se retrouve donc le 6 mai pour la sélection des jurés?

C'était la date que Leggoe avait fixée pour le début du procès. Elle nous donnait quatre jours pour choisir nos jurés, plus un pour les requêtes de dernière minute et les déclarations liminaires. Le vrai spectacle ne débuterait que la semaine suivante, lorsque l'accusation entamerait sa présentation.

— Oh, il se pourrait que vous me voyiez avant ça. On ne sait jamais, ajoutai-je, puis je fermai ma mallette d'un coup sec et me dirigeai vers la porte en acier donnant sur la cellule de détention.

Le garde m'y escortant, je retrouvai La Cosse qui m'attendait tout seul à l'intérieur.

— On le rembarque dans un quart d'heure, m'informa le garde.

— D'accord, merci.

— Tapez à la porte quand vous serez prêt à ressortir.

J'attendis qu'il ait regagné le prétoire avant de me retourner vers mon client et de le regarder à travers les barreaux.

— Andre, lui dis-je, je suis inquiet. J'ai l'impression que vous ne mangez rien.

— Je ne mange pas, non. Comment pourrait-on manger quand on est en prison pour quelque chose qu'on n'a pas fait ? Sans même parler de la bouffe : ignoble, qu'elle est. Non, je veux juste rentrer chez moi.

— Je sais, je sais, dis-je en hochant la tête.

— Vous allez gagner, non ?

— Je vais donner tout ce que j'ai. Mais écoutez bien ceci, pour votre gouverne : le district attorney parle toujours d'un arrangement, si vous voulez que je vous le négocie.

Il fit catégoriquement non de la tête.

— Je ne veux même pas savoir de quoi il est question. Pas d'arrangement.

— C'est bien ce que je pensais. Et donc, on va au procès.

— Non, parce que si on l'emporte dans la requête en suppression d'éléments de preuve…

Je haussai les épaules.

— N'espérez pas trop de ce côté-là. Je vous l'ai dit, il y a peu de chances que ça marche. Mieux vaudrait s'attendre à aller au procès.

Il baissa la tête jusqu'à ce que son front touche un des barreaux qui nous séparaient. J'eus l'impression qu'il allait se mettre à pleurer.

— Écoutez, dit-il, je ne suis pas un mec bien. J'ai fait des tas de trucs dégueu dans ma vie. Mais ça, non, c'était pas moi. Non, non et non.

— Et moi, Andre, je vais faire de mon mieux pour le prouver. Vous pouvez y compter.

Il releva la tête et me regarda les yeux dans les yeux.

— C'est ce que disait Giselle. Elle disait qu'on pouvait compter sur vous.

— Elle disait ça ? Compter sur moi pour quoi ?

— Vous savez bien, si jamais il lui arrivait quelque chose, elle savait qu'elle pouvait compter sur vous pour ne pas laisser filer.

Je marquai une pause. Ces cinq derniers mois, La Cosse et moi n'avions que très peu parlé. Il était en prison et je croulais sous le boulot. Nous parlions lorsque nous nous retrouvions pour des audiences et lors des rares coups de téléphone qu'il me passait du quartier des cellules roses[1] de Men's Central. Il n'empêche, je pensais avoir tout ce dont j'avais besoin pour le défendre au procès. Mais ce qu'il venait de me dire était nouveau et me donnait à réfléchir parce qu'il s'agissait de Gloria Dayton et que, pour moi, elle restait une énigme.

— Pourquoi vous a-t-elle dit ça ?

Il hocha légèrement la tête comme s'il ne comprenait pas l'urgence dans ma voix.

— Je ne sais pas. Nous parlions, tout simplement, et elle vous a mentionné dans la conversation. Vous savez bien, du genre… si jamais il m'arrive quelque chose, Mickey Mantle se battra pour moi.

— Quand vous a-t-elle dit ça ?

— Je ne m'en souviens pas. Elle l'a dit, c'est tout. Elle m'a juste demandé de vous le faire savoir.

J'agrippai un des barreaux de ma main libre et me rapprochai.

---

1. Cellules réservées aux homosexuels.

— Vous avez affirmé m'avoir choisi parce qu'elle vous avait dit que j'étais un bon avocat. Vous ne m'avez jamais parlé de tous ces autres trucs !

— Je venais juste de me faire arrêter pour meurtre et je chiais de trouille. Je voulais que vous preniez mon affaire.

Je me retins de passer les mains entre les barreaux et de l'attraper par le col de sa combinaison.

— Écoutez-moi bien, Andre. Je veux que vous me répétiez très exactement ce qu'elle a dit. Et mot pour mot.

— Elle a juste dit que s'il lui arrivait quelque chose, je devais promettre de vous le dire. Et après, il est effectivement arrivé quelque chose et je me suis fait arrêter. Alors je vous ai appelé.

— Combien de temps s'est-il écoulé entre cette conversation et le moment où elle a été assassinée ?

— Je ne m'en souviens pas exactement.

— Quelques jours ? Plusieurs semaines ? Des mois ? Allons, Andre. Ça pourrait être important.

— Je ne sais pas. Une semaine, peut-être un peu plus. Je n'arrive pas à m'en souvenir parce qu'être en prison avec tout le bruit, la lumière tout le temps et ces espèces de brutes tout autour, ça vous use tellement qu'on commence à y perdre la raison. Je ne me rappelle plus certains trucs, je ne me souviens même plus à quoi ressemble ma mère.

— Bon, bon, calmez-vous. Repensez-y quand vous remonterez dans le car pour la prison et serez de nouveau dans votre cellule. Je veux que vous me disiez exactement quand cette conversation a eu lieu. D'accord ?

— J'essaierai, mais je ne sais pas.

— O.K., d'accord, essayez. Et maintenant, il faut que j'y aille. Je vous reverrai avant le procès. Il y a encore beaucoup de travail préparatoire à faire.

— Bien et… je m'excuse.

— De quoi ?

— De vous avoir chamboulé comme ça pour Giselle. Parce que je vois bien que vous l'êtes.

— Ne vous inquiétez pas pour ça. Assurez-vous seulement de manger ce qu'on vous donnera ce soir. Je veux que vous ayez l'air costaud le jour du procès. C'est promis ?

Il acquiesça à contrecœur.

— Promis, dit-il.

Je repris le chemin de la porte en acier.

Chapitre 12

Je retraversai le prétoire tête baissée en oubliant complètement que le juge Leggoe avait entamé l'audience suivante. Je gagnai la sortie de derrière en réfléchissant à ce que La Cosse venait de me dire, à savoir qu'il m'avait contacté juste après son arrestation parce que Gloria Dayton voulait que je sois au courant s'il lui arrivait quelque chose, et pas nécessairement parce qu'elle pensait que je devais être l'avocat de La Cosse. Il y avait donc une différence significative entre les deux histoires et cela me libéra un peu du poids que je portais depuis des mois à cause d'elle. Mais voulait-elle que j'aie ce message pour la venger ou pour m'avertir d'un danger que je ne voyais pas ? Ces questions coloraient différemment la façon dont j'envisageais les choses pour Gloria, et même pour moi. Je comprenais maintenant qu'elle se savait peut-être en danger ou, du moins, craignait de l'être.

Une fois sorti du prétoire, je me retrouvai dans le couloir bondé, nez à nez avec Fernando Valenzuela – le garant de caution, pas l'ancien lanceur de base-ball. Nos relations remontaient à loin et, un temps, avaient même donné naissance à un partenariat qui nous avait été financièrement bénéfique à tous les deux. Mais tout avait tourné au vinaigre des années de ça et nous étions chacun partis de notre côté. Maintenant, quand j'avais besoin d'un garant de caution, je contactais Bill Deen ou Bob Edmundson. Val n'était plus qu'un lointain troisième sur ma liste.

Il me tendit une feuille pliée en deux.

— Tiens, Mick, c'est pour toi, dit-il.

— Qu'est-ce que c'est ?

Je pris le document et commençai à l'ouvrir d'une main, puis l'agitai pour le déplier entièrement.

— C'est une citation à comparaître. Et je viens de te la signifier.

— Qu'est-ce que tu racontes ? Tu signifies des citations maintenant ?

— C'est un de mes nombreux talents, me répondit-il. Faut bien gagner sa vie. Tu veux bien me la montrer ?

— Va te faire mettre.

Je connaissais l'astuce. Il voulait me prendre en photo avec le document en main afin de prouver que je l'avais bien reçu. Je l'avais effectivement bien reçu, mais il n'était pas question que je prenne la pose pour une photo. Je tins la feuille dans mon dos. Cela n'empêcha pas Valenzuela de prendre la photo avec son portable.

— Aucune importance, dit-il.

— Val, lui lançai-je, ce n'était absolument pas nécessaire.

Il rangea son portable et je regardai le document. Et en vis tout de suite l'intitulé : *Hector Arrande Moya contre Arthur Rollins, directeur de la Federal Correctional Institution de Victorville.* Déclaration

2241, donc. À savoir une permutation de la requête en *habeas corpus*, connue par les juristes sous le nom de « véritable *habeas* », parce qu'au lieu de se raccrocher désespérément à n'importe quoi, du genre inefficacité patente de l'avocat qu'il a pris, le plaignant déclare disposer de nouveaux éléments d'importance prouvant son innocence. Moya avait quelque chose de nouveau dans son jeu et, d'une manière ou d'une autre, cela me concernait, et concernait donc aussi ma dernière cliente, Gloria Dayton. Elle était en effet le seul lien entre lui et moi. À l'origine de cette déclaration 2241, il y avait que le plaignant – en l'occurrence Moya – déclarait qu'il était détenu en prison illégalement, d'où l'attaque au civil contre le directeur du pénitencier. Il devait y avoir plus dans la déclaration complète, à savoir un élément nouveau, ou prétendu tel, susceptible d'attirer l'attention d'un juge fédéral.

— Bon alors, Mick, on ne m'en veut plus ?

Je regardai par-dessus la feuille pour lui répondre. Il avait ressorti son portable et prit ma photo. J'en avais oublié jusqu'à sa présence. J'aurais pu me mettre en colère, mais cela m'intriguait.

— Non, je ne t'en veux plus. Si j'avais su que tu signifiais des citations à comparaître, j'aurais eu recours à toi moi aussi.

Ce fut à son tour d'être intrigué.

— Quand tu veux, mec, dit-il. Tu as mon numéro de téléphone. L'argent est rare sur le marché de la garantie de caution en ce moment, je ne fais que combler le manque à gagner. Tu vois ce que je veux dire ?

— Oui, mais dis à ton employeur qu'entre avocats la citation à comparaître n'est pas la meilleure façon de…

Je m'arrêtai net en lisant le nom de celui qui me citait à comparaître.

— Syl-vest-er Ful-go-ni ?

— C'est ça même, le Syl qui te fout une « putain de veste » dans tout procès.

Et voilà qu'il riait tant il était fier de sa réponse pleine d'astuce. Mais je pensais à autre chose. Sylvester Fulgoni était un casse-couilles de première dans sa pratique du droit. Cela étant, être cité à comparaître pour témoignage par ce monsieur était assez inhabituel en ce qu'il avait été radié de l'ordre des avocats et faisait de la prison fédérale pour fraude fiscale. Fulgoni avait monté un cabinet florissant, qui s'attaquait essentiellement aux agences du maintien de l'ordre pour violations du droit « sous couvert de la loi » – flics qui se protègent derrière leur badge pour commettre des agressions, extorquer de l'argent, et autres crimes pouvant aller jusqu'au meurtre. Il avait gagné des millions en arrangements à l'amiable avant procès et amendes suite à verdict, et sa commission était plus que confortable. Mais il ne s'était pas donné la peine de payer les impôts qui en découlaient et les États qu'il avait si souvent poursuivis en justice avaient fini par le remarquer.

Il avait prétendu être la cible d'accusations de pure vengeance destinées à l'empêcher d'être le champion des victimes du maintien de l'ordre et des abus de l'État, mais le fait était bien qu'il n'avait pas payé ni même seulement déclaré ses impôts quatre ans de suite. Collez douze contribuables dans un box de jurés et le verdict est toujours mauvais pour vous. Fulgoni avait fait appel presque six ans durant, mais le temps finissant par manquer, il avait terminé en prison. Cela remontait à seulement un an et je subodorais maintenant que celle où il avait terminé sa course était la Federal Correctional Institution de Victorville qui, tiens tiens, était aussi celle qui abritait Hector Arrande Moya.

— Sly[1] est déjà ressorti ? demandai-je. Il ne peut quand même pas avoir déjà retrouvé sa charge d'avocat, si ?

— Non, c'est son fils, Sly Junior. C'est lui qui a repris l'affaire.

Je n'avais jamais entendu parler d'un quelconque Sylvester Fulgoni Junior et ne me rappelais pas que Sylvester Senior eût été beaucoup plus âgé que moi.

— Ça doit être un bébé avocat, non ?

— Je n'en sais rien. Je ne l'ai jamais vu. Je travaille avec son assistant et faut que j'y aille, Mick. J'ai d'autres petits cadeaux à livrer.

Il caressa la sacoche qu'il s'était jetée sur l'épaule et se tourna vers l'entrée du bâtiment.

— Autre chose que tu saurais sur cette affaire ? lui demandai-je en tenant la citation.

Il fronça les sourcils.

— Oh allons, Mick, tu sais très bien que je ne peux pas...

— Moi aussi, j'envoie pas mal de citations à comparaître, tu sais ? Non, parce que celui qui travaillerait pour moi aurait de fortes chances de se faire pas mal de fric tous les mois. Mais bien sûr, il faudrait que j'aie confiance en lui, si tu vois ce que je veux dire. Que ce type soit de mon côté et ne bosse pas contre moi.

---

1. « Le rusé », par inversion des trois premières lettres de Sylvester.

Il savait exactement où je voulais en venir. Il hocha la tête, puis son regard s'illumina : il venait de trouver un moyen de sortir de l'impasse où je l'avais collé. Il me fit signe d'approcher.

— Hé, Mick, dit-il, peut-être que tu pourrais m'aider.

Je m'approchai.

— Bien sûr. De quoi as-tu besoin ?

Il ouvrit sa sacoche et se mit à fouiller dedans.

— Il faut que j'aille voir un certain James Marco à la DEA. Tu aurais une idée de l'endroit où ça se trouve dans le Royal Building ?

— La DEA ? Ça dépend s'il fait partie d'un détachement spécial ou pas. La DEA, il y en a partout dans ce bâtiment et dans d'autres endroits de la ville.

— Oui, il fait partie d'une certaine *Interagency Cartel Enforcement Team*[1]. Je crois qu'ils appellent ça l'ICE-T[2], enfin… quelque chose comme ça.

Je réfléchis : l'histoire de la citation à comparaître et tout le reste commençait à prendre de l'importance dans ma tête.

— Désolé, mais je ne sais pas où elle se cache dans ce bâtiment. Je peux faire autre chose pour toi ?

Il se remit à chercher dans sa sacoche.

— Oui, encore un truc. Après la DEA, il faut que j'aille voir une dame. Une certaine Kendall Roberts… avec un K et deux L… elle habite Vista Del Monte, à Sherman Oaks. Tu saurais où ça se trouve, par hasard ?

— Comme ça, de tête, non.

_____

1. L'équipe interagences de la répression des cartels.
2. Thé glacé.

— Bon, eh bien va sans doute falloir que je remette le GPS en route. À plus, Mick.

— C'est ça, Val. Je t'appelle dès que j'ai une autre liasse de papiers à faire livrer.

Je le regardai descendre le couloir, puis me dirigeai vers un des bancs installés de chaque côté. Je trouvai une petite place où m'asseoir et ouvris ma mallette pour noter les noms qu'il venait de me donner. Je sortis ensuite mon portable, appelai Cisco et lui demandai de trouver tout ce qu'il pouvait sur James Marco et Kendall Roberts. Je mentionnai que ledit Marco faisait censément partie des forces de l'ordre voire, ce n'était pas impossible, de la DEA. Il grogna. Les gens des forces de l'ordre cherchent à se protéger en faisant disparaître tout ce qu'ils peuvent côté pistes numériques et renseignements publics. Et ce sont les agents de la DEA qui vont le plus loin dans ce sens.

— C'est comme si tu me demandais des renseignements sur un agent de la CIA, se plaignit-il.

— Essaie juste de voir ce que tu peux trouver, lui dis-je. Commence par l'Interagency Cartel Enforcement Team... l'ICE-T. On ne sait jamais, on pourrait avoir un coup de bol.

Sur quoi, je quittai le bâtiment et repérai la Lincoln garée dans Spring Street. Je sautai à l'arrière et m'apprêtais à dire à Earl de rejoindre le Starbucks lorsque je m'aperçus que ce n'était pas Earl qui se tenait derrière le volant. Je m'étais trompé de Lincoln.

— Oh, désolé, dis-je. Mauvaise voiture.

J'en ressortis d'un bond et appelai Earl sur son portable. Il m'informa qu'il s'était garé dans Broadway parce qu'un flic l'avait éjecté de sa place dans Spring

Street. J'attendis cinq minutes qu'il arrive, et les mis à profit en appelant Lorna pour savoir ce qui se passait. « Rien qui vaille la peine d'être mentionné », me répondit-elle. Je lui parlai alors de la citation à comparaître de Fulgoni et lui précisai qu'elle était pour le mardi matin suivant à Century City. Elle l'inscrirait à l'emploi du temps et parut partager mon agacement en découvrant que Fulgoni s'était servi de Val pour me la signifier. Il n'est traditionnellement pas nécessaire à un avocat d'en citer un autre à comparaître. D'habitude, un simple coup de fil et un rien de courtoisie professionnelle suffisent à obtenir le même résultat.

— Quel pauv' type, ce mec ! s'écria-t-elle. Mais et Val ? Comment va-t-il ?

— Pas mal, je pense. Je lui ai dit qu'on lui filerait des citations.

— Et t'étais sérieux ? On a Cisco.

— Peut-être. On verra. Cisco déteste cet aspect-là du boulot. Il pense valoir mieux que ça.

— Mais il le fait et ça ne te coûte pas un sou de plus.

— C'est vrai.

Je mis fin à la conversation au moment où Earl s'arrêtait devant moi avec la bonne Lincoln. Nous gagnâmes le Starbucks de Central Avenue pour que je puisse me servir du Wi-Fi.

Une fois connecté, j'allai sur le site PACER et y entrai le numéro de l'affaire inscrit dans ma citation. L'assignation de Sylvester Fulgoni Junior était effectivement un « véritable *habeas* » destiné à annuler la condamnation d'Hector Arrande Moya. Étaient invoquées de très grosses atteintes au droit dans la conduite de l'agent de la DEA James Marco, Fulgoni alléguant qu'avant l'arrestation de Moya par le LAPD, Marco avait eu recours à un indic pour entrer dans sa chambre d'hôtel et y cacher une arme à feu sous le matelas. Marco se serait ensuite servi de ce même indic pour orchestrer l'arrestation de Moya par le LAPD et la découverte de l'arme par les officiers de police y ayant procédé. Cette arme avait alors permis au procureur d'alourdir les charges retenues contre Moya et de l'expédier à vie dans une prison fédérale s'il en était reconnu coupable. Et Moya avait effectivement été condamné à perpète après le verdict des jurés.

L'État n'avait pas encore réagi, du moins, d'après ce que j'en lisais sur le site. Mais on n'en était encore qu'au début de l'affaire. L'assignation ne datait que du 1er avril.

— Poisson d'avril, me dis-je.

— Vous dites, patron ? me lança Earl.

— Non, rien. Je réfléchissais tout haut.

— Vous voulez que j'aille vous prendre quelque chose ?

— Non, ça ira. T'as besoin d'un café ?

— Non, moi non.

La Lincoln était munie d'une imprimante posée sur une étagère installée sur le siège avant – je parie que les autres avocats en Lincoln n'avaient jamais pensé à ça. J'imprimai un exemplaire de l'assignation, puis je refermai mon ordinateur. Earl me tendant la sortie papier par-dessus le siège quelques instants plus tard, je la relus une fois encore en entier. Puis je m'adossai à la portière et tentai de comprendre à quoi jouait Fulgoni et quel rôle j'étais censé jouer dans l'affaire.

161

Il me semblait assez évident que l'indic constamment mentionné dans le document n'était autre que Gloria Dayton. Il en ressortait clairement que l'arrestation de ma cliente et l'arrangement conclu en son nom avaient été orchestrés par la DEA et l'agent James Marco. Ça donnait une belle histoire, mais moi qui en avais pourtant été l'un des acteurs, j'avais du mal à y croire. J'essayai de me rappeler avec autant de détails que possible ce qui avait amené Gloria Dayton et Hector Arrande Moya à se retrouver ensemble. J'avais revu Gloria à la prison pour femmes du centre-ville et n'avais pas oublié ce qu'elle m'avait dit sur son arrestation. Sans même qu'elle ait à me le suggérer, j'avais vu la possibilité d'échanger certains de ses renseignements contre un arrangement avant procès. C'était moi, et moi seul, qui en avais eu l'idée. Gloria n'était pas du genre à comprendre ou même seulement connaître la loi. Marco, lui, je ne l'avais jamais vu et ne lui avais pas davantage parlé de toute ma vie.

Cela dit, je devais envisager que Gloria avait peut-être été travaillée de façon à en dire juste assez pour que son avocat commence à gamberger. Ça me semblait peu probable, mais je devais reconnaître que si ces cinq derniers mois me prouvaient quelque chose, c'était bien qu'elle avait des côtés dont j'ignorais tout. Il s'agissait peut-être même d'une révélation suprême pour moi la concernant : il était bien possible, eh oui, qu'elle m'ait manœuvré comme un pion au service de la DEA.

Plein d'impatience, je rappelai Cisco et lui demandai s'il avait avancé dans ses recherches sur les deux noms que je lui avais donnés.

— Mais tu me les as filés il y a à peine une demi-heure ! protesta-t-il. Je sais que tu veux ça vite, mais… une demi-heure ?

— J'ai besoin de savoir ce qui se trame derrière ça. Tout de suite.

— Écoute, je vais aussi vite que possible. Je peux te parler de la nana, mais je n'ai encore rien sur l'agent. Ça ne va pas être facile d'accéder à ce mec.

— Bon d'accord, parle-moi de la fille.

S'ensuivirent quelques instants de silence tandis que, manifestement, il rassemblait ses notes.

— Bon alors, Kendall Roberts, entonna-t-il. Elle a trente-neuf ans et habite Vista Del Monte, à Sherman Oaks. Elle a un casier qui remonte aux alentours de 1995. Pas mal de prostitution et de complots en vue de commettre des délits. Tu sais bien, les trucs habituels pour les escorts. Bref, c'est une pute. Enfin… je devrais plutôt dire « c'était ». Ça fait six ans qu'elle est clean.

Elle devait donc être en activité à l'époque où Gloria travaillait elle aussi comme escort sous le nom de Glory Days. Je soupçonnai aussitôt que Roberts et Dayton se connaissaient à ce moment-là et que c'était sans doute la raison même qui avait poussé Fulgoni à me citer à comparaître.

— Bien, dis-je. Autre chose ?

— Non, rien d'autre. Je t'ai dit tout ce que je savais. Et si tu me rappelais dans une heure, hein ?

— Non, je te verrai demain matin. Je veux que tout le monde soit en salle de réunion à 9 heures. Tu peux le dire aux autres ?

— Pas de problème. Bullocks y compris ?

— Oui, Bullocks y compris. Je veux que tout le monde soit là et qu'on se remue les méninges sur cette dernière info. Ça pourrait être exactement ce dont on a besoin pour La Cosse.

— Tu veux dire pour la défense de l'homme de paille ? Comme quoi Moya aurait tué Dayton ?

— Exactement.

— Ouais, bon, en tout cas, on sera tous dans la salle à 9 heures.

— Et en attendant faudra que tu me trouves qui est ce Marco. On a vraiment besoin de le savoir.

— Je fais déjà de mon mieux. Je m'en occupe.

— Trouve-le, c'est tout.

— Facile à toi de dire ça ! Et en attendant, qu'est-ce que tu vas faire, toi ?

La question était bonne – assez bonne pour que j'hésite avant de donner une réponse.

— Je vais aller faire un tour dans la Valley, histoire de parler avec cette Kendall Roberts.

Il ne perdit pas de temps à s'y opposer.

— Attends, Mickey ! Faut que j'y sois, moi aussi. Tu ne sais pas dans quoi tu vas mettre les pieds avec cette femme. Tu ne sais pas avec qui elle pourrait être. Pose la mauvaise question et y aura des ennuis. Laisse-moi te retrouver là-bas.

— Non, continue de t'occuper de Marco. J'ai Earl avec moi, tout ira bien. Et je ne poserai pas de mauvaises questions.

— Bon, ben, bonne partie de chasse. Appelle si tu as besoin de moi.

— Je le ferai.

Je refermai mon portable.

— Bon, Earl, on y va. Direction Sherman Oaks, et pleins gaz.

Earl passa en prise et déboîta du trottoir.

Je sentis l'adrénaline monter avec l'accélération de la voiture. Il y avait du nouveau. Des choses que je ne comprenais pas encore. Mais… pas de problème. Je me promis de tout comprendre en un rien de temps.

Chapitre 13

Il me semblait vraisemblable que Fernando Valenzuela signifie ses citations à comparaître dans l'ordre qu'il avait adopté pour m'interroger sur ses noms. L'Edward R. Roybal Federal Building se trouvait à quelques rues à peine du Criminal Courts Building. Il y avait de fortes chances qu'il s'y rende en premier afin de notifier James Marco, puis qu'il parte dans la Valley faire la même chose avec Kendall Roberts. Il aurait du mal à joindre Marco. Les agents fédéraux, et je le savais d'expérience, font toujours de leur mieux pour éviter les citations à comparaître. En fin de compte, les leur signifier se faisait généralement par l'intermédiaire d'un superviseur qui les acceptait au nom de l'agent visé, et toujours à contrecœur. La cible ne recevait pratiquement jamais la citation en personne.

Je me disais que vu le temps que tout cela prendrait, j'avais l'avantage sur Val. Si jamais Roberts était chez elle, j'avais une chance de la joindre bien avant lui. Je n'avais évidemment aucune idée de ce que le fait d'arriver le premier donnerait au final, mais j'espérais pouvoir parler avec elle sans qu'elle se méfie, avant qu'elle comprenne qu'elle allait être entraînée dans une affaire fédérale impliquant un chef de cartel maintenant en prison.

J'avais besoin d'en savoir plus sur elle que le nom qu'elle portait. Tout semblait dire que Gloria Dayton et elle avaient évolué dans le même genre de cercles dans les années 1990 et ce, au minimum jusqu'au début du nouveau millénaire. Les renseignements de Cisco me donnaient un point de départ, mais ne suffisaient pas. La meilleure façon d'engager la conversation avec quelqu'un qui est impliqué dans une affaire est d'y aller en en sachant plus long que lui.

Je pris mon téléphone portable, cherchai le numéro de Sylvester Fulgoni Junior sur Google et l'appelai. Avec sa voix profonde et éraillée par la fumée, la femme qui me répondit – et me mit en attente – me parut davantage destinée à prendre les réservations à la Boa Steakhouse qu'à tenir le standard d'un cabinet d'avocats. Nous étions déjà sur l'autoroute 101 et la circulation était dense. Je pensais que nous en avions encore pour une demi-heure avant d'atteindre Sherman Oaks et ne fus agacé ni par cette attente ni par la musique de cantina mexicaine qui m'arrivait dans les oreilles.

Je m'étais adossé à la vitre et m'apprêtais à fermer les yeux lorsque la voix d'un jeune homme se fit entendre.

— Sylvester Fulgoni Junior à l'appareil, lança-t-on. Que puis-je faire pour vous, maître Haller ?

Je me redressai, sortis un bloc-notes de ma mallette et le posai sur ma cuisse.

— Eh bien, vous pourriez commencer par me dire pourquoi vous m'avez signifié une citation à comparaître alors que j'étais au tribunal. J'en déduis que vous devez être bien jeune dans la profession parce que rien de tout cela n'était nécessaire. Il vous suffisait de m'appeler. C'est ce qu'on appelle la « courtoisie professionnelle ». Les avocats ne se collent pas des citations à comparaître de cette manière… surtout pas en présence de leurs pairs en plein tribunal.

Il y eut une pause, puis il s'excusa.

— J'en suis vraiment navré et tout à fait gêné, maître Haller. Vous avez raison, je suis un jeune avocat qui essaie simplement de percer et si j'ai mal procédé dans cette affaire, je m'en excuse.

— Excuse acceptée et vous pouvez m'appeler Michael. Bon, et si vous me disiez un peu de quoi il s'agit ? Hector Arrande Moya ? Ça fait sept ou huit ans que je n'ai plus entendu prononcer son nom.

— Oui, M. Moya est prisonnier depuis longtemps et nous essayons d'améliorer son sort. Avez-vous eu l'occasion de jeter un coup d'œil à l'affaire à laquelle se réfère cette citation à comparaître ?

— Maître Fulgoni, c'est à peine si j'ai le temps de jeter un coup d'œil aux miennes. En fait, je vais avoir besoin de chambouler mon emploi du temps pour être libre le jour que vous avez choisi. Vous auriez dû laisser la date ouverte ou en choisir une qui convienne aux deux parties.

— Je suis sûr que nous pourrons vous en trouver une autre si mardi matin ne vous convient pas. Et je vous en prie, appelez-moi Sly.

— Parfait, Sly. Je pense y arriver malgré tout. Mais dites-moi quand même pourquoi je dois faire une déposition pour Hector Moya. Il n'a jamais été mon client et je n'ai jamais eu affaire à lui.

— Mais bien sûr que si… Michael. Dans un sens, vous êtes même celui qui l'a envoyé en prison et vous pourriez donc aussi avoir la clé pour l'en sortir.

Là, je marquai un temps d'arrêt. On pouvait débattre de la première partie de son argument mais, vrai ou faux, ce n'était pas le genre de chose que j'avais envie qu'un type haut placé dans la hiérarchie pense à mon sujet, même si ce type était bien gardé dans une prison fédérale.

— Là, je vous arrête tout de suite, finis-je par lui répondre. Dire que c'est moi qui ai envoyé votre client en taule ne va pas vraiment m'inciter à vous aider ou à coopérer avec vous. Sur quoi vous fondez-vous pour proférer une accusation aussi extravagante qu'inconsidérée ?

— Oh allons, Michael ! Ça remonte à huit ans ! Nous connaissons tous les détails. Vous avez négocié un arrangement qui a permis à votre cliente Gloria Dayton d'éviter le procès et a livré Hector Moya aux Fédéraux bien ficelé comme il faut avec en prime un joli nœud nœud tout rose. Aujourd'hui, votre cliente est morte et cela vous met dans l'obligation de nous dire ce qui s'est passé.

Je tapotai mon accoudoir du bout des doigts en essayant de trouver la meilleure manière de négocier ce virage.

— Mais dites-moi, lui lançai-je enfin, comment savez-vous ce que vous croyez savoir sur Gloria Dayton et son affaire ?

— Il n'est pas question que je vous suive sur ce terrain-là, Michael. Tout cela doit rester en interne et confidentiel. Et même protégé par le secret client-avocat.

Cela étant, nous avons quand même besoin de votre déposition pour préparer notre dossier. Je suis impatient de faire votre connaissance mardi prochain.

— Sauf que ça ne va pas marcher, Junior.

— Je vous demande pardon ?

— Non, vous n'êtes pas pardonné. Et vous me verrez peut-être mardi, mais peut-être pas. Attendez que j'entre dans n'importe quelle chambre du Criminal Courts Building et que je vous trouve un juge qui vous réduira votre petit truc en poussière en cinq minutes. Me comprenez-vous bien ? Et donc, si vous tenez à me voir là-bas mardi, vous avez tout intérêt à l'ouvrir. Je me moque de savoir si ça doit rester « en interne », si on ne peut que voir et pas toucher, si c'est confidentiel ou protégé par le secret des relations client-avocat… Il est tout simplement hors de question que j'aille déposer ici ou là en battant ma coulpe. Vous voulez que je vous voie là-bas ? Commencez par me dire pourquoi.

Ma remarque avait retenu son attention, il me répondit en bégayant :

— Euh, euh… attendez. Permettez que je vous rappelle plus tard sur ce point, Michael ? Je promets de revenir vers vous sous peu.

— Eh bien voilà ! m'écriai-je, et je mis fin à la conversation.

Je savais ce que Sly Junior allait faire. Il allait appeler Sly Senior au pénitencier de Victorville et lui demander comment me manœuvrer. Après ce coup de fil, il était assez clair que Junior obéissait aux ordres de Senior. Tout ce truc avait été probablement concocté dans la cour de la prison : Sly Senior va voir Moya et lui laisse entendre qu'il a une chance de l'emporter avec une requête en « véritable *habeas* ». À partir de là, Sly Senior – c'est plus que vraisemblable – se rend à la bibliothèque de droit de la prison et y rédige la requête pour son fils, ou lui laisse ses instructions. La seule question qui me taraudait dans tout ça était de savoir d'où Junior et Senior tenaient que Gloria Dayton était l'indic qui avait donné Moya.

Mon coup de fil terminé, je regardai par la vitre et vis qu'enfin nous avancions et arrivions presque au col de Cahuenga. Earl se faufilait dans la circulation comme un demi de mêlée entre les défenses adverses. Il y excellait. Nous allions arriver chez Roberts plus tôt que je pensais.

Elle habitait à quelques rues de Ventura Boulevard. À établir un lien entre statut et adresse dans la Valley, c'était au sud du boulevard qu'on préférait vivre. Après notre divorce, mon ex avait acheté un appartement en copropriété une rue au sud du boulevard, dans Dickens Street, la différence lui important beaucoup… et ajoutant au prix. Et moi, bien sûr, j'en payais une partie étant donné que cet appartement abritait aussi notre fille.

Roberts, elle, habitait quelques rues au nord de la ligne de démarcation, dans la partie comprise entre Ventura Boulevard et le Ventura Freeway. C'était une espèce de quartier de deuxième choix, où l'on trouvait à la fois des immeubles et des maisons individuelles.

Nous n'en étions plus qu'à une rue lorsque je remarquai que nous arrivions dans la partie maisons individuelles de Vista Del Monte. Je demandai à Earl d'arrêter la voiture pour m'installer à l'avant. Je dus commencer par débrancher l'imprimante et ranger la plateforme dans le coffre.

— Juste au cas où elle nous verrait arriver, lui dis-je après être remonté dans la voiture et avoir refermé la portière.

— O.K., dit-il. Alors, c'est quoi, le plan ?

— Avec un peu de chance on se gare devant chez elle et on a l'air officiel. Tu m'accompagnes jusqu'à la porte et c'est moi qui cause.

— Et qui est-ce qu'on voit ?

— Une femme. J'ai besoin qu'elle me dise ce qu'elle sait.

— Sur quoi ?

— Je ne sais pas.

C'était bien le problème. Kendall Roberts était exactement comme moi, citée à comparaître dans l'appel interjeté par Moya. Je savais à peine ce que j'apportais à l'affaire et encore moins ce que Roberts avait dans son jeu.

Nous avions de la chance. Il y avait une bordure rouge le long du trottoir et une bouche d'incendie juste devant la maison de style ranch années 1950 dont Cisco nous avait donné l'adresse.

— Gare-toi là pour qu'elle voie la voiture.

— On risque de se payer une contravention pour stationnement devant une bouche d'incendie, me fit-il remarquer.

J'ouvris la boîte à gants et en sortis un panneau sur lequel était imprimé le mot « clergé » et l'installai sur le tableau de bord. Ça marchait – plutôt deux fois qu'une – et ça valait toujours le coup d'essayer.

— On verra bien, dis-je.

Avant de descendre de voiture, je pris mon portefeuille, en sortis ma carte plastifiée d'avocat et la glissai dans la petite fenêtre en plastique à l'avant de mon permis de conduire. Puis je montai vite un plan d'action avec Earl et nous quittâmes la Lincoln. Cisco m'avait dit que la dernière arrestation de Kendall Roberts remontait à 2007. J'avais dans l'idée qu'elle n'exerçait plus son métier et s'en tenait probablement au droit chemin, mon espoir étant de me servir de cet état de choses à mon avantage… à condition qu'elle soit bien chez elle en plein milieu d'un jour ouvrable.

Je chaussai mes lunettes de soleil en approchant de la maison. J'avais été vu à la télévision et mon visage était apparu sur des tas de panneaux disséminés dans toute la ville lors de la campagne électorale de l'année précédente. Je n'avais aucune envie d'être reconnu. Je frappai très fermement à la porte et reculai d'un pas pour être à la hauteur d'Earl. Il avait mis ses Ray-Ban *Wayfarers* et portait son costume et sa cravate noire habituels et moi, mon Corneliani anthracite à fines rayures. Il n'empêche. Debout là, épaule contre épaule, avec nos lunettes de soleil… Cela me rappela le duo Noir-Blanc d'une série de films populaires que j'avais appréciés avec ma fille en des temps meilleurs.

— C'était quoi, les films avec les deux types qui traquent des aliens pour le compte d'un gouvernement secret et…

La porte s'ouvrit. Une femme à l'air un peu plus jeune que les trente-neuf ans que Cisco avait donnés à Roberts se tenait dans l'encadrement. Grande et souple, elle avait des cheveux brun-roux qui lui tombaient jusqu'aux épaules. À ce que j'en voyais, elle n'était pas maquillée et n'en avait pas besoin. Elle portait un sweat et un tee-shirt gris avec *Got Flex ?*[1] écrit en travers.

— Kendall Roberts ?

— Oui ?

Je sortis mon portefeuille de la poche intérieure de ma veste.

— Je m'appelle Haller et travaille pour le barreau de Californie, et voici mon associé Earl Briggs. Je me demandais si nous ne pourrions pas vous poser quelques questions concernant une affaire sur laquelle nous enquêtons.

J'ouvris mon portefeuille et le tins brièvement devant elle pour qu'elle puisse voir ma carte du barreau. Elle s'ornait du logo de la justice et avait l'air passablement officielle. Je ne laissai pas Roberts la regarder trop longtemps et refermai mon portefeuille d'une chiquenaude avant de le remettre dans ma poche intérieure.

— Je ne comprends pas, dit-elle. Je n'ai aucune… affaire en cours. Il doit y avoir une er…

— Cela ne vous concerne pas vous, madame. Ce sont d'autres personnes et vous n'êtes qu'à la périphérie de l'affaire. Pouvons-nous entrer ou préférez-vous nous accompagner à notre bureau de Van Nuys pour poursuivre cette conversation ?

Lui offrir ainsi la possibilité d'aller dans un autre lieu qui n'existait même pas était risqué, mais j'étais prêt à parier qu'elle n'aurait aucune envie de quitter sa maison.

— Quelles autres personnes ? demanda-t-elle.

J'avais espéré qu'elle ne me pose pas cette question avant que nous ne soyons à l'intérieur. Mais c'était

---

1. « Vous avez des muscles ? »

bien là que le bât blessait. Je bluffais en essayant de faire comme si je savais quoi que ce soit sur quelque chose dont j'ignorais tout.

— Gloria Dayton, pour commencer. Vous la connaissiez peut-être sous le nom de Glory Days.

— Et… ? Je n'ai rien à voir avec elle.

— Elle est morte.

Je ne peux pas dire qu'elle eut l'air surprise. Ce n'était peut-être pas qu'elle le savait, mais seulement qu'elle n'ignorait pas où le genre de vie qu'elle menait pouvait conduire.

— En novembre, précisai-je. Elle a été assassinée et nous enquêtons sur la façon dont a été traitée son affaire. La conduite de son avocat pose des questions d'éthique. Pouvons-nous entrer ? Je vous promets de ne pas abuser de votre temps.

Elle hésita, mais finit par s'écarter. Nous étions dans la place. Laisser entrer deux inconnus chez elle allait peut-être à l'encontre de ses instincts, mais il était aussi fort probable qu'elle n'avait pas envie de nous garder, nous et ce que nous faisions, debout dans sa véranda pour que les voisins le voient et se posent des questions. Je franchis le seuil, Earl sur mes talons. Elle nous indiqua un canapé dans son salon, prit un fauteuil et s'assit en face de nous.

— Écoutez, je suis vraiment navrée de l'apprendre, reprit-elle, mais je dois vous dire que je n'ai plus rien à voir avec cet univers depuis très longtemps et je n'ai aucune envie qu'on m'y ramène. Je ne sais absolument pas ce que faisait Gloria, comment son affaire a été traitée ou ce qui lui est arrivé. Je ne lui parlais plus depuis des années.

Je hochai la tête.

— Nous comprenons et nous ne sommes pas ici pour vous ramener dans cet univers. En fait même, ce que nous voulons, c'est vous aider à l'éviter.

— J'en doute sérieusement. Vous ne m'aidez pas en débarquant chez moi comme ça.

— Je suis désolé, mais ces questions, nous devons les poser. J'essaierai de faire aussi vite que possible. Permettez donc que je commence par vous demander quelles relations vous aviez avec Gloria Dayton. Vous pouvez vous ouvrir à nous en toute honnêteté. Nous connaissons votre passé et savons que vous êtes clean depuis longtemps. Ce n'est pas sur vous que nous enquêtons. C'est sur Gloria.

Elle garda le silence un instant avant d'arriver à une décision. Puis elle se mit à parler.

— Nous nous couvrions. Nous avions recours au même service de réponse téléphonique et quand l'une d'entre nous était prise, le service savait qui appeler. Nous étions trois : Gloria, Trina et moi. Nous avions toutes le même look et les clients ne semblaient jamais le remarquer à moins de nous pratiquer souvent.

— Et le nom de famille de Trina était… ?

— Pourquoi ? Vous ne l'avez pas ?

— Il ne nous est pas remonté.

Elle me regarda d'un air soupçonneux, mais finit par passer à autre chose, probablement pour mettre fin à cet entretien le plus vite possible.

— Trina Rafferty, dit-elle. Elle se faisait appeler Trina Trixxx[1]… avec trois *x*… sur son site Internet.

----

1. « Trina Passes ».

— Où est-elle maintenant ?

Mauvaise question.

— Je n'en ai aucune idée ! s'écria-t-elle. Vous n'avez donc pas entendu ce que je viens de vous dire ? J'ai quitté cet univers ! J'ai un travail, une vie à moi, et plus rien à voir avec tout ça !

Je lui fis signe d'arrêter en levant la main.

— Désolé, désolé, dis-je. Je pensais seulement que vous le saviez. Que vous étiez peut-être restée en contact, c'est tout.

— Je n'ai plus le moindre contact avec ce monde-là, d'accord ? Vous comprenez maintenant ?

— Oui, oui, et je me rends compte que c'est faire remonter de vieux souvenirs.

— C'est exactement ça et ça ne me plaît pas.

— Je m'excuse et vais essayer d'être bref. Vous nous dites donc que vous étiez trois et que les appels atterrissaient dans un service dédié. Et que si le correspondant demandait après vous et que vous étiez occupée ailleurs, l'appel allait à Glory ou à Trina et vice versa, vous confirmez ?

— Je confirme. On croirait entendre un avocat.

— Probablement parce que j'en suis un. Bien, question suivante.

J'hésitai parce que celle-là pouvait très bien ou nous faire éjecter ou nous amener à la terre promise du savoir absolu.

— Quelle était, à cette époque-là, la nature de vos liens avec Hector Arrande Moya ?

Elle me regarda d'un œil vide pendant un long moment. Je commençai par croire que c'était parce que je venais de lui balancer un nom qu'elle n'avait encore jamais entendu. Puis je lus dans ses yeux qu'elle le reconnaissait, et avait peur.

— Je veux que vous partiez… tout de suite, nous dit-elle calmement.

— Je ne comprends pas. Je voulais juste…

— Sortez d'ici ! hurla-t-elle. Vous allez me faire tuer ! Je n'ai plus rien à voir avec tout ça. Sortez et laissez-moi tranquille !

Elle se leva et nous montra la porte. Je me levai à mon tour et compris que j'avais tout foutu en l'air en évoquant Moya.

— Asseyez-vous !

Earl. Et c'était à Roberts qu'il s'adressait. Elle se tourna vers lui et le regarda, choquée par la rudesse du ton qu'il avait pris.

— Je vous ai dit de vous asseoir ! répéta-t-il. Nous ne quitterons pas les lieux sans savoir pour Moya. Et non, nous n'essayons pas de vous faire tuer. Nous essayons même de vous sauver la peau. Alors asseyez-vous et dites-nous ce que vous savez.

Elle se rassit lentement. J'en fis autant, et restai aussi stupéfait qu'elle. J'avais déjà eu recours à Earl pour jouer les faux enquêteurs. Mais c'était la première fois qu'il disait quelque chose.

— Bien, reprit-il après que tout le monde se fut rassis. Parlez-nous de Moya.

Chapitre 14

Pendant les quelque vingt minutes qui suivirent, Kendall Roberts nous raconta une énième histoire de drogue et de prostitution à Los Angeles. Elle affirma que ces deux vices formaient un mix très populaire sur le marché de l'escort haut de gamme, ces escorts fournissant ces deux services à leurs clients. Cela faisait plus que doubler les profits de chaque prestation. Et c'était là qu'Hector Moya entrait en jeu. Bien que n'étant qu'un intermédiaire qui faisait entrer la cocaïne par kilos entiers dans le pays aux fins de distribution aux dealers de niveau inférieur dans le réseau, il appréciait beaucoup les prostituées américaines et se gardait une certaine quantité de poudre en réserve. Et payait ces prestations en cocaïne, devenant ainsi rapidement une source d'approvisionnement pour bon nombre d'escorts de haut niveau travaillant dans les secteurs de West Hollywood et de Beverly Hills.

À l'écouter, il me parut vite évident que ce que je croyais connaître de Gloria Dayton était sérieusement lacunaire. Son récit me confirmait aussi mes premiers soupçons, à savoir que dans l'arrangement que j'avais négocié pour elle, je n'avais été qu'une marionnette très soigneusement manipulée par elle et par d'autres. J'essayai de faire semblant de savoir tout ce qu'elle nous disait, mais je me sentais humilié d'avoir été utilisé… même huit ans après les faits.

— Et donc, depuis combien de temps Trina, Glory et vous connaissiez Hector avant qu'il soit arrêté et jeté en prison ? lui demandai-je à la fin de son récit.

— Oh, pas mal d'années sans doute. Il était là depuis un moment.

— Et comment avez-vous appris son arrestation ?

— C'est Trina qui me l'a dit. Je me souviens qu'elle m'a appelée pour me dire qu'il avait été serré par la DEA.

— Autre chose dont vous vous souviendriez ?

— Juste que nous allions devoir nous trouver une autre source d'approvisionnement s'il terminait en prison. Mais moi, je lui ai dit que ça ne m'intéressait pas parce que je voulais arrêter. Ce que j'ai fait peu après.

Je hochai la tête et tentai de réfléchir à ce qu'elle venait de m'apprendre et à la manière dont cela pouvait entrer dans le petit jeu auquel Fulgoni se livrait avec moi.

— Madame Roberts, repris-je, connaissez-vous un avocat du nom de Sylvester Fulgoni ?

Elle plissa les paupières et me répondit que non.

— Vous n'avez jamais entendu parler de lui ?

— Non.

J'avais l'impression que Fulgoni avait besoin de son témoignage pour corroborer ce qu'il voulait. Que ce qu'elle dirait sur Moya confirmerait ce qu'il savait déjà. Cela laissait entendre que Trina Trixxx était probablement à l'origine de l'info, peut-être même celle qui avait donné le nom de Gloria Dayton. Valenzuela n'avait pas dit avoir une citation à comparaître à lui signifier. Peut-être parce que Fulgoni l'avait déjà dans son jeu.

Je me tournai à nouveau vers Kendall.

— Avez-vous jamais parlé de Moya et de son arrestation à Glory?

— Non, dit-elle en hochant la tête. En fait, je pensais qu'elle avait arrêté au même moment. Un jour elle m'a appelée et m'a dit qu'elle était en désintox et qu'elle allait quitter la ville dès qu'elle aurait fini. Moi, je n'avais pas encore quitté la ville, mais j'avais déjà arrêté.

J'acquiesçai.

— Et James Marco? Ce nom vous dit-il quelque chose?

Je scrutai son visage pour y voir une réaction ou quelque chose de révélateur. Je m'aperçus alors qu'elle était vraiment très belle, et sans ostentation. Elle hocha la tête, ses cheveux oscillant sous son menton.

— Non, répondit-elle. Ça devrait?

— Je ne sais pas.

— C'était un client? Les trois quarts de ces types se servaient de faux noms. Si vous aviez une photo, je pourrais vous dire.

— Pour autant que je sache, non, ce n'était pas un client. C'est un agent fédéral. De la DEA, nous pensons.

Elle hocha de nouveau la tête.

— Alors je ne le connais pas. Dieu merci, je ne connaissais aucun agent de la DEA à l'époque. Je connaissais un certain nombre de filles que travaillaient

181

les Fédéraux. C'étaient les pires, ces types. Ils ne les lâchaient jamais, si vous voyez ce que je veux dire.

— Vous voulez dire comme indics?

— Dès qu'ils plantaient leurs griffes dans une fille, elle ne pouvait même plus songer à arrêter. Ils le lui interdisaient. Pire que des macs, qu'ils étaient. Ils voulaient qu'on leur apporte des affaires.

— Glory s'est-elle fait embarquer de cette manière par Marco?

— Pas que je sache.

— Mais ça ne serait pas impossible.

— Tout est possible. Quand on caftait pour les Fédéraux, on n'allait pas vraiment le crier sur les toits.

Bien obligé d'être d'accord avec elle. J'essayai de penser à une autre question à lui poser, mais pas moyen.

— Que faites-vous maintenant? lui demandai-je enfin. Pour gagner votre vie, s'entend.

— J'enseigne le yoga. J'ai un atelier sur le boulevard. Et vous, qu'est-ce que vous faites, hein?

Je la regardai et compris que la ruse était éventée.

— Je sais qui vous êtes, dit-elle. Je vous reconnais maintenant. Vous étiez l'avocat de Gloria. Vous êtes aussi celui qui a libéré le type qui a tué les deux nanas dans leur voiture.

J'acquiesçai.

— Oui, c'est bien moi, dis-je. Et je m'excuse de cette comédie. J'essaie seulement de savoir ce qui est arrivé à Glory et...

— C'est dur?

— Qu'est-ce qui est dur?

— De vivre avec votre passé.

182

Il y avait de l'antipathie dans le ton qu'elle avait pris. Avant même que j'aie pu répondre, quelqu'un frappa fort à la porte et nous fit tous sursauter. Roberts s'apprêtait déjà à se lever lorsque je levai les mains en l'air et baissai la voix pour lui dire :

— Vaudrait peut-être mieux ne pas ouvrir.

Elle était déjà à moitié levée et se figea.

— Pourquoi ? me demanda-t-elle, elle aussi dans un murmure.

— Parce qu'à mon avis, c'est quelqu'un qui va vous notifier une citation à comparaître. Il travaille pour l'avocat de Moya… Fulgoni. Il veut parler avec vous et vous faire dire, et officiellement, certaines choses sur ce dont nous discutons en ce moment.

Elle se laissa retomber dans son fauteuil, son visage montrant toute la peur qu'elle avait d'Hector Arrande Moya. J'adressai un signe de tête à Earl, qui se leva et gagna sans bruit l'entrée pour voir de quoi il retournait.

— Qu'est-ce que je fais ? reprit-elle toujours en chuchotant.

— Pour l'instant, vous ne répondez pas. Il va…

Des coups frappés encore plus fort partirent en écho dans toute la maison.

— Il est obligé de vous le signifier en personne. Et donc, aussi longtemps que vous l'éviterez, vous n'aurez pas à obéir à la citation. Vous avez une sortie par-derrière ? Il pourrait bien rester sur le trottoir à vous attendre.

— Ah mon Dieu ! Mais pourquoi tout cela m'arrive-t-il ?

Earl revint dans la pièce. Il avait regardé par le judas.

— Valenzuela ? lui demandai-je à voix basse.

Il me fit signe que oui. Je me tournai vers Roberts.

— Ou alors, si vous voulez, je pourrais accepter la notification en votre nom et aller voir un juge pour casser ce truc.

— Ce qui veut dire ?

— L'annuler. M'assurer que vous ne soyez pas impliquée dans l'affaire et que vous n'aurez pas à déposer.

— Et cela me coûtera combien ?

— Rien, dis-je en hochant la tête. Je le fais, c'est tout. Vous venez de m'aider, je vous aide. Et je vous tiens en dehors de tout ça.

C'était là une promesse que je n'étais pas sûr de pouvoir tenir. Mais quelque chose dans sa peur m'avait poussé à la lui faire. Quelque chose dans sa façon de se rendre compte que son passé n'était plus loin derrière elle me touchait. Je comprenais.

Encore des coups frappés à la porte et Valenzuela l'appela par son nom. Earl repartit vers le judas.

— J'ai une affaire, murmura-t-elle. Des clients. Ils ne savent pas ce que je faisais avant. Si jamais ça refaisait surface, je…

Elle était au bord des larmes.

— Ne vous inquiétez pas. Ça ne ressortira pas.

Je ne savais pas pourquoi je lui faisais toutes ces promesses. J'étais assez sûr de pouvoir faire annuler la citation à comparaître. Mais Fulgoni pouvait très bien relancer le processus. Et je n'avais aucun moyen de contrôler les médias. Pour l'instant, tout cela était invisible au radar, mais l'appel de Moya invoquait des abus des forces de l'ordre et, à être portées à la connaissance de tous, ces allégations ne pouvaient que retenir l'attention. Que l'intérêt qu'elles suscitent aille jusqu'à se porter sur un acteur aussi secondaire que Kendall Roberts était certes matière à conjectures, mais pas du tout quelque chose que je pouvais empêcher.

Et en plus, il y avait l'affaire La Cosse. Je n'étais pas encore très certain de la façon dont j'allais pouvoir faire profiter la défense de mon client de l'appel de Moya, mais le minimum réalisable, c'était de m'en servir comme d'une diversion pour brouiller les cartes de l'accusation et amener les jurés à envisager d'autres scénarios.

Earl revint dans le salon.

— Il est parti, dit-il.

— Mais il reviendra, dis-je à Roberts. Ou alors, il va rester dehors à vous attendre. Voulez-vous que je me charge de ça à votre place?

Elle réfléchit un moment, puis accepta.

— Oui, dit-elle, merci.

— C'est comme si c'était fait.

Je lui demandai son numéro de téléphone et l'adresse de son atelier de yoga, les notai et lui dis que je l'informerais dès que j'aurais fait annuler la citation. Puis je la remerciai, et Earl et moi nous en allâmes. Je sortais mon portable pour appeler Valenzuela et lui dire de revenir me présenter le document lorsque je m'aperçus que c'était inutile. Assis sur le capot de ma Lincoln, il offrait son visage au soleil en s'appuyant sur les coudes – il m'attendait. Il ne se tourna même pas vers moi pour me lancer :

— Membre du clergé? Non, vraiment, Mick! Jusqu'où ne t'abaisseras-tu pas?

J'écartai grand les bras, tel le ministre du culte devant ses ouailles.

— Ma chaire est le prétoire. Et c'est aux douze jurés, les dieux du verdict, que je prêche.

Il me décocha un regard désinvolte.

— Ouais, bon, comme tu voudras. N'empêche que c'est plutôt bas et que tu devrais avoir honte de ta carcasse. C'est presque aussi nul que de te précipiter ici avant moi pour lui dire de ne pas m'ouvrir.

J'acquiesçai. Il avait tout deviné. Je lui fis signe de dégager du capot de ma voiture.

— Eh bien, monsieur Valenzuela, Mme Roberts étant maintenant ma cliente, je suis autorisé à accepter la citation de Fulgoni en son nom.

Il glissa du capot en raclant la peinture avec la chaîne de son portefeuille relié à sa poche revolver.

— Ah ben merde, mon révérend ! me lança-t-il. J'espère ne pas avoir éraflé la peinture !

— Ouais, bon, donne-moi juste ta pièce.

Il la sortit tout enroulée de sa poche revolver et me la fit claquer dans la main.

— Parfait, conclut-il. Ça m'évitera de passer toute la journée ici.

Puis, par-dessus mon épaule, il agita la main vers la maison derrière moi. Je me retournai et découvris Kendall en train de regarder par la fenêtre du salon. J'agitai la main à mon tour comme pour lui dire que tout allait bien, et elle referma le rideau.

Je me tournai à nouveau vers Valenzuela. Il avait sorti son portable et me prit en photo avec la citation à la main.

— Ce n'était vraiment pas nécessaire, lui dis-je.

186

— Sauf qu'avec un mec comme toi, je commence à penser le contraire.

— Alors, dis-moi un peu. Comment ça s'est passé quand tu as notifié James Marco. Ou alors il jouerait les difficiles à trouver ?

— Je te dirai plus rien de rien, Mick. Et ce que tu m'as raconté tout à l'heure, comme quoi tu voudrais me prendre pour notifier tes citations, c'était que des conneries, hein ?

Je haussai les épaules. Valenzuela m'avait déjà servi à quelque chose et je savais qu'il valait mieux ne pas griller mes cartes. Cela dit, qu'il m'ait traîné sa chaîne en travers du capot et l'ait rayé m'agaçait.

— C'est probable, lui répondis-je. J'ai déjà un enquêteur à plein-temps et, en général, c'est lui qui s'occupe de ça.

— Bon, alors c'est parfait, parce que je te veux pas comme client, Mick. À plus.

Je le regardai s'éloigner sur le trottoir.

— C'est ça, Val, à un de ces jours.

Je montai à l'arrière et dis à Earl de regagner Ventura Boulevard et de prendre vers Studio City. Je voulais passer devant l'atelier de Kendall Roberts. Il n'y avait aucune raison de le faire, hormis la curiosité qu'elle m'inspirait. Je voulais voir ce qu'elle s'était construit et essayait de protéger.

— Tu as bien joué, Earl, lui dis-je. Tu as sauvé la situation.

Il me regarda dans le rétroviseur et acquiesça d'un signe de tête.

— J'ai quelques talents, dit-il.

— Ça, c'est sûr.

Je sortis mon portable et appelai Lorna pour savoir où on en était. Rien de nouveau ne s'était produit depuis mon dernier coup de fil. Je lui parlai de la réunion générale que je voulais pour le lendemain matin, elle m'informa que Cisco l'avait déjà mise au courant. Je lui demandai de veiller à apporter assez de café et de doughnuts pour cinq personnes.

— Qui est la cinquième ? voulut-elle savoir.

— Earl nous rejoindra.

Et je le regardai dans le rétroviseur. Je ne voyais que ses yeux, mais je compris qu'il souriait.

Après en avoir fini avec Lorna, j'appelai Cisco. Il était chez le concessionnaire Ferrari de Wilshire Boulevard, à environ vingt rues du Beverly Wilshire. À l'entendre, il y avait des tas de caméras pour surveiller ces voitures particulièrement coûteuses, surtout la nuit.

— Ne me dis pas ça… L'homme au chapeau ?

— Exactement.

Cela faisait maintenant cinq mois que Cisco le traquait. Ça l'agaçait beaucoup de n'avoir découvert aucune caméra de surveillance ni à l'intérieur du Wilshire ni dans ses environs immédiats, où l'on aurait vu son visage ou le bonhomme lui-même en train de monter dans une voiture pour suivre Gloria Dayton.

Mais le chauffeur de Gloria ce soir-là avait été interrogé et avait donné à Cisco l'itinéraire exact qu'il avait emprunté pour la ramener de l'hôtel à chez elle. Cisco passait tout son temps libre à vérifier les magasins et les résidences équipées de caméras de surveillance en espérant découvrir la voiture qui l'avait suivie. Il avait même vérifié auprès des services des transports de Beverly Hills, West Hollywood et Los Angeles afin de visionner les enregistrements des caméras de surveillance de la circulation tout le long du trajet. Mon grand costaud en faisait maintenant une affaire de fierté professionnelle.

Moi en revanche, j'avais depuis longtemps renoncé à tout espoir d'identifier l'homme au chapeau. À mon avis, la piste était complètement froide. La plupart des systèmes de surveillance ne gardent pas leurs enregistrements vidéo plus d'un mois. Et dans les trois quarts des endroits où Cisco s'était renseigné, on lui avait répondu qu'on n'en avait plus de la nuit où Gloria Dayton avait été assassinée. Il arrivait trop tard.

— Bah, tu peux laisser tomber, lui dis-je. J'ai un nom que j'aimerais bien te voir mettre tout en haut de ta liste. Je veux que tu me trouves cette dame dès que tu pourras.

Je lui donnai le nom de Trina Rafferty et le mis au courant de la conversation que j'avais eue avec Roberts à son sujet.

— Si elle se prostitue encore, elle pourrait se trouver n'importe où entre ici et Miami, me fit-il remarquer. Il se pourrait même que ce ne soit pas son vrai nom.

— À mon avis, elle n'est pas loin d'ici. Je pense que Fulgoni l'a peut-être même planquée quelque part. Faut que tu me la trouves.

— Bon, je m'y mets. Mais pourquoi c'est si pressé ? Elle ne va pas nous dire la même chose que Roberts ?

— Quelqu'un savait que Glory Days était l'indic qui a manigancé l'arrestation de Moya. Ce n'était pas Kendall Roberts... à l'entendre en tout cas, ce n'était pas elle. Pour moi, ça nous laisse Trina Trixxx. Je pense que Fulgoni est déjà arrivé à la joindre et je veux savoir ce qu'elle lui a raconté.

— Pigé.

— Bien. Tiens-moi au courant.

Et je raccrochai. Earl m'informa que nous arrivions à l'adresse de la Flex, l'atelier de yoga de Roberts. Il roula presque au pas lorsque nous passâmes devant. Je vérifiai les horaires affichés à la porte et vis que c'était ouvert tous les jours de 8 heures à 20 heures. Je remarquai qu'il y avait des gens à l'intérieur, rien que des femmes sur des matelas en caoutchouc étendus par terre, et toutes dans la position du chien museau au sol. Cette position, je la connaissais parce que mon ex était depuis toujours une passionnée de yoga.

Je me demandai si les clientes de Roberts n'étaient pas gênées de se donner ainsi en spectacle aux passants dans la rue. Nombre de positions de yoga ont un caractère sexuel subtil ou affirmé et il me parut bizarre d'avoir un atelier dont un des murs n'était qu'une seule et même paroi de verre montant du sol au plafond. Je réfléchissais encore à la question lorsqu'une femme s'approcha de cette paroi et porta les mains à ses yeux en mimant des jumelles. On ne pouvait être plus clair.

— On peut y aller maintenant, dis-je à Earl.

Il accéléra.

— Où ça?

— On descend la rue jusqu'à l'Art's Deli. On y prendra des sandwichs et moi après, j'irai déjeuner avec Legal Siegel.

Chapitre 15

À 20 h 30 ce soir-là, je frappai à la porte de chez Kendall Roberts. J'avais attendu son retour dans la Lincoln garée dans sa rue.

— Maître Haller, quelque chose qui ne va pas ? me demanda-t-elle.

Elle portait la même tenue qu'avant, j'en conclus qu'elle revenait de son travail à l'atelier de yoga.

— Non, tout va bien. Je suis juste revenu vous dire que vous pouvez oublier cette citation à comparaître.

— Que voulez-vous dire ? Vous l'avez soumise à un juge comme vous aviez dit que vous le feriez ?

— Pas eu besoin. Juste en partant d'ici, je me suis aperçu qu'il n'y avait pas le sceau du greffier de l'US District Court dessus, et l'affaire Moya est du ressort d'un tribunal fédéral. Il faut donc qu'il y ait ce sceau, sinon ce n'est pas légal. À mon avis, Fulgoni essayait de voir s'il ne pourrait pas vous faire venir en douce alors il a trafiqué quelque chose qui ressemblait à une citation à comparaître et il a demandé à son homme de vous la présenter.

— Pourquoi faire un truc pareil… non, parce que vouloir que je vienne en douce ?

J'y avais déjà réfléchi, surtout parce que la citation que Fulgoni m'avait collée était, elle, parfaitement légale. Pourquoi faire les choses dans les règles pour moi et pas pour Kendall ? Jusque-là, je n'avais toujours pas réussi à comprendre pourquoi.

— Bonne question, dis-je. S'il voulait faire ça sans que ça fasse de bruit, il aurait pu faire sa demande de citation sous le sceau fédéral. Mais ce n'est pas ce qu'il a fait. Au lieu de ça, il a essayé de vous bluffer pour vous faire venir et vous interroger. Il y a des chances que je le voie demain et c'est exactement ce que je vais lui demander.

— Tout ça prête beaucoup à confusion… mais merci.

— Toute confusion mise à part, plaire est notre but au cabinet Haller and Associates.

Je souris, et me sentis bête d'avoir dit ça.

— Vous savez que… vous auriez pu m'appeler. Je vous avais donné mon numéro de téléphone. Vous n'étiez pas obligé de faire tout ce chemin pour revenir ici.

Je fronçai les sourcils et hochai la tête pour bien lui faire comprendre qu'elle n'avait vraiment pas à s'inquiéter de ça.

— Pas de problème, lui dis-je. Ma fille n'habite pas loin d'ici avec mon ex et j'y ai fait un petit crochet.

Ce n'était pas vraiment un mensonge. J'étais effectivement passé devant l'immeuble de mon ex et avais contemplé les fenêtres éclairées de son appartement. J'y avais imaginé ma fille dans sa chambre, en train de faire ses devoirs, de tweeter ou de chatter sur Facebook avec ses copines. Après quoi, j'avais fait le chemin pour retrouver Kendall Roberts.

— Et donc, je n'ai pas besoin d'aller au cabinet de cet avocat mardi prochain, c'est bien ça ? reprit-elle.

— Non, vous êtes tranquille. Vous pouvez laisser tomber.

— Et je n'ai pas non plus à aller au tribunal et à témoigner de quoi que ce soit ?

C'était bien là le problème, et je savais que je devais cesser de faire des promesses que je n'étais pas certain de pouvoir tenir.

— Ce que je vais faire, c'est aller voir Fulgoni demain et lui faire comprendre que vous êtes en dehors de tout ça. Que vous ne savez rien qui pourrait lui servir dans cette histoire et qu'il ferait mieux de vous oublier. À mon avis, ça devrait suffire.

— Merci.

— À votre service.

Comme je ne bougeais pas, elle jeta un coup d'œil par-dessus mon épaule et chercha ma voiture encore une fois garée en zone rouge.

— Et… où est votre associé ? Le méchant ?

Je me mis à rire.

— Oh, Earl ? Il a fini son service. En fait, c'est mon chauffeur. Désolé encore une fois. Je ne savais pas dans quoi je mettais les pieds quand nous sommes venus.

— Vous êtes pardonné.

Je hochai la tête. Il n'y avait plus rien d'autre à dire, mais je ne bougeais pas de ma place sur la première marche. Le silence devenant gênant, elle finit par le rompre.

— Y a-t-il…

— Oui, excusez-moi. Je reste planté là comme une andouille.

— Vous inquiétez pas pour ça.

— Non, euh, je… en fait, la vraie raison qui m'a poussé à revenir, c'est que… je voulais qu'on reparle de votre question. Enfin, je veux dire… plus tôt dans la journée.

— Quelle question ?

Elle s'adossa au montant de la porte.

— Vous m'avez demandé pour mon passé, vous vous rappelez ? Comment je vivais avec le passé. Le mien.

Elle acquiesça d'un signe de tête. Enfin elle se souvenait.

— Je m'excuse, dit-elle. C'était sarcastique et… déplacé. Je n'avais pas à…

— Non, non, c'est rien. Sarcastique ou pas, la question était juste. Mais c'est à ce moment-là que le type a frappé à la porte avec sa fausse citation à comparaître et alors je, enfin… du coup, je n'ai jamais répondu à votre question.

— Et vous êtes donc revenu pour y répondre.

Je souris d'un air maladroit.

— Eh bien, en quelque sorte, oui. Je me disais que… que pour nous deux, le passé était quelque chose de…

Je commençai à rire tant j'étais embarrassé et hochai la tête.

— En fait, je ne sais pas trop ce que je suis en train de vous dire.

— Vous voulez entrer, maître Haller ?

— J'en serais très heureux, mais il faut que vous arrêtiez de m'appeler comme ça. Appelez-moi Michael, Mickey ou Mick. Vous savez, Gloria, elle, m'appelait Mickey Mantle.

194

Elle me tint la porte grande ouverte, j'entrai dans le vestibule.

— On m'a aussi appelé Mickey Mouth parfois. Parce qu'on dit que les avocats sont des porte-parole…

— Oui, je comprends. Je m'apprêtais à boire un verre de vin. Vous voulez vous joindre à moi ?

Je faillis lui demander si elle n'avait pas quelque chose de plus fort, mais me ravisai.

— Ce serait parfait, dis-je seulement.

Elle referma la porte et nous gagnâmes la cuisine pour y attraper des verres. Elle versa le vin, me tendit un verre et prit le sien. S'adossa au comptoir et me regarda.

— Santé ! lançai-je.

— Santé, me renvoya-t-elle. Je peux vous demander quelque chose ?

— Bien sûr.

— Le fait que vous veniez ici, ce serait pas lié à une sorte de… de truc que vous avez ?

— Comment ça ? Quel truc ?

— Vous savez bien, avec les femmes… comme moi.

— Je ne…

— Parce que c'est fini pour moi. Je ne fais plus ça, et si vous vous êtes donné la peine de me jouer le coup de la demoiselle en détresse qu'on sauve avec votre histoire de citation à comparaître parce que vous pensiez…

— Non, non, c'est pas ça du tout. Écoutez, je suis désolé. Tout ça est bien gênant et je ferais sans doute mieux de partir.

Je posai mon verre sur le comptoir.

— Vous avez raison, repris-je. J'aurais dû me contenter d'appeler.

J'étais presque arrivé dans le vestibule lorsqu'elle m'arrêta.

— Attendez, Mickey ! me lança-t-elle.

Je me retournai.

— Je n'ai pas dit que vous auriez dû m'appeler. J'ai seulement dit que vous auriez pu. C'est pas pareil.

Elle reprit mon verre sur le comptoir et me l'apporta.

— Je m'excuse, enchaîna-t-elle. Je voulais que ça soit clair. Vous seriez étonné de voir à quel point mon ancienne vie affecte ce que je vis maintenant.

— Je comprends, dis-je en hochant la tête.

— Allons nous asseoir.

Nous passâmes au salon et reprîmes les places que nous avions occupées plus tôt dans la journée – l'un en face de l'autre, une table basse entre nous deux. Au début, la conversation fut guindée. Nous commençâmes par échanger des plaisanteries banales, puis je la complimentai sur son vin en expert œnologue que je ne suis pas.

Je finis par lui demander comment elle en était venue à ouvrir un atelier de yoga, elle m'expliqua simplement qu'un de ses anciens clients lui avait prêté les premiers fonds. Cela me rappela ce que j'avais fait pour essayer d'aider Gloria Dayton, mais à l'évidence, les résultats n'avaient pas été les mêmes.

— Je pense que certaines filles n'ont pas vraiment envie de sortir de cette vie-là, reprit-elle. Ça leur fournit ce dont elles ont besoin… et à plus d'un niveau. Et si elles parlent de lâcher ce genre d'existence, au final, elles ne le font jamais. Moi, j'ai eu de la chance. Je voulais en finir avec ça et j'ai rencontré quelqu'un qui m'a aidée. Et vous, comment avez-vous fini par être avocat ?

Experte, voire brutale, elle venait de me renvoyer l'ascenseur et je lui servis l'explication classique, celle de la tradition familiale qu'on suit. Lorsque je lui appris que mon père avait été l'avocat de Mickey Cohen, rien dans ses yeux ne me signala qu'elle reconnaissait ce nom.

— C'était bien avant votre époque, dis-je encore. C'était un gangster des années 1940-1950. Passablement célèbre… on a même fait des films sur lui. Il faisait partie de ce qu'on a appelé la mafia juive. Celle de Bugsy Siegel.

Ce nom-là ne lui fit pas plus d'effet.

— Votre père a dû vous avoir tard s'il traînait avec ces mecs-là dans les années 1940, me fit-elle remarquer.

J'acquiesçai.

— Je suis le fils du deuxième lit. Celui qu'on n'attend pas.

— L'épouse était jeune ?

Encore une fois, j'acquiesçai et regrettai que la conversation ait pris cette direction. Tout ça, c'était déjà réglé dans ma tête. J'avais vérifié à l'état civil du comté. Mon père avait divorcé d'avec sa première femme et épousé sa deuxième moins de deux mois plus tard. J'étais arrivé cinq mois après. Il n'y avait pas besoin d'être docteur en droit pour relier les pointillés. Enfant, on m'avait raconté que ma mère était originaire du Mexique, où elle avait été une actrice célèbre, mais je n'avais jamais vu la moindre affiche de film, coupure de journal ou publicité dans la maison.

— J'ai un demi-frère qui est flic au LAPD, ajoutai-je. Il travaille aux Homicides.

J'avais dit ça sans savoir pourquoi. Je devais avoir envie de parler d'autre chose.

— Même père ?

— Oui.

— Vous vous entendez bien ?

— Oui, jusqu'à un certain point. Nous ignorions tout l'un de l'autre jusqu'à il y a quelques années. Ça doit vouloir dire qu'on n'est pas si proches que ça.

— Vous ne trouvez pas ça drôle d'ignorer tout l'un de l'autre et d'être devenus, vous, avocat de la défense et lui, flic ?

— Si, probablement. C'est drôle, oui.

Je mourais d'envie qu'on passe à autre chose, mais ne trouvai aucun autre sujet de discussion. Elle me tendit une perche en me posant une question qui changea effectivement tout, mais y répondre me fut tout aussi pénible.

— Vous avez parlé d'une ex, dit-elle. Vous n'êtes donc pas marié ?

— Non, je l'ai été. Deux fois, en fait, mais la deuxième, je ne la compte pas vraiment. Ça n'a pas duré et ç'a été sans douleur. Nous avons tous les deux compris que c'était une erreur et sommes restés bons amis. Elle travaille pour moi.

— Et la première ?

— Nous avons eu une fille ensemble.

Elle hocha la tête comme si elle comprenait les liens et complications éternels qu'engendre un mariage brisé lorsqu'il y a un enfant à la clé.

— Et vous êtes en bons termes avec la mère de votre fille ?

Je hochai tristement la tête.

— Non, plus maintenant. En fait même, en ce moment je ne suis plus en bons termes ni avec l'une ni avec l'autre.

— J'en suis navrée.

— Et moi donc.

Je pris une autre gorgée de vin et l'étudiai.

— Et vous ? lui demandai-je.

— Les gens comme moi n'ont pas de relations qui durent. J'avais vingt ans quand je me suis mariée. Ça n'a tenu qu'un an. Dieu merci, il n'y a pas eu d'enfant.

— Savez-vous où il est ? Votre ex ? Non parce que… vous restez en contact ? Mon ex et moi travaillons dans le même secteur. Le droit. Ce qui fait que je la rencontre de temps en temps au tribunal. En général, elle change de direction quand elle me voit dans un couloir.

Kendall acquiesça, mais je ne sentis aucune sympathie de sa part.

— La dernière fois que j'ai eu des nouvelles de mon ex, c'est quand il m'a envoyé une lettre d'une prison de Pennsylvanie, dit-elle. Il voulait que je vende ma voiture pour lui envoyer de l'argent tous les mois. Je ne lui ai même pas répondu, et ça remonte à dix ans. Pour ce que j'en sais, il est toujours en taule.

— Waouh ! Et moi qui faisais dans le « pauvre de moi » parce que mon ex se détourne de moi au tribunal ! À mon avis, vous me battez, là !

Je levai mon verre pour lui porter un toast, elle hocha la tête pour l'accepter.

— Et donc, pourquoi êtes-vous là, en fait ? Vous espérez que je vous en dise plus sur Glory ?

Je baissai les yeux sur mon verre, il était presque vide. Ç'allait donc être ou le début ou la fin de tout.

— Parce que s'il y avait quelque chose que j'aurais besoin de savoir sur elle, vous me le diriez, n'est-ce pas ?

Elle fronça les sourcils.

— Je vous ai dit tout ce que je savais.

Je finis mon verre et le posai sur la table.

— Merci pour le vin, Kendall, lui dis-je. Vaudrait mieux que j'y aille.

Elle m'accompagna jusqu'à la porte et me la tint ouverte. Je lui effleurai le bras en passant devant elle. Je cherchai quelque chose à lui dire qui nous donne la possibilité de nous revoir. Elle me coiffa au poteau.

— Peut-être que la prochaine fois que vous reviendrez, vous vous intéresserez plus à moi qu'à cette morte, lâcha-t-elle.

Je me retournai vers elle au moment où elle refermait sa porte. J'acquiesçai d'un signe de tête, mais elle avait déjà disparu.

Chapitre 16

J'essayais de convaincre Randy de me verser un dernier verre de Patrón après le dernier avis de fermeture au Four Green Fields lorsque l'écran de mon portable s'alluma sur le comptoir. Cisco. Il travaillait bien tard.

— Cisco ?

— Mick, j'espère ne pas t'avoir réveillé, mais je me suis dit que tu aurais voulu que je le fasse.

— T'inquiète. Qu'est-ce qu'il y a ?

Randy menaça d'appeler les flics et commença à beugler « Fermeture ! Fermeture ! » au haut-parleur en espérant virer les derniers buveurs.

Je coupai le son de mon portable – trop tard – et glissai de mon tabouret pour gagner la porte.

— C'était quoi, ce bordel ? me demanda Cisco. Hé, Mick, t'es là ?

Une fois sorti, j'enlevai la sourdine.

— Désolé, c'est mon iPhone qui fait des siennes. Où es-tu et qu'est-ce qui se passe ?

— Je suis devant le Standard, en centre-ville. Trina Trixxx est à l'intérieur, à faire ce qu'elle y a à faire. Mais c'est pas pour ça que je t'appelle. Ç'aurait pu attendre.

J'avais envie de lui demander comment il avait fait son compte pour la retrouver, mais remarquai l'urgence dans sa voix.

— D'accord, repris-je. Alors qu'est-ce qui n'aurait pas pu attendre ?

Je remis le téléphone en mode silencieux, montai dans ma voiture et refermai la portière derrière moi. Ç'avait été bête de me taper une tequila après le verre que j'avais bu chez Kendall. Mais je m'étais senti mal en partant de chez elle, comme si j'avais beaucoup cafouillé et voulais noyer tout ça dans du Patrón.

— Je viens de prendre l'appel d'un type qui me rend des services de temps en temps, reprit Cisco. Tu vois le concessionnaire Ferrari dont je t'ai déjà parlé ?

— Oui, celui de Wilshire Boulevard.

— Eh ben, c'est une vraie mine d'or. J'y ai trouvé des tas de vidéos. Ils les gardent un an sur le *Cloud*. Ce qui fait qu'on a eu deux fois de la chance.

— T'as vu la tête du mec au chapeau ?

— Non, j'ai eu de la chance, mais pas à ce point. Toujours pas de visage. Mais on s'est repassé la vidéo de ce soir-là et j'y ai vu passer Gloria et son chauffeur. Et, quatre voitures après, y a une Mustang, et le gars qui la conduit, c'est notre type. Il a toujours son chapeau sur la tête et moi, je suis sûr que c'est lui. À quatre-vingts pour cent.

— O.K.

— Une de leurs caméras de surveillance balaie tout l'est à l'entrée du parking. Alors je me suis passé la vidéo et j'ai regardé la Mustang de plus près.

— Et t'as eu une plaque d'immatriculation.

— Et comment ! Je l'ai filée à mon copain et il vient juste de m'appeler en allant au boulot ce soir.

J'en conclus que son « copain » était un flic qui lui passait des plaques à l'ordinateur central. Et que cette source était manifestement de service de nuit. Partager ce genre de renseignements avec un civil est illégal en Californie. Je ne cherchai donc pas à lui demander de clarifier l'origine du renseignement qu'il s'apprêtait à me communiquer. J'attendis juste qu'il me donne le nom.

— Bon, alors, la Mustang est celle d'un certain Lee Lankford. Et tiens-toi bien, Mick, ce type fait partie des forces de l'ordre. Mon ami en est sûr parce que son adresse n'est pas dans l'ordinateur. C'est comme ça qu'ils protègent les flics. Ils peuvent empêcher, et légalement, qu'on voie les cartes grises de leurs véhicules personnels. Toujours est-il que c'est un mec des forces de l'ordre et qu'il faut juste qu'on trouve pour qui il bosse et pourquoi il suivait Gloria. C'est pas un gars du LAPD, ça, je le sais déjà. Mon copain a vérifié. Résultat des courses, je commence à me dire que notre client a peut-être raison d'affirmer que c'est un coup monté.

Je n'avais pas écouté les trois quarts de ce qu'il venait de dire après avoir entendu le nom du propriétaire de la Mustang. « Lankford » m'avait tout de suite fait démarrer. Cisco, lui, ne l'avait pas reconnu parce qu'il ne travaillait pas pour moi huit ans plus tôt, au moment où j'avais conclu le marché par lequel Gloria Dayton avait donné Hector Moya au district attorney, qui l'avait lui-même refilé aux Fédéraux. Bien sûr, à cette époque-là, Lankford n'avait rien eu à voir avec ce marché, ce qui ne l'empêchait pas de tourner autour de l'affaire comme un vautour.

— Lankford est un ancien de la police de Glendale, dis-je à Cisco. Aujourd'hui, il travaille comme enquêteur au service du district attorney.

— Tu le connais ?

— Un peu. Il a bossé sur le meurtre de Raul Levin. En fait, c'est même lui qui a commencé à essayer de me le coller sur le dos. Et je l'ai vu dans notre affaire à la première comparution de La Cosse. C'est l'enquêteur que le district attorney a mis sur le coup.

J'entendis Cisco y aller d'un sifflement au moment où je mettais le contact.

— Et donc, essayons de réfléchir, reprit-il. On a Lankford qui suit Gloria Dayton le soir où elle est assassinée. Il la suit censément jusque chez elle et, une heure plus tard, elle est tuée dans son appartement.

— Et quelques jours plus tard, voilà que le bonhomme se pointe à la première comparution de La Cosse, ajoutai-je. C'est lui qui est assigné à l'affaire du meurtre de Dayton.

— C'est pas une coïncidence, ça, Mick. Des coïncidences pareilles, ça n'existe pas.

J'acquiesçai d'un hochement de tête alors même que j'étais seul dans ma voiture.

— Non, c'est un coup monté. Et Andre dit la vérité.

Il fallait que je reprenne mon dossier Gloria Dayton, mais c'était Jennifer Aronson qui l'avait. Ça devrait attendre la réunion générale le lendemain matin. En attendant, j'essayai de me rappeler l'époque où, huit ans plus tôt, j'avais fait la connaissance de l'inspecteur

Lankford et étais aussitôt devenu son suspect n° 1 dans le meurtre de mon propre enquêteur.

Et brusquement, je me souvins de ce que Cisco avait commencé par dire.

— Et tu as Trina Trixxx dans le collimateur en ce moment même ?

— Oui, ça n'a pas été difficile de la retrouver. Je suis passé devant chez elle en voiture pour voir un peu comment c'était et elle est sortie pile à ce moment-là. Alors je l'ai suivie jusqu'ici. Même coup que pour Gloria. Le chauffeur, tout quoi. Ça fait environ trois quarts d'heure qu'elle est dans cet hôtel.

— Bon, je démarre. Je veux lui parler. Ce soir.

— Je fais en sorte que ça marche. T'es O.K. pour conduire ? On dirait que t'en as descendu quelques-uns.

— Non, ça va. Je vais me prendre un café en route. Toi, retiens-la jusqu'à ce que j'arrive.

Chapitre 17

Je n'étais pas encore au Standard lorsque je reçus un texto de Cisco me donnant une nouvelle adresse – numéro d'appartement compris – à rejoindre dans Spring Street. Puis j'en reçus un deuxième, celui-là me recommandant de m'arrêter à un distributeur de billets en chemin : Trina voulait de l'argent pour parler. Lorsque enfin j'arrivai à l'adresse, je m'aperçus qu'il s'agissait d'un des immeubles de lofts réaménagés juste derrière le Police Administration Building. La porte d'entrée était fermée à clé et lorsque j'appelai l'appartement 12C, ce fut mon propre enquêteur qui décrocha et me fit entrer.

Arrivé au douzième étage, je sortis de l'ascenseur et trouvai Cisco en train de m'attendre devant la porte déjà ouverte de l'appartement.

— Je l'ai suivie du Standard jusque chez elle et j'ai attendu qu'elle descende de voiture en me disant que ça serait plus facile si on tenait le chauffeur à l'écart.

J'acquiesçai, regardai à l'intérieur de l'appartement, mais n'entrai pas.

— Elle va parler ?

— Ça dépendra de la quantité de liquide que tu as apportée. C'est une femme d'affaires jusqu'au bout des ongles.

— Y aura assez.

Je passai devant lui et entrai dans un loft d'où l'on avait vue sur le PAB et le Civic Center, avec la tour de la mairie tout illuminée en plein milieu. L'appartement était agréable, mais assez peu meublé. Trina Rafferty venait sans doute d'emménager, ou alors elle se préparait à déménager. Elle était assise sur un canapé en cuir blanc avec pieds chromés. Elle portait une robe de cocktail courte, avait croisé les jambes en s'essayant à la pudeur et fumait une cigarette.

— Vous allez me payer ? me lança-t-elle.

J'entrai complètement dans la pièce et la regardai de haut. Elle allait sur ses quarante ans et semblait fatiguée. Elle avait les cheveux légèrement décoiffés, son rouge à lèvres avait bavé et son eye-liner durci au coin de ses yeux. Énième nuit interminable dans une énième année de nuits interminables. Elle venait de coucher avec quelqu'un qu'elle n'avait jamais vu avant et ne reverrait probablement plus jamais après.

— Ça dépendra de ce que vous me donnez.

— Je vous donne rien avant que vous me payiez.

Je m'étais arrêté au distributeur de l'hôtel Bonaventure et y avais retiré deux fois 400 dollars en billets de 100, 50 et 20 que j'avais également répartis dans mes deux poches. Je sortis les 400 premiers dollars et les posai sur sa table basse, à côté d'un cendrier plein.

— Voilà 400 dollars. Ça vous suffira pour commencer ?

Elle prit la liasse, la plia deux fois et la fit entrer dans une de ses chaussures à hauts talons. Je me rappelai qu'un jour Gloria m'avait dit toujours glisser ses règlements en liquide dans ses chaussures parce que ce sont elles qu'on enlève en dernier – quand on les enlève. Beaucoup de ses clients avaient envie qu'elle garde ses chaussures à hauts talons pendant qu'ils la baisaient.

— Nous verrons, me répondit Trina. Posez vos questions.

Pendant tout le trajet jusqu'en centre-ville, j'avais réfléchi à ce que j'allais devoir lui demander et à la façon de procéder. Je me disais que c'était peut-être la seule fois que je pourrais lui parler. Dès qu'il découvrirait que j'avais réussi à la joindre, Fulgoni ferait tout son possible pour me fermer tout accès à elle.

— Parlez-moi de James Marco et d'Hector Moya.

La surprise la fit basculer en arrière, puis elle se redressa. Et avança quelques secondes la lèvre inférieure avant de répondre.

— Je n'avais pas compris que c'était d'eux qu'on parlerait. Va me falloir une rallonge si vous voulez que je vous cause de ces types.

Sans la moindre hésitation, je sortis l'autre liasse de ma poche et la laissai tomber sur la table. Elle disparut dans son autre chaussure. Je m'assis en face d'elle sur une ottomane de l'autre côté de la table.

— Je vous écoute.

— Marco est un agent de la DEA qui bandait pour Hector, commença-t-elle. Il le voulait et a fini par l'avoir.

— Comment avez-vous fait sa connaissance ?

— Il m'a arrêtée.

— Quand?

— C'était un coup monté. Il a joué le micheton qui voulait me baiser et sniffer de la coke et j'ai fait ce qu'il fallait. Et c'est là qu'il m'a serrée.

— C'était quand?

— Y a une dizaine d'années de ça. Je me souviens plus des dates.

— Et vous avez passé un accord avec lui.

— Oui, il m'a laissée filer, mais je devais lui dire des trucs. Il m'appellerait.

— Quels trucs?

— Juste des trucs que j'entendrais ou dont j'aurais connaissance… par des clients, vous voyez? Il a accepté de me relâcher si je lui donnais des infos. Et il arrêtait pas d'en vouloir.

— Sur Hector.

— Ben, non. Il ne savait rien sur lui, enfin… pas par moi. J'étais pas si conne ou désespérée. J'aurais préféré me faire serrer plutôt que de le donner. C'était un mec des cartels, vous voyez ce que je veux dire? Alors, je lui ai donné que des petits trucs, à Marco. Les petits trucs dont se glorifiaient les mecs quand ils me baisaient. Tous leurs gros coups, plans et autres. Parce qu'ils essaient tout le temps de compenser avec de la parlotte, vous savez?

J'acquiesçai d'un signe de tête sans trop savoir si j'en disais trop sur moi en me montrant d'accord. J'essayai de ne pas m'éloigner de ce qu'elle me disait et de voir comment ça collait avec les derniers développements dans l'affaire de Gloria.

— Bien, dis-je. Et donc, vous n'avez pas donné Hector à Marco. Mais alors, qui l'a fait?

Je savais qu'indirectement au moins, c'était Gloria, mais j'ignorais ce que savait Trina.

— Tout ce que je peux vous dire, c'est que c'est pas moi.

Je hochai la tête.

— Ça suffit pas, ça, Trina. Pas pour 800 dollars.

— Quoi, vous voulez que je vous fasse un pompier en plus ? Pas de problème.

— Non, Trina, je veux que vous me disiez tout. Je veux que vous me disiez tout ce que vous avez raconté à Fulgoni.

Elle frémit de tout son corps comme quand j'avais mentionné Hector Moya pour la première fois. C'était comme si, l'espace d'une seconde, elle avait été profondément ébranlée par la seule évocation de ce nom avant de pouvoir s'en remettre.

— Comment savez-vous pour Sly ? me demanda-t-elle.

— Je le sais, c'est tout. Et si vous, vous voulez garder le fric, moi, j'ai besoin de savoir ce que vous lui avez raconté.

— Mais c'est pas le truc de la relation avocat-client, ça ? C'est pas l'histoire de la confidentialité, enfin... comment qu'ils appellent ça ?

Je fis non de la tête.

— Vous avez tout faux, Trina. Vous, vous êtes témoin, pas cliente. Le client de Fulgoni, c'est Hector Moya. Alors, qu'est-ce que vous lui avez dit ?

Je m'étais penché en avant sur l'ottomane en disant ça et j'attendis.

— Eh bien, je lui ai parlé d'une autre fille que Marco, il avait serrée et qu'il faisait travailler. Comme moi,

210

sauf qu'elle, il la tenait vraiment. Je sais pas pourquoi. Je crois que quand il l'a serrée, elle avait beaucoup plus de trucs sur elle que moi.

— De cocaïne, vous voulez dire ?

— Voilà. Et son casier était pas aussi propre que le mien. Elle allait tomber sérieux si elle lui trouvait pas quelque chose de nettement plus important qu'elle, si vous voyez ce que je veux dire.

— Je vois, oui.

C'était de cette façon qu'étaient bâtis les dossiers d'affaires de cocaïne. Le petit poisson qui donne le gros. Je hochai la tête comme si je savais parfaitement comment ça marchait, mais une fois encore me sentis humilié de ne même pas avoir connu dans le détail tout ce que ma cliente avait fabriqué avec la DEA. C'était évidemment de Gloria Dayton que parlait Trina, et elle me racontait une histoire dont j'ignorais tout.

— Et donc, votre amie a donné Hector, repris-je en espérant faire avancer l'histoire de façon à ne pas avoir à m'étendre davantage sur mes propres défaillances dans cette affaire.

— En quelque sorte, oui.

— Comment ça « en quelque sorte » ? Elle l'a donné ou elle l'a pas donné ?

— En quelque sorte. Elle m'a raconté que Marco l'avait obligée à cacher une arme dans la chambre d'hôtel de Moya pour qu'ils puissent ajouter des charges contre lui et lui coller perpète quand ils l'arrêteraient. C'est qu'Hector était malin, vous savez. Il n'avait jamais assez de marchandise dans sa chambre pour que les flics puissent en faire une grosse histoire. Quelques dizaines de grammes et c'est tout. Des fois, même moins. Mais un flingue, ç'aurait tout changé et c'est Glory qui l'a apporté. Elle m'a dit que quand Hector s'est endormi après l'avoir baisée, elle l'a sorti de son sac et l'a caché sous le matelas.

Dire que j'en fus abasourdi serait en deçà de la vérité. Les derniers mois m'avaient déjà vu accepter le fait que, d'une certaine façon, Gloria s'était servi de moi. Mais si ce que racontait Trina Rafferty était vrai, la manipulation et la tromperie avaient été aussi géniales que bien exécutées et j'avais joué mon rôle à la perfection et pensé faire du bon boulot d'avocat en tirant toutes les ficelles qu'il fallait pour ma cliente alors que, dès le début, c'était elle et celui qui la tenait qui me ligotaient.

J'avais encore beaucoup de questions à poser sur le scénario dont Trina me donnait les grandes lignes – surtout celle de savoir si on avait même seulement eu besoin de moi dans ce stratagème. Mais pour l'heure je pensais à autre chose. La seule manière dont tout cela pouvait m'humilier encore plus aurait été que ce soit rendu public, et tout ce que disait la prostituée assise en face de moi montrait clairement que c'était très exactement le chemin que ça prenait.

J'essayai de ne rien montrer du véritable effondrement intérieur que je vivais. Je gardai un ton ferme pour poser ma question suivante.

— Quand vous dites Glory, c'est bien de Gloria Dayton, aussi connue sous le pseudo de Glory Days, que vous parlez, n'est-ce pas ?

Avant même qu'elle puisse me répondre, l'iPhone posé sur la table basse se mit à vibrer. Trina s'en empara avec empressement, en espérant sans doute décrocher un autre client avant d'aller se coucher pour de bon.

Elle vérifia le nom sur l'écran, mais il était masqué. Elle répondit quand même.

— Allô, Trina Trixxx à l'appareil…

Tandis qu'elle écoutait ce que lui disait son correspondant, je jetai un coup d'œil à Cisco pour essayer de lire quelque chose sur son visage. Je me demandais si, après avoir entendu tout cela, il avait compris que j'avais pris part, sans le vouloir, aux manigances d'un agent dévoyé de la DEA.

— Et un autre type, lança Trina à son correspondant. Il dit que vous n'êtes pas mon avocat.

Je la regardai. Ce n'était pas à un autre client potentiel qu'elle parlait.

— C'est Fulgoni? lui demandai-je. Laissez-moi lui parler.

Elle hésita, mais finit par dire à son correspondant de ne pas quitter et me tendit le portable.

— Fulgoni, dis-je. Je croyais que vous alliez me rappeler.

Il y eut un instant de silence, puis une voix que je ne reconnus pas comme étant celle de Sly Fulgoni Junior se fit entendre.

— Je ne savais pas être censé le faire.

Alors seulement je me rendis compte que c'était à Sly Senior en personne que je parlais, lequel Sly Senior était toujours au pénitencier de Victorville. Il avait probablement un portable qu'un visiteur ou un garde lui avait fait passer en douce. Beaucoup de mes clients incarcérés pouvaient ainsi communiquer avec moi à l'aide de jetables au nombre de minutes et à la durée de vie limités.

— Votre fils était censé me rappeler, lui dis-je. Comment ça va là-haut, Sly?

— Pas trop mal. Je n'ai plus que onze mois à tirer avant de sortir.

— Comment savez-vous que j'étais ici?

— Je ne le savais pas. Je ne faisais que passer un coup de fil à Trina.

Je n'en crus pas un mot. Tout laissait penser qu'il avait très précisément demandé après moi avant qu'elle me passe le téléphone. Je décidai de ne pas chercher plus loin… pour le moment.

— En quoi puis-je vous être utile, maître Haller? reprit-il.

— Eh bien mais… j'étais justement en train de bavarder avec Trina et de me demander ce que moi, j'allais faire pour vous. Je viens de recevoir ma citation à comparaître et commençais à comprendre ce que vous êtes en train de manigancer pour Moya. Et je vais vous dire un truc… Qu'on me fasse passer pour un crétin, surtout devant un tribunal, me pose problème.

— Ça se comprend. Sauf que quand quelqu'un a effectivement joué comme un crétin, il n'est pas facile d'éviter le problème. Va falloir vous préparer à ce que la vérité éclate au grand jour. C'est la liberté d'un homme qui est en jeu.

— J'essaierai de ne pas l'oublier.

Je raccrochai et repassai le portable à Trina par-dessus la table.

— Qu'est-ce qu'il a dit? me demanda-t-elle.

— Vraiment pas grand-chose. Combien vous ont-ils promis?

— Quoi?

— Oh allons, Trina. Vous êtes une femme d'affaires. Vous m'avez fait payer rien que pour répondre à deux ou trois questions. Vous ne pouvez pas ne pas demander quelque chose pour raconter cette histoire à un juge. Alors, combien ? Ils ont déjà pris votre déclaration ?

— Je ne vois pas de quoi vous parlez. On ne m'a pas payée, rien de rien.

— Et cet appartement ? Ils vous l'ont trouvé pour vous garder sous la main ?

— Non ! C'est mon appartement et je veux que vous partiez ! Tous les deux ! Tout de suite !

Je jetai un coup d'œil à Cisco. Je pouvais insister, mais il était clair que mes 800 dollars étaient maintenant dépensés et qu'elle avait fini de parler. Quoi que Fulgoni lui ait raconté avant qu'elle me passe le portable ça l'avait pétrifiée. Il était temps de partir.

Je me levai et fis signe à Cisco de prendre le chemin de la porte.

— Merci de m'avoir accordé de votre temps, dis-je à Trina. Je suis sûr que nous nous reparlerons.

— N'y comptez pas.

Nous quittâmes l'appartement et dûmes attendre l'ascenseur. Je fis demi-tour, regagnai la porte et me penchai pour écouter. J'étais sûr qu'elle avait appelé quelqu'un – Sly Junior, qui sait ? Mais je n'entendis rien.

L'ascenseur arriva, nous le prîmes pour redescendre. Cisco gardait le silence.

— Qu'est-ce qu'il y a, mon grand costaud ? lui demandai-je.

— Rien. Je réfléchissais. Comment a-t-il su que c'était le moment de l'appeler ?

Je hochai la tête. La question était bonne. Je n'avais pas encore toute la réponse.

Nous quittâmes l'immeuble et passâmes dans Spring Street complètement déserte à l'exception de deux ou trois voitures de patrouille vides garées le long du PAB. Il était plus de 2 heures du matin et il n'y avait aucune trace d'un autre être humain alentour.

— Tu crois qu'on m'a suivi?

Cisco réfléchit un instant avant de me faire signe que non.

— Dieu sait comment, il a su qu'on l'avait retrouvée. Et qu'on était avec elle.

— Pas bon, ça.

— Je fais vérifier ta voiture dès demain et je te fais couvrir par deux ou trois Indiens. On saura tout de suite si tu es suivi.

Les associés auxquels il avait recours pour procéder à de la contre-surveillance étaient si habiles à disparaître dans tous les coins qu'il les appelait ainsi en souvenir des vieux westerns où les Indiens suivent les convois de colons blancs sans même que ceux-ci s'en aperçoivent.

— Ça serait bien, dis-je. Merci.

— Où t'es garé?

— Un peu plus loin, devant le PAB. Je me suis dit qu'il n'y aurait pas de danger. Et toi?

— Là-bas derrière. Ça ira ou tu veux que je t'escorte?

— Ça ira. On se retrouve à la réunion demain.

— J'y serai.

Nous partîmes chacun de son côté. Je regardai trois fois par-dessus mon épaule avant d'arriver à ma voiture garée à l'endroit le plus sûr du centre-ville. Et gardai un œil sur le rétro jusque chez moi.

Chapitre 18

Je fus le dernier arrivé au loft pour la réunion générale. Je me traînais. J'avais puisé dans ma réserve privée de Patrón Silver lorsque, à peine quelques heures plus tôt, j'avais enfin réintégré mon chez-moi. Entre ma consommation d'alcool, la virée en centre-ville pour aller interroger Trina Rafferty et le trouble qu'on éprouve à se sentir très probablement surveillé, je n'avais trouvé que quelques heures d'un sommeil agité avant que le réveil sonne.

Je grognai un vague « salut » à l'assemblée et gagnai immédiatement la cafetière posée sur le comptoir. Je m'en versai une demi-tasse, avalai deux Advil et descendis le liquide brûlant d'une seule goulée. Puis je remplis à nouveau ma tasse et cette fois y ajoutai du lait et du sucre pour que ce soit un peu plus buvable. Cette première goulée m'avait brûlé la gorge, mais cela m'aida à retrouver ma voix.

— Comment se porte-t-on aujourd'hui ? lançai-je à la ronde. Mieux que moi, j'espère.

Tout le monde fit dans le positif. Je me retournai pour trouver un siège et remarquai aussitôt qu'Earl avait pris place à la table. L'espace d'un instant, je me demandai pourquoi, puis je me souvins que la veille je l'avais effectivement invité à rejoindre le premier cercle.

— Ah oui, dis-je, j'ai invité Earl à nous rejoindre. Il va jouer un rôle plus actif dans certains secteurs de nos activités, à savoir les enquêtes et interrogatoires. Il continuera de conduire la Lincoln, mais il a d'autres talents et j'ai l'intention d'y faire appel au bénéfice de nos clients.

Je lui adressai un signe de tête et me rendis alors brusquement compte que je n'avais pas parlé de sa promotion à Cisco. Celui-ci ne faisant montre d'aucune surprise, je compris que Lorna m'avait manifestement donné un petit coup de main en en informant son mari, ce que moi, j'avais omis de faire.

Je tirai une chaise au bout de la table, m'assis et remarquai un petit engin électronique noir avec trois témoins verts qui clignotaient au milieu de la table.

— Mickey, tu ne veux pas un doughnut? me demanda Lorna. J'ai l'impression que t'as besoin de te mettre quelque chose dans l'estomac.

— Non, pas tout de suite, lui répondis-je.

Puis je demandai : « Qu'est-ce que c'est que ça ? » en montrant l'engin. Noire et de forme rectangulaire, la boîte avait à peu près la taille d'un iPhone et faisait seulement deux centimètres d'épaisseur. Trois mini-antennes séparées en sortaient à un bout.

— Comme je le disais à tout le monde, c'est un brouilleur Paquin 7 000. Ça arrête toutes les transmissions Wi-Fi, Bluetooth et ondes radio. Personne à l'extérieur ne pourra entendre quoi que ce soit de ce que nous dirons dans cette salle.

— Tu as trouvé un micro?

— Avec un truc comme ça, y a même pas besoin de chercher. C'est ça qui est génial.

— Et pour la Lincoln ?

— J'ai quelques types qui regardent ça en ce moment même. Ils attendaient que tu arrives. Je te dis dès que je sais.

Je cherchai mes clés dans ma poche.

— Ils en ont pas besoin, reprit Cisco.

Évidemment que non, me rappelai-je. Ce sont des pros. Je les sortis quand même, les posai sur la table et les fis glisser à Earl. Il allait conduire tout le reste de la journée.

— Bon, O.K., dis-je, allons-y. Je m'excuse d'être en retard. La nuit a été longue. Ce n'est pas une excuse, je sais, mais…

Je me redonnai des forces avec une autre gorgée de café qui descendit plus facilement cette fois et me donna enfin l'impression de commencer à s'emparer de mes sangs. Je regardai tous les visages autour de la table et démarrai.

— Désolé pour tous ces trucs d'agent secret, dis-je en montrant le Paquin 7 000, mais je pense que nous devons prendre des précautions. Il y a eu des développements d'importance hier et cette nuit, et je voulais que tout le monde soit ici pour se rendre compte de ce qui est en train de se passer.

Comme pour souligner le sérieux de mon entrée en matière, un grand accord de guitare électrique se fit entendre en écho à travers le plafond et m'arrêta net. Coïncidence qui ne m'échappa pas, on aurait dit le premier accord de *A Hard Day's Night*[1].

---

1. « Après une dure journée ».

— Je croyais que les Beatles s'étaient séparés, dis-je.

— Ils le sont, me renvoya Lorna, et on nous avait promis qu'il n'y aurait pas de répétitions le matin.

Un deuxième accord fut plaqué, suivi par des arabesques d'improvisation. Quelqu'un pompa fort sur le charleston de la batterie, les coups de cymbales m'en descellant quasiment les plombages.

— Tu rigoles ou quoi ? m'exclamai-je. Ces gars-là ne devraient pas être en train de cuver ou de dormir ? Non, parce que moi, je sais que j'aimerais bien être encore au lit.

— Je monte les voir, dit Lorna. Ça me fout vraiment en boule.

— Non, toi, Cisco. Les derniers développements, tu les connais déjà. Je veux que Lorna soit mise au courant et tu obtiendras probablement de meilleurs résultats là-haut.

— Je m'en occupe.

Il quitta la salle et se dirigea vers l'escalier. C'était une des rares fois où j'appréciai qu'il s'amène au boulot en tee-shirt, et puisse ainsi faire étalage de ses biceps impressionnants et de ses tatouages intimidants. Son tee-shirt célébrait le 110e anniversaire de la marque Harley-Davidson. Je me dis que ça aussi, ça pouvait aider à faire passer le message.

Ce fut au rythme de la grosse caisse de l'étage au-dessus que je commençai à mettre les autres au courant en attaquant avec la citation à comparaître que Valenzuela m'avait collée la veille au matin et en passant ensuite aux événements du reste de la journée. Au milieu de mon exposé, ou à peu près, un énorme fracas se fit entendre : Cisco venait de mettre fin à la répétition. J'achevai ma prestation en rapportant ma rencontre avec Trina Trixxx en fin de soirée et terminai en faisant état de la conclusion que m'avait inspirée l'appel de Fulgoni – à savoir que j'étais sous surveillance.

Si personne ne me posa de questions pendant que je parlais, Jennifer, elle, prit des notes. Pas moyen de savoir si ce silence trahissait l'heure bien matinale de la réunion, si on pensait que la menace que je laissais entendre s'appliquait à tous ou si c'était parce qu'on me découvrait des talents de conteur particulièrement attachant. Il n'était pas non plus impossible que j'aie tout simplement largué tout le monde en cours de route, dans l'un des nombreux méandres du récit passablement compliqué que je leur avais servi.

Cisco réintégra la pièce sans avoir l'air autrement épuisé par sa tâche. Il prit un siège et m'adressa un signe de tête : le problème était résolu.

Je regardai les autres.

— Des questions ?

Jennifer leva son stylo comme si elle était encore à l'école.

— En fait, oui, j'en ai quelques-unes, lança-t-elle. Première chose, vous dites que Sylvester Fulgoni Senior vous a appelé du pénitencier de Victorville à 2 heures du matin. Comment est-ce possible ? Je ne pense quand même pas qu'on donne aux prisonniers accès à…

— Non, on ne le leur donne pas, répondis-je. Le numéro était secret, mais je suis sûr qu'il appelait d'un portable. Entré en douce ou qu'un garde lui a passé.

— Aucun moyen de remonter l'appel ?

221

— Pas vraiment, non. Pas si c'est un jetable.

— Un « jetable » ?

— Acheté sans avoir à donner son identité. Écoutez, on s'écarte un peu du sujet, là. L'essentiel est de savoir que c'était Fulgoni et qu'il m'appelait de la prison où, c'est évident, quelqu'un l'avait joint pour lui dire que j'étais en train de parler avec son témoin vedette, Trina Trixxx. C'est ça, l'important. Pas que Sly ait un téléphone là-haut, mais qu'il soit au courant de nos faits et gestes. Question suivante ?

Elle vérifia ses notes avant de la poser :

— Eh bien, avant la journée d'hier on avait deux trucs sur le feu : d'abord l'affaire La Cosse, puis l'autre truc avec Moya, celui qu'on croyait distinct, mais qu'on trouvait peut-être utile de faire jouer au cas où on irait à une défense de type homme de paille pour La Cosse. Mais maintenant, si je vous suis bien, on parle de ces deux affaires comme si elles n'en faisaient qu'une.

J'acquiesçai.

— Oui, c'est bien ce que je dis. Maintenant, tout ça ne constitue plus qu'une seule affaire. Et ce qui les relie, c'est évidemment Gloria Dayton. Mais la clé ici, c'est Lankford. Il suivait Gloria le soir du meurtre.

— Ce qui fait que La Cosse a été piégé dès le départ.

J'acquiesçai à nouveau.

— Voilà.

— Et ce n'est pas simplement un angle d'attaque ou une stratégie qu'on jouerait, reprit Jennifer. Ce que nous disons maintenant, c'est que c'est ça, notre affaire.

— Exactement.

Je regardai autour de moi. Trois des murs de la salle étaient en verre, le quatrième en vieille brique de Chicago.

— Lorna, dis-je, on aurait besoin d'un tableau blanc sur ce mur. C'est dommage qu'on ne puisse pas faire un schéma de tout ça. Ça faciliterait les choses.

— J'irai en acheter un, dit-elle.

— Et si tu pouvais faire changer les serrures… Et je veux aussi deux caméras de surveillance. Une braquée sur la porte, et l'autre sur cette pièce. Dès qu'on ira au procès, ce sera *ground zero* ici, et je veux que tout soit sûr.

— Je peux te mettre un gars pour surveiller vingt-quatre heures sur vingt-quatre, sept jours sur sept, me dit Cisco. Ça vaudrait peut-être le coup.

— Et on paie tout ça avec quoi ? lança Lorna.

— Attends un peu pour ton gars, dis-je à Cisco. Peut-être que quand on ira au procès… Pour le moment, contentons-nous de nouvelles serrures et de caméras de surveillance.

Puis je me penchai en avant, m'appuyai sur les coudes et repris en ces termes :

— Tout ça n'est donc plus qu'une seule et même affaire maintenant. Nous avons besoin de tout démonter et d'en analyser tous les composants. Il y a huit ans de ça, je me suis fait manipuler. J'ai pris une affaire et agi en croyant être à l'origine de mes actes. Mais ce n'était pas le cas et je n'ai aucune intention que ça recommence.

Je me rassis et attendis des commentaires, mais n'eus droit qu'à du silence et des regards fixes. Je vis Cisco jeter un coup d'œil derrière moi, de l'autre côté de la porte vitrée, dans mon dos. Puis il se leva. Je me retournai. À l'autre bout du loft, un homme se tenait devant la porte d'entrée. Il était encore plus grand que Cisco.

223

— C'est un de mes gars, dit celui-ci en quittant la salle.

Je me retournai à nouveau pour regarder les autres.

— Si on était dans un film, ce mec s'appellerait Tiny[1], dis-je.

On rit. Je me levai pour aller reprendre du café et lorsque je revins, Cisco avait repris le chemin de la salle. Je restai debout et attendis le verdict. Cisco passa la tête à la porte, mais n'entra pas.

— La Lincoln a été passée au *jack*, dit-il. Tu veux qu'ils t'enlèvent ce truc ? On pourrait trouver un endroit où le coller. Sur un camion de la FedEx, ça serait bien… ça les ferait courir dans tous les sens.

Par « passée au *jack* », il entendait que la voiture avait été examinée avec un « Lojack », à savoir un système de repérage antivol. Dans le cas présent néanmoins, il me faisait comprendre que quelqu'un s'était glissé sous ma voiture et y avait attaché une balise GPS.

— Qu'est-ce que ça veut dire ? demanda Aronson.

Pendant que Cisco lui expliquait ce que je savais déjà, je réfléchis à la question de savoir s'il valait mieux enlever l'appareil ou le laisser en place et trouver un moyen de le faire fonctionner à mon avantage et d'ainsi tromper le type qui suivait mes déplacements. Un camion de la FedEx les ferait effectivement tourner en rond, mais nous trahirait en faisant savoir qu'on avait compris la manœuvre.

— Laisse-le en place, dis-je quand Cisco eut fini de tout expliquer aux autres. Pour l'instant en tout cas. Ça pourrait nous servir.

---

1. « Minuscule ».

— N'oublie pas qu'il pourrait s'agir d'un truc de secours, m'avertit Cisco. Tu pourrais quand même être aussi suivi physiquement. Je vais demander à mes Indiens de rester sur les crêtes encore deux ou trois jours, histoire de voir.

— Bonne idée.

Il se retourna et, d'un geste, fit comme s'il passait la main sur le plateau d'une table : *statu quo*, on laisse la balise en place. Le type montra Cisco du doigt – message compris – et repartit. Cisco regagna sa place en désignant le Paquin 7 000 au passage.

— Désolé, dit-il. Il a pas pu me joindre par téléphone à cause du brouilleur.

Je hochai la tête.

— Comment s'appelle-t-il ?

— Qui ça, P'tit Gars ? En fait, je sais pas son vrai nom. Je le connais que sous ce nom-là : P'tit Gars.

Je claquai des doigts. Raté, mais de peu. Les autres réprimèrent leur fou rire, Cisco nous regardant tous comme pour dire qu'il avait compris que la plaisanterie le concernait.

— Y aurait-il des *bikers* qui n'ont pas de surnom ? demanda Jennifer.

— Oh, vous voulez dire comme « Bullocks » ? Non, à dire vrai, je crois pas.

Il y eut d'autres rires, puis je ramenai l'ordre à nouveau.

— Bon, alors, dis-je, voyons ça de plus près. On sait maintenant ce qu'il y a en surface, essayons de voir en dessous des choses. Et d'un, il y a la question du pourquoi. Pourquoi cette manipulation il y a huit ans de ça ? À en croire ce qu'on nous raconte, Marco va voir

Gloria et lui dit de planquer une arme dans la chambre d'hôtel de Moya pour qu'il ait droit au surcroît de port d'arme interdit quand il se fera serrer et puisse récolter perpète. Bon, ça, on comprend. Mais c'est ensuite que ça se complique.

— Pourquoi Marco ne s'est-il pas contenté de le serrer dès que l'arme a été mise dans la chambre ? demanda Cisco.

— Exactement, dis-je en le montrant du doigt. Au lieu de prendre le chemin le plus court et le plus facile, il met en place une stratégie où Gloria se laisse serrer par les flics du coin et vient me voir. Et me balance assez d'infos pour que mes yeux se mettent à briller et que j'en vienne à penser qu'un arrangement est possible. Je vais voir le district attorney et je conclus le marché. Moya se fait serrer, on trouve le flingue dans sa chambre et le reste appartient à l'histoire. La question n'en reste pas moins : pourquoi se donner toute cette peine ?

Il y eut une pause tandis que mon équipe analysait ce montage plutôt complexe. Ce fut Jennifer qui se lança la première.

— Marco ne pouvait pas se permettre d'être vu comme étant lié à l'affaire, dit-elle. Pour une raison ou pour une autre, il devait rester à l'écart de tout ça et attendre qu'on la lui apporte. Le district attorney conclut son arrangement avec vous, le LAPD a droit à son arrestation, mais c'est là que Marco entre dans la danse en abattant son atout maître, à savoir son mandat fédéral. On a l'impression que l'affaire est juste tombée dans son escarcelle alors qu'en fait, c'est lui qui a orchestré tout le bazar.

226

— Ce qui ne fait que nous ramener à la question du pourquoi initial, dit Cisco.

— Exactement, ajoutai-je.

— Pensez-vous que Marco connaissait Moya et ne voulait pas qu'il sache qu'il avait tout manigancé ? demanda Jennifer. Ce qui l'aurait poussé à disons… se cacher derrière vous et Gloria ?

— Peut-être, répondis-je. Mais c'est quand même lui qui a fini par récolter l'affaire.

— Et si c'était à cause de Moya ? reprit Cisco. C'est un mec des cartels et ces types-là sont les plus violents qui soient sur cette terre. Ils n'hésitent pas à liquider un village entier rien que pour être sûrs d'en tirer un indic. Et si Marco n'avait pas voulu se désigner comme cible pour avoir fait tomber Moya ? En agissant ainsi, il reste en retrait et l'affaire lui arrive toute cuite, signée, cachetée et livrée. Et si Moya s'était alors mis à chercher quelqu'un sur qui tomber à bras raccourcis, il y aurait toutes les chances pour que ce soit sur Gloria.

— Ce n'est pas impossible, dis-je. Sauf que si Moya voulait se venger de Gloria, pourquoi attendre sept ans avant de s'en prendre à elle ?

Cisco hocha la tête, peu convaincu par l'un et l'autre de ces raisonnements. C'est ça l'ennui avec les idées qu'on agite dans tous les sens. Plus souvent qu'on ne le pense, on se retrouve coincé dans une impasse logique.

— On parle peut-être de deux choses différentes, reprit Jennifer. Deux affaires séparées par sept années. On a d'un côté l'arrestation et la raison inconnue pour laquelle Marco s'y est pris de cette façon-là, et de l'autre, l'assassinat de Gloria qui a très bien pu se produire pour une raison entièrement différente.

— Vous revenez donc à l'idée que c'est notre client qui l'a tuée ? demandai-je.

— Non, pas du tout. Je suis assez sûre qu'il n'est qu'un pigeon dans cette affaire. Tout ce que je dis, c'est que sept ans, c'est long. Les choses évoluent. Vous venez vous-même de vous demander pourquoi Moya aurait attendu sept ans pour se venger. Je ne crois pas que ce soit le cas. Pour lui, la mort de Gloria est une grosse perte. Dans son recours en *habeas*, il déclare que l'arme a été mise dans sa chambre d'hôtel. Il avait donc besoin d'elle pour le prouver. Et qu'est-ce qui lui reste aujourd'hui ? Trina Trixxx et son récit rapporté ? Je lui souhaite bien du courage pour la faire témoigner devant l'US District Court of Appeals !

Je la dévisageai un long moment avant de hocher très lentement la tête.

— La vérité sort de la bouche des enfants ! m'exclamai-je. Et je ne dis pas ça de façon infamante. Ce que je dis, c'est qu'ici, c'est vous la bleue, et que c'est quand même vous qui avez mis le doigt sur quelque chose. Moya avait effectivement besoin que Gloria soit toujours en vie pour son recours en *habeas*. Pour qu'elle dise ce qu'elle avait fait au tribunal.

— Eh bien… peut-être qu'elle n'allait pas dire la vérité et que c'est pour ça qu'il l'a fait buter, dit Cisco en hochant ensuite la tête pour mieux se convaincre de ce qu'il avançait.

Je fis signe que non. Ça ne me plaisait pas. Il manquait quelque chose.

— Si on démarre sur l'idée que Moya avait besoin que Gloria soit toujours en vie, reprit Jennifer, la question devient : qui avait besoin qu'elle meure ?

J'acquiesçai : sa logique me plaisait. J'attendis un moment, puis j'écartai les mains en invitant les autres à me donner la réponse qui allait de soi. Aucune ne vint.

— Marco, dis-je.

Je me radossai à ma chaise et passai de Cisco à Jennifer. On me regarda d'un œil fixe.

— Quoi ? Je suis seul à le voir ? demandai-je.

— Vous préférez donc l'agent fédéral au mec des cartels pour l'homme de paille ? dit Jennifer. Ça ne me paraît pas être la bonne stratégie.

— Il ne s'agit plus de défense à l'homme de paille si la défense est véritable, lui fis-je remarquer. Que ce soit difficile à avaler n'a pas d'importance si c'est bien ce qui s'est passé.

Le silence se fit pendant qu'on analysait mes paroles et ce fut une fois de plus Jennifer qui le brisa.

— Mais pourquoi ? demanda-t-elle. Pourquoi Marco la voudrait-il morte ?

Je haussai les épaules.

— C'est ce que nous allons devoir élucider, dis-je.

— La drogue draine beaucoup d'argent, fit remarquer Earl. Ça fait plier beaucoup de gens.

Je le montrai du doigt comme si c'était un génie.

— Et voilà ! Si nous croyons à l'histoire selon laquelle Marco aurait obligé Gloria à planquer l'arme dans la chambre de Moya, c'est déjà à un agent corrompu qu'on a affaire. Ce qu'on ne sait pas, c'est s'il triche avec le règlement pour pincer les méchants ou si c'est pour protéger autre chose. Dans l'un comme dans l'autre cas, est-ce vraiment beaucoup s'avancer que d'envisager qu'il puisse tuer pour se protéger et protéger son opération véreuse ? Si Gloria était devenue un danger pour lui, il me semble clair qu'elle s'est retrouvée dans sa ligne de mire.

Je me penchai en avant et ajoutai :

— Alors, voilà ce qu'on a besoin de faire. On a besoin d'en savoir plus sur Marco. Et sur le groupe dont il fait partie… son ICE-team. Il faut qu'on trouve les affaires sur lesquelles ils ont travaillé avant et après Moya. Il faut qu'on sache quelle réputation ont ces types. On examine ces affaires pour voir s'il s'y cache des trucs troubles.

— Je m'occupe de chercher son nom dans les archives de la justice, dit Jennifer. De Californie et de l'État fédéral. Je sors tout et on repart de là.

— Moi, je vais demander autour de moi, dit Cisco. Je connais des gens qui connaissent des gens…

— Et moi, je m'occupe des Fulgoni boys, dis-je. Et de M. Moya. Ils pourraient nous être utiles dans ce dossier.

Je sentis l'adrénaline s'agiter dans mes veines. Rien de tel que de savoir où on va pour que les sangs s'activent.

— Vous croyez que ça pourrait être la DEA qui vous a bidouillé votre voiture ? demanda Jennifer. Plutôt que Moya ou Fulgoni ?

L'idée que ce soit peut-être un agent corrompu de la DEA qui me suive à la trace me glaça si fort que l'adrénaline se mua en minuscules glaçons dans mes veines.

— Si c'est ça, que Fulgoni ait appelé Trina alors que j'étais là ne serait plus qu'une coïncidence, répondis-je. Et ça, je ne suis pas sûr d'y croire.

C'était une des énigmes de l'affaire qu'il allait falloir percer avant de pouvoir tout comprendre.

Jennifer rassembla son bloc-notes et ses dossiers et se mit en devoir de repousser sa chaise.

— Minute ! lançai-je. On n'a pas fini.

Elle se réinstalla et me regarda.

— Lankford, dis-je. Il suivait Gloria le soir où elle a été assassinée. Si c'est Marco à qui l'on pense, alors il faut qu'on trouve un lien entre lui et Lankford. Si on y arrive, on sera pas loin d'avoir tout ce dont on a besoin.

Je me tournai vers Cisco.

— Tout ce que tu peux trouver sur lui, dis-je, tout. S'il connaît Marco, je veux savoir d'où. Et comment.

— Je m'en occupe.

Je me retournai vers Jennifer.

— Qu'on pense à Marco ne signifie pas qu'on ne s'intéresse plus à Moya. Il faut qu'on sache tout ce qu'il y a à savoir de son affaire. Ça nous aidera à comprendre Marco. Et je veux toujours que ce soit vous qui vous en occupiez.

— C'est compris.

Je me tournai enfin vers Lorna et Earl.

— Lorna, dis-je, tu gardes la barque à flot et toi, Earl, tu viens avec moi. Je crois que c'est tout pour aujourd'hui, les gars. Pour l'instant, du moins. Faites attention. N'oubliez pas à qui nous avons affaire.

Tout le monde se leva. En silence. Ce n'était pas le genre de réunion qui fait naître camaraderie ou jovialité durable dans la troupe. Nous partions chacun de son côté, et c'était pour mener une enquête confidentielle sur un agent fédéral qui pouvait se montrer dangereux. On n'a rien trouvé de mieux pour donner à réfléchir.

Chapitre 19

Nous descendions en centre-ville lorsque je fus obligé de dire à Earl de se calmer quant à essayer de savoir, seul, si nous étions suivis. Il n'arrêtait pas de zigzaguer, d'entrer dans la circulation, d'en sortir, d'accélérer puis de freiner, de passer dans la file de droite pour quitter l'autoroute et de braquer au dernier moment pour réintégrer le flot des voitures.

— Laisse ça à Cisco, lui dis-je. Contente-toi de me faire arriver au tribunal en un seul morceau.

— Désolé, patron, je me suis laissé emporter. Mais je dois avouer que ça me plaît, ces trucs, vous savez ? Assister à la réunion et savoir ce qui se passe…

— Eh bien, je l'ai déjà dit, dès qu'il y aura des trucs et que j'aurai besoin de ton aide… comme hier, par exemple… je te mettrai dans le coup.

— Cool.

Il se calma et nous arrivâmes en ville sans incident. Je lui demandai de me laisser au Criminal Courts Building et lui dis que je ne savais pas combien de temps ça me prendrait. Je n'avais rien à faire au tribunal, mais le Bureau du district attorney se trouvait au seizième étage et c'était précisément là que j'allais.

Je descendis de voiture, regardai par-dessus le toit du véhicule et jetai nonchalamment un coup d'œil au croisement des rues Temple et Spring. Je ne vis rien ni personne qui sorte de l'ordinaire. Mais je me surpris à chercher des Indiens sur les toits. Et ne vis rien là-haut non plus.

Je franchis le portique de sécurité et pris un des ascenseurs bondés jusqu'au seizième étage. Je n'y avais aucun rendez-vous et savais que je risquais d'attendre un bon moment sur une chaise en plastique, mais je me disais qu'il fallait absolument que j'essaie de voir Leslie Faire. Elle avait joué un rôle décisif dans les événements qui s'étaient déroulés huit ans plus tôt, mais il n'en avait guère été question récemment. Adjointe au district attorney, c'était elle qui avait bâti l'accord conduisant à l'arrestation d'Hector Arrande Moya et à la libération de Gloria Dayton.

Leslie s'était bien débrouillée depuis le jour où elle avait conclu ce marché. Elle l'avait emporté dans plusieurs grosses affaires et avait fait le bon choix en soutenant mon adversaire Damon Kennedy dans l'élection au poste de district attorney. Cela lui avait valu un bel avancement. Elle était maintenant l'une des premières adjointes au district attorney et dirigeait la Major Trials Unit[1]. Parce qu'elle était davantage chargée de gérer les procureurs et le planning des procès qu'autre chose, on ne la voyait que rarement plaider au nom du peuple. Ce qui, bien sûr, m'allait parfaitement. Elle était coriace et j'étais content de ne pas avoir à craindre de croiser

---

1. L'unité des grands procès.

le fer avec elle au prétoire. Il n'y avait à mes yeux que dans l'affaire Gloria Dayton que je l'avais emporté contre elle. Maintenant néanmoins, cette victoire me paraissait bien légère.

Aussi fort que me déplaise l'idée de l'affronter dans une affaire, je la respectais. Et me disais maintenant qu'elle devait savoir ce qui était arrivé à Gloria Dayton. Qui sait si la nouvelle ne la rendrait pas plus encline à m'aider à retrouver certains détails de ce qui s'était passé huit ans plus tôt. Ce que je voulais savoir, c'était si elle avait jamais croisé la route de l'agent Marco et, si oui, à quelle date.

J'informai la réceptionniste que je n'avais pas de rendez-vous, mais que j'étais prêt à attendre. Elle me dit de prendre un siège pendant qu'elle faisait part à la secrétaire de maître Faire de mon désir de la voir une dizaine de minutes. Que Faire ait une secrétaire disait assez sa place dans l'organigramme de Kennedy. La plupart des procureurs que je connaissais ne disposaient pas vraiment d'assistantes administratives et avaient de la chance quand ils pouvaient se partager une secrétaire avec d'autres.

Je sortis mon portable de ma poche et m'assis sur une des chaises en plastique qui ornaient déjà la salle d'attente avant que j'obtienne le droit d'exercer. J'avais des e-mails à consulter et des textos à envoyer, mais la première chose que je fis fut d'appeler Cisco pour voir si ses Indiens avaient remarqué quelque chose pendant que je descendais en ville.

— Je viens justement de parler avec mon gars, me dit-il. Ils n'ont rien vu.

— Bien.

— Ça ne veut pas dire qu'ils ne sont pas là. Ça ne fait qu'un trajet. On va peut-être avoir besoin de te faire rouler un peu pour qu'il y ait éloignement et alors on saura.

— Non, vraiment ? J'ai pas le temps d'aller cavaler dans toute la ville, Cisco. Je croyais t'avoir entendu dire que ces mecs étaient bons ?

— Oui, ben, les Indiens en haut des collines, c'était pas la 101 qu'ils avaient à surveiller. Je leur dis de continuer. C'est quoi, ton emploi du temps aujourd'hui ?

— Je suis au Bureau du district attorney et je ne sais pas combien de temps ça va me prendre. Après, je file au cabinet Fulgoni pour voir Junior.

— Où est-ce ?

— À Century City.

— Bon, ça pourrait marcher. Y a de beaux boulevards là-bas, bien larges. Je le dis à mes gars.

Je raccrochai et ouvris mes e-mails sur mon portable. Tout un assortiment de messages envoyés par des clients incarcérés m'y attendait. La pire chose qui soit arrivée aux avocats de la défense ces dernières années a été la décision prise dans la plupart des prisons d'autoriser les détenus à accéder à leurs e-mails. Parce qu'ils n'avaient rien d'autre à faire que s'inquiéter pour leurs affaires, ils m'inondaient, moi et tous les autres avocats, d'e-mails incessants pour me poser des questions, me dire leurs inquiétudes… et, de temps en temps aussi, me menacer.

Je commençai à trier tout ça et vingt minutes s'écoulèrent avant que je relève le nez pour passer à autre chose. Je décidai alors de donner encore une heure entière à Leslie Faire avant de renoncer à la voir. Je me replongeai dans mes e-mails et réussis à en évacuer un bon paquet, allant même jusqu'à répondre à quelques-uns. J'y étais tête baissée depuis quarante-cinq minutes lorsque je vis une ombre passer sur l'écran de mon portable. Je relevai la tête et découvris Lankford en train de me regarder. Je faillis broncher, mais réussis, je crois, à ne pas paraître surpris de le voir.

— Enquêteur Lankford, dis-je.

— Haller. Qu'est-ce que tu fabriques ici ?

Ces mots lâchés comme si j'étais une espèce de squatter ou autre enquiquineur qu'on aurait déjà averti de dégager et de ne pas revenir.

— J'attends pour voir quelqu'un. Et vous, qu'est-ce que vous faites là ?

— Je travaille ici, t'as oublié ? C'est pour l'affaire La Cosse ?

— Non, ce n'est pas pour l'affaire La Cosse, mais la raison ne vous regarde pas.

Il me fit signe de me lever. Je restai assis.

— Je vous ai dit que j'attendais quelqu'un.

— Non, tu n'attends personne. Leslie Faire vient de me demander d'aller voir ce que tu voulais. Tu ne veux pas me parler, tu ne parleras à personne. Allons-y. Debout. Tu ne peux pas te servir de notre salle d'attente pour tes petites affaires. Pour ça, t'as une voiture.

La réponse me glaça. C'était Faire qui me l'envoyait. Cela signifiait-il qu'elle avait connaissance de ce qui se tramait dans les coulisses pour le meurtre de Gloria Dayton ? J'étais venu l'informer et voilà qu'elle en savait déjà peut-être plus que moi sur ce qui se passait.

— J'ai dit « allons-y », répéta Lankford avec force. Lève-toi ou je t'aide à le faire.

Une femme assise à deux chaises de là se leva pour s'éloigner de l'éviction *manu militari* qu'elle sentait venir. Elle alla se rasseoir à l'autre bout de la salle.

— Du calme, Lankford, lui dis-je. Je m'en vais, je m'en vais.

Je glissai mon portable dans la poche intérieure de ma veste et pris ma mallette avant de me lever. Lankford ne bougea pas. Il avait choisi de rester tout près de moi et d'envahir mon espace personnel. Je fis mine de le contourner, il fit un pas de côté et nous nous retrouvâmes face à face.

— On s'amuse bien ? lui lançai-je.

— Et maître Faire ne veut pas que tu reviennes ici non plus, me renvoya-t-il. Elle ne plaide plus au tribunal et n'a pas besoin d'avoir affaire à des connards de ton espèce. C'est compris ?

Son haleine puait le café et la cigarette.

— Évidemment. J'ai compris.

Je le contournai et gagnai l'alcôve des ascenseurs. Il me suivit et m'observa sans rien dire tandis que j'appuyais sur le bouton d'appel et attendais. Je le regardai par-dessus mon épaule.

— Ça pourrait prendre du temps, Lankford.

— J'ai toute la journée devant moi.

J'acquiesçai.

— Ça, je n'en doute pas.

Je me retournai pour regarder les portes de l'ascenseur un instant, puis lui jetai à nouveau un coup d'œil par-derrière. Je ne pouvais plus résister :

— Vous avez changé, Lankford, lui dis-je.

— Ah oui? Comment ça?

— Depuis la dernière fois que je vous ai vu… Il y a quelque chose de différent chez vous. Vous vous êtes fait greffer des tifs?

— Très drôle. Dieu merci, moi, j'avais pas vu tes fesses depuis la première comparution de La Cosse l'année dernière.

— Non, c'est quelque chose de plus récent. Je sais pas.

Je n'en dis pas plus. Je me concentrai à nouveau sur l'ascenseur. Enfin la lumière s'alluma et les portes s'ouvrirent sur une cabine que n'occupaient que quatre personnes. Je savais qu'elle serait pleine à craquer et bien au-dessus de la limite de poids autorisée une fois arrivée dans le hall.

J'entrai et regardai Lankford. Et lui tirai un chapeau imaginaire pour lui dire au revoir.

— C'est votre chapeau, lui lançai-je. Vous ne le portez pas aujourd'hui.

Les portes de la cabine se refermèrent sur son regard fixe de tireur d'élite.

Chapitre 20

La confrontation avec Lankford m'avait troublé. Dans l'ascenseur, je n'arrêtais pas de passer d'une jambe sur l'autre comme le boxeur qui attend la cloche dans son coin du ring. Une fois enfin arrivé en bas, je savais exactement où je devais aller. Sly Fulgoni Junior pouvait attendre. C'était Legal Siegel que j'avais besoin de voir.

Quarante minutes plus tard, je sortais d'une autre cabine d'ascenseur, au quatrième étage du Menorah Manor. Je passais devant le bureau de la réception lorsque l'infirmière m'arrêta et m'informa que je devais ouvrir ma mallette avant qu'elle m'autorise à descendre le couloir jusqu'à la chambre de Legal.

— Qu'est-ce que vous racontez? lui lançai-je. Je suis son avocat. Vous ne pouvez pas me dire d'ouvrir ma mallette.

Elle me répondit d'un ton sévère et sans rien lâcher.

— Quelqu'un apporte de la nourriture de l'extérieur à M. Siegel. Il y a donc non seulement violation des règles sanitaires et religieuses de cet établissement, mais cela fait aussi courir des risques au patient en interférant avec un régime nutritionnel soigneusement étudié et planifié dans le temps.

Je savais où ça menait et refusai moi aussi de lâcher.

— Parce que vous appelez « régime nutritionnel » ce que vous lui faites avaler et qu'il paie ?

— Que le patient apprécie tous les aspects de la nourriture qu'il reçoit ici n'est pas la question. Si vous voulez rendre visite à M. Siegel, vous allez devoir ouvrir votre mallette.

— Et si vous, vous voulez voir ce qu'il y a dedans, vous allez devoir me montrer un mandat.

— Vous n'êtes pas dans un établissement public, maître Haller, et pas au prétoire non plus. Vous êtes dans un lieu privé et médicalisé. Et en ma qualité d'infirmière en chef de ce pavillon, j'ai toute autorité pour inspecter tout ce qui franchit les portes de cet ascenseur, individu et marchandise. Ce sont des malades que nous avons ici et nous avons pour tâche de les protéger. Ou vous ouvrez votre mallette ou j'appelle la sécurité et vous fais quitter cette enceinte.

Et pour souligner sa menace, elle posa la main sur le téléphone.

Je mis ma mallette sur le comptoir en hochant la tête d'agacement, l'ouvris en faisant claquer les deux fermetures. Puis je la regardai en examiner longuement le contenu.

— Satisfaite ? Il se pourrait qu'il y ait un Tic Tac qui traîne quelque part. J'espère que ça ne sera pas un problème.

Elle ignora la pique.

— Vous pouvez la refermer et aller rendre visite à M. Siegel. Merci.

— Non, merci à vous !

Je refermai ma mallette et descendis le couloir, content de moi, certes, mais comprenant déjà que j'allais avoir besoin de trouver une astuce la prochaine fois que je voudrais apporter des trucs à manger à Legal. Dans un de mes placards, j'avais une mallette que j'avais prise comme paiement en nature à un client. Elle était équipée d'un compartiment secret pouvant contenir jusqu'à un kilo de cocaïne. Je pourrais facilement y cacher un sandwich, peut-être même deux.

Assis dans son lit, Legal Siegel regardait la rediffusion d'une émission d'Oprah, le son trop fort. Il avait les yeux ouverts, mais ne semblait pas voir. Je refermai la porte, m'approchai du lit et passai la main devant son visage, soudain inquiet qu'il soit mort.

— Legal ?

Il sortit de sa rêverie, se concentra sur moi et sourit.

— Mickey Mouse ! Hé, qu'est-ce que tu m'apportes ? Laisse-moi deviner… un sandwich thon-avocat de Chez Gus à Westlake.

Je fis non de la tête.

— Désolé, Legal. Aujourd'hui, j'ai rien. Il est trop tôt pour déjeuner de toute façon.

— Quoi ? Allez, donne, donne. Un sandwich au porc de Chez Coles, c'est ça ?

— Non, je rigole pas, Legal. Je n'ai rien apporté. En plus, si je t'avais apporté quelque chose, l'infirmière Ronchon là-bas dehors me l'aurait confisqué. Elle nous a à l'œil et m'a fait ouvrir ma mallette.

— Ah, quelle face de pet, celle-là ! Refuser à tout le monde les simples plaisirs de la vie !

Je posai la main sur son bras en un geste d'apaisement.

— Calme-toi, Legal. Elle ne me fait pas peur. J'ai un plan et je passerai Chez Gus la prochaine fois que je viens. D'accord?

— Bon, d'accord.

Je tirai une chaise posée contre le mur et m'assis à côté du lit. Je trouvai la télécommande dans un pli des draps et coupai le son de la télévision.

— Merci, mon Dieu, dit Legal. Ça me rendait fou.

— Pourquoi tu n'as pas éteint?

— Parce que j'arrivais pas à trouver ce satané truc. Bref, pourquoi es-tu venu me voir sans m'apporter de quoi me sustenter? T'étais pas là hier? Pastrami de Chez Art's dans la Valley.

— T'as raison, Legal, et je suis content que tu ne l'aies pas oublié.

— Alors, pourquoi t'es revenu si vite?

— Parce que, aujourd'hui, c'est moi qui ai besoin de me sustenter. De me réalimenter en droit.

— Comment ça?

— L'affaire La Cosse. Il se passe des choses et ça commence à être difficile d'y voir clair avec les arbres qui cachent la forêt.

Je lui énumérai les acteurs de la pièce sur les doigts de ma main.

— J'ai donc un agent de la DEA pas net qui se balade dans la nature, un enquêteur véreux, un nervi des cartels et un avocat radié de l'ordre. J'ai aussi mon client au gnouf, et la victime de tout ça est la seule personne que j'aime bien, enfin… aimais bien. Et pour couronner le tout, je suis surveillé… et je ne sais même pas par qui.

— Raconte-moi tout.

242

Je passai la demi-heure suivante à lui résumer l'histoire et à répondre à ses questions. Je repris avant le dernier compte rendu que je lui avais fait, puis je lui dis ce qui se produisait en lui donnant des détails bien plus précis qu'avant. Il me posa beaucoup de questions au fur et à mesure que je parlais, mais sans jamais rien suggérer en retour. Il ne faisait qu'emmagasiner les faits et gardait ses réponses pour lui. Je l'amenai ainsi jusqu'à ma confrontation avec Lankford dans la salle d'attente du Bureau du district attorney et lui dis mon malaise à l'idée que je loupais quelque chose – et quelque chose qu'en plus j'avais sous le nez.

Une fois mon récit terminé, j'attendis sa réaction, en vain. Il fit un grand geste avec ses mains frêles, comme pour jeter tout ça en l'air et laisser le vent s'en emparer. Je remarquai qu'il avait les bras violets tant on les lui sondait et piquait avec des aiguilles. Vieillir n'est pas pour les faibles.

— C'est tout ? lui lançai-je. On jette tout ça dans le vent comme autant de pétales de fleurs ? Tu n'as rien à me dire ?

— Oh mais si, j'ai plein de choses à te dire, et ça ne va pas te plaire de les entendre.

D'un geste de la main je l'invitai à tout m'asséner.

— Mouse, dit-il, tu ne vois pas le tableau d'ensemble.

— Ah ouais, tu penses ? lui renvoyai-je, sarcastique. Et c'est quoi, le « tableau d'ensemble » ?

— Eh bien voilà ! Ce n'est justement pas la bonne question à poser, me sermonna-t-il. Ce n'est pas « quoi ? » mais « pourquoi ? ». Pourquoi est-ce que je ne vois pas le tableau d'ensemble ?

J'acquiesçai d'un signe de tête et répétai à contre-cœur :

— Bon alors, pourquoi est-ce que je ne vois pas le tableau d'ensemble ?

— Commençons par le rapport que tu viens de me faire sur l'état de ton affaire. Tu me dis qu'il t'a fallu la petite bleue que tu viens de sortir de son magasin à « tout pour dix sous » pour voir les choses comme il convenait à ta réunion générale de ce matin.

Il parlait de Jennifer Aronson. C'est vrai que je l'avais engagée alors qu'elle sortait à peine de l'école de droit de Southwestern maintenant logée dans les anciens grands magasins Bullocks de Wilshire Avenue. D'où son surnom. Mais qualifier cette école de droit de « magasin à tout pour dix sous », je n'étais jamais allé aussi bas.

— J'essayais seulement d'en reconnaître le mérite à qui de droit, dis-je. Jennifer n'est peut-être encore qu'une bleue, mais elle est plus futée que tous les avocats que j'aurais pu recruter à l'université de South California.

— C'est ça, oui, très bien. C'est une bonne avocate, je te l'accorde. Le problème, c'est que toi, tu t'attends toujours à être le meilleur et tout au fond de toi, c'est ta règle de conduite. Ce qui fait que tout d'un coup ce matin, c'est la bleue de l'équipe qui voit les choses clairement et ça te reste en travers de la gorge. Parce que le mec le plus astucieux dans la pièce, c'est censé être toi.

Je me sentis incapable de répondre à ça. Il renchérit.

— Je ne suis pas ton psy, reprit-il. Je ne suis qu'avocat. Mais je pense que tu devrais arrêter de picoler le soir et remettre un peu d'ordre chez toi.

244

Je me levai et me mis à faire les cent pas devant le lit.

— Mais qu'est-ce que tu racontes, Legal ? Ma maison est…

— Ton jugement et ta capacité à franchir les obstacles devant toi sont, au mieux, obscurcis par des considérations extérieures.

— Quoi ? C'est de ma fille que tu parles ? Du fait que je suis obligé de vivre en sachant que ma gamine ne veut plus avoir rien à faire avec moi ? Je n'appellerais pas ça des « considérations exté…

— Ce n'est pas de ça en soi que je te parle, mais de ce qui en est la racine. De la culpabilité que tu te trimballes. Ça affecte l'avocat que tu es. Et tes résultats en tant qu'avocat et défenseur des accusés. Et très vraisemblablement dans le cas présent, le défenseur de quelqu'un qu'on accuse à tort.

Il pensait à Sandy et à Katie Patterson, et à l'accident qui leur avait coûté la vie. Je me penchai et m'accrochai des deux mains au montant de son lit. Legal était mon mentor. Il pouvait tout me dire. Il pouvait même m'abaisser encore plus que mon ex, je l'aurais accepté.

— Écoute-moi, reprit-il. Il n'est pas de cause plus noble sur cette Terre que de défendre ceux qu'on accuse à tort. Tu n'as pas le droit de merder dans cette affaire, petit.

J'acquiesçai et gardai la tête baissée.

— La culpabilité, enchaîna-t-il. Il faut t'en démerder. Laisse les fantômes tranquilles. Sinon, ils t'emporteront avec eux et tu ne seras jamais l'avocat que tu es censé être. Tu ne verras jamais le tableau d'ensemble.

Je levai les mains en l'air.

— Arrête les conneries avec ton tableau d'ensemble ! De quoi est-ce que tu parles, Legal ? Qu'est-ce que je ne vois pas ?

— Pour voir ce que tu rates, il faut que tu prennes du recul et que tu élargisses ton angle de vision. Alors seulement tu verras le tableau d'ensemble.

Je le regardai et essayai de comprendre.

— Quand la demande de recours en *habeas corpus* a-t-elle été déposée ? me demanda-t-il calmement.

— En novembre.

— Quand Gloria Dayton a-t-elle été assassinée ?

— En novembre, répondis-je, plein d'impatience.

Nous connaissions tous les deux les réponses à ces questions.

— Et quand l'avocat t'a-t-il balancé sa citation ?

— À l'instant, enfin… hier.

— Et cet agent fédéral dont tu parles, quand a-t-il reçu la sienne ?

— Je ne sais pas s'il l'a reçue. Mais Valenzuela avait sa citation hier.

— Et il y a aussi la fausse citation à comparaître que Fulgoni a concoctée pour l'autre fille de l'époque.

— Kendall Roberts. C'est juste.

— Une idée du pourquoi il lui fourguerait un faux à elle, et pas à toi ?

Je haussai les épaules.

— Je ne sais pas. Il devait se dire que je saurais voir si c'était un faux ou pas. Mais qu'elle non, vu qu'elle n'est pas avocate. Ça lui épargne ce que ça coûte de déposer ça au tribunal. Les avocats qui bossent comme ça, ça existe.

— Sauf que ça me semble léger.

— Eh ben, c'est tout ce qui me vient à l'esprit là maintenant et…

— Et donc, c'est six mois après avoir déposé une demande de recours en *habeas corpus* qu'ils balancent leurs premières citations à comparaître ? Je vais te dire : si je gérais ma boutique comme ça, il y a longtemps que je ne l'aurais plus et que je serais à la rue. On ne peut pas dire que ça colle vraiment avec un bon exercice du droit en temps voulu, ça, c'est sûr.

— Le jeune Fulgoni ne verrait pas une vache dans un…

Je m'arrêtai au beau milieu de ma phrase. Tout d'un coup, je venais d'entrapercevoir le tableau d'ensemble qui m'échappait. Je gratifiai Legal d'un hochement de tête.

— Ce ne sont peut-être pas les premières citations à comparaître ! m'exclamai-je.

Il acquiesça.

— J'ai l'impression que tu commences à comprendre, dit-il.

Chapitre 21

Je demandai à Earl de descendre jusqu'à Olympic Boulevard et de me conduire au cabinet de Sly Fulgoni Junior, à Century City. Puis je m'installai au fond de la voiture, sortis un nouveau bloc-notes et commençai à établir les chronologies de l'affaire Gloria Dayton et de la demande de recours en *habeas corpus* d'Hector Moya. J'eus tôt fait de découvrir qu'elles s'enroulaient l'une autour de l'autre à la manière d'une double hélice. J'avais le tableau d'ensemble.

— Vous êtes sûr de l'adresse, patron ?

Je levai le nez de dessus mon graphique et regardai par la fenêtre. Earl avait ralenti et nous longions maintenant des bâtiments de bureaux de style provincial français. Nous étions toujours dans Olympic Boulevard, mais à la limite est de Century City. J'étais sûr d'avoir le bon code postal d'une adresse pleine de *cachet*[1], mais on était loin des tours étincelantes de l'avenue des Stars auxquelles on pense lorsqu'on imagine un cabinet d'avocats à Century City. Je ne pus m'empêcher de penser aux remords du client tombant

---

1. En français dans le texte.

sur ce genre de bâtiments en arrivant dans ce coin-là. Mais bon, j'étais mal placé pour parler ! Combien de fois avais-je eu moi-même à me débrouiller de ce genre de remords lorsqu'un de mes clients s'apercevait que je travaillais assis sur la banquette arrière de ma Lincoln ?

— Oui, oui, dis-je. C'est bien là.

Je sautai de la voiture et me dirigeai vers l'entrée. Je pénétrai dans un petit vestibule qui tenait lieu de réception, un tapis plus qu'usé reliant le comptoir de l'accueil à deux portes, l'une à gauche et l'autre à droite. Sur celle de gauche, je lus un nom que je ne reconnus pas. Celle de droite portait celui de Sylvester Fulgoni, et j'eus l'impression que Sly Junior partageait ses bureaux avec un autre avocat. La secrétaire avec. Pour l'instant néanmoins, aucune secrétaire n'était à partager. Il n'y avait personne à la réception.

— Ohé ? lançai-je.

Pas de réponse. Je regardai la paperasse et le courrier empilés sur le comptoir et là, sur le haut de la pile, je vis une photocopie de l'emploi du temps de Sly Junior avec les jours où il devait être au tribunal. Je remarquai qu'il y en avait très peu pour le mois en cours. Sly n'avait pas beaucoup de travail, enfin… de travail l'obligeant à se trouver au palais. Je vis bien qu'il m'avait noté pour une déposition prévue le mardi suivant, mais qu'il n'avait rien porté pour James Marco ou Kendall Roberts.

— Ohé ? lançai-je à nouveau.

Plus fort cette fois, mais sans plus de succès. Je m'approchai de la porte de Fulgoni et collai mon oreille au chambranle. Pas un bruit. Je frappai et essayai la poignée. La porte n'était pas fermée à clé, je la poussai et tombai sur un jeune homme assis à un grand bureau dont les ornements disaient des temps meilleurs que ceux du reste de la pièce.

— Excusez-moi, mais… vous désirez ? me demanda le jeune homme que mon intrusion semblait agacer.

Il referma l'ordinateur portable qu'il avait devant lui sur son bureau, mais ne se leva pas. J'avançai de deux pas. Il n'y avait personne d'autre dans les lieux.

— Je cherche Sly Junior, répondis-je. C'est vous ?

— Je suis désolé, mais mon cabinet ne reçoit que sur rendez-vous. Vous allez devoir revenir après en avoir pris un.

— Il n'y a pas de réceptionniste.

— Ma secrétaire est partie déjeuner et je suis très occupé à l'heure qu'il… attendez, vous êtes maître Haller, non ?

Et de pointer son doigt sur moi et de poser l'autre main sur l'accoudoir de son fauteuil comme pour rassembler ses forces au cas où il aurait à filer à toute allure. Je levai les mains pour lui montrer que je n'étais pas armé.

— Je ne viens pas en ennemi, lui dis-je.

Il me fit l'effet d'avoir à peine vingt-cinq ans. Il faisait tout ce qu'il pouvait pour arborer un bouc de taille raisonnable et portait un maillot des Dodgers. Il n'était clairement pas de tribunal ce jour-là – et aucun autre d'ailleurs, peut-être.

— Que voulez-vous ? reprit-il.

Je fis quelques pas de plus vers son bureau. Gigantesque, bien trop grand pour le volume de la pièce, le meuble avait manifestement fait partie d'un cabinet plus grand et plus prospère, celui de son père sans doute. Je tirai un des fauteuils posés devant et m'installai.

— Ne vous asseyez pas. Vous ne pouvez pas…

Trop tard.

— Bon, O.K., allez-y.

— Superbe, ce bureau, dis-je. Récupéré chez papa ?

— Écoutez… Qu'est-ce que vous voulez ?

— Je vous l'ai dit : je ne viens pas en ennemi. Qu'est-ce qui vous rend si nerveux ?

Il soupira fortement – d'exaspération.

— Je n'aime pas les gens qui débarquent sans prévenir. C'est un cabinet d'avocats, ici. Comme si vous, vous acceptiez qu'on… ah mais, c'est vrai… vous n'avez même pas de bureau. J'ai vu le film.

— Je n'ai pas « débarqué sans prévenir ». Il n'y avait personne à l'accueil. J'ai appelé et essayé la porte.

— Je vous l'ai dit : elle déjeune. C'est l'heure du déjeuner. Écoutez, on va faire vite, hein ? Qu'est-ce que vous voulez ? Dites-le-moi et filez.

Tout cela en fendant l'air d'un geste théâtral de la main.

— Écoutez, vous. Je suis ici parce que nous sommes partis du mauvais pied et je m'en excuse. C'est de ma faute. Je vous ai traités… vous et votre père… comme si nous étions des ennemis dans cette affaire. Et je ne pense pas que ça doive être le cas. Je suis donc venu ici pour faire la paix et voir si nous ne pourrions pas nous entraider. Vous savez bien… je vous montre ce que j'ai et vous, vous me montrez ce que vous avez.

Il hocha la tête.

— Non, dit-il, il n'en est pas question. J'ai un dossier et vous, vous avez vos merdes à vous et nous n'allons certainement pas travailler ensemble.

Je me penchai et tentai de garder le contact oculaire avec lui, mais le gamin n'arrêtait pas de bouger.

— Ce sont les mêmes causes qui nous poussent à agir, lui remontrai-je. Votre client Hector Moya aussi bien que le mien, Andre La Cosse, ont tout à gagner de notre coopération et de notre partage d'infos.

Il écarta mon offre d'un hochement de tête.

— Je ne crois pas, non, dit-il.

Je jetai un coup d'œil autour de la pièce et remarquai ses diplômes encadrés accrochés au mur. Les lettres étaient trop petites pour que je puisse les lire de loin, mais je n'avais pas l'impression d'avoir un jeune de l'*Ivy League*[1] en face de moi. Je décidai de mettre sur le tapis certaines choses que je pensais et dont j'avais établi la chronologie dans ma voiture, histoire de voir comment il le prendrait.

— Mon client est accusé du meurtre de Gloria Dayton, qui occupe une place importante dans votre demande de recours en *habeas corpus*, lui dis-je. Le problème, c'est que pour moi, ce meurtre, il ne l'a pas commis.

— Eh bien mais, tant mieux pour vous. Ça ne nous concerne pas.

Je commençais à me dire que son « nous » ne s'appliquait pas à lui et à Hector Moya, mais à la Team Fulgoni, à savoir M. « Entaule » et M. « Horsdetaule ». Sauf que ce dernier ne faisait pas la différence entre

---

1. Nom donné à un groupe d'universités prestigieuses de la côte Est des États-Unis.

habeas corpus et *corpus delicti* et ignorait que je ne parlais pas au type qu'il fallait.

Je décidai donc de poursuivre et de lui asséner la grande question. Celle qui m'était venue lorsque j'avais pris du recul et vu le tableau d'ensemble.

— Répondez à une seule question et je m'en vais. Avez-vous essayé de citer Gloria Dayton à comparaître l'année dernière avant qu'elle se fasse assassiner ?

Il fit non de la tête avec emphase.

— Je refuse de parler de notre dossier avec vous.

— Avez-vous demandé à Valenzuela de le faire ?

— Je vous l'ai déjà dit, il n'est pas ques…

— Je ne comprends pas. Nous pouvons vraiment nous entraider.

— Alors, parlez à mon père et essayez de le convaincre parce que moi, je n'ai pas la permission de discuter de quoi que ce soit avec vous. Et maintenant, il faut que vous partiez.

Je ne fis même pas mine de me lever. Je me contentai de le dévisager. Il fit le geste de me repousser avec les mains.

— Partez, je vous en prie.

— Quelqu'un vous a-t-il contacté, Sly ?

— « Contacté » ? Je ne vois pas de quoi vous parlez.

— Pourquoi avez-vous falsifié la citation à comparaître que vous avez demandé à Valenzuela de présenter à Kendall Roberts ?

Il leva la main et se pinça l'arête du nez comme pour essayer de chasser un mal de tête.

— Je ne vous dis plus un seul mot.

— Bien. Alors, je vais parler à votre père. Appelez-le tout de suite et mettez-le sur haut-parleur.

— Mais je ne peux pas l'appeler comme ça! Il est en prison.

— Pourquoi donc? Il m'a bien téléphoné hier soir, lui.

Il haussa les sourcils.

— Oui. Quand j'étais avec Trina, précisai-je.

Il haussa de nouveau les sourcils une seconde.

— Ben voilà. Après minuit, il a seulement le droit de passer des appels. Pas d'en recevoir.

— Oh allons. Il a un portable, là-bas. Comme la moitié de mes clients. Parlez d'un secret de polichinelle!

— Peut-être, mais à Victorville, ils ont un brouilleur. Et mon père a un mec qui le lui éteint... mais seulement après minuit. Et si vous avez vraiment des clients avec des portables, vous savez qu'on ne les appelle jamais. Ce sont eux qui appellent. Quand c'est sûr.

J'acquiesçai d'un signe de tête. Il avait raison. Pour avoir traité avec d'autres clients incarcérés, je savais que les portables sont une marchandise de contrebande dans presque toutes les prisons et centres de détention. Plutôt que d'avoir recours à d'incessantes fouilles au corps et autres recherches méticuleuses dans les cellules pour les trouver, dans bon nombre d'établissements pénitentiaires, on se sert de brouilleurs cellulaires qui en rendent l'usage impossible. Sly Senior avait manifestement un gardien bien disposé à son endroit – il le payait, très probablement, pour être gentil... et garder la haute main sur le bouton du brouilleur pendant son service de nuit. Cela me confirmait que l'appel reçu la veille au soir de la part de Sly

Senior était purement accidentel et n'avait pas de lien avec le fait que je sois suivi. C'était donc quelqu'un d'autre qui le faisait.

— Combien de fois vous appelle-t-il? insistai-je.

— Ça, je ne vous le dirai pas, me répondit-il. Et on s'arrête là.

J'imaginais bien Sly Senior l'appeler tous les soirs avec une liste de choses à faire pour le lendemain. Junior n'avait pas l'air d'un grand initiateur. Je mourais d'envie de jeter un coup d'œil à son diplôme pour voir quelle école de droit lui avait donné son parchemin, mais décidai que le jeu n'en valait pas la chandelle. Je connaissais des avocats – et diplômés des meilleures écoles – absolument incapables de trouver la porte de sortie dans un prétoire. Et j'en connaissais d'autres qui, eux, avaient suivi des cours du soir et que j'aurais appelés dans la minute si c'était sur mes poignets que s'étaient refermées des menottes. Tout dépendait du bonhomme, et non de l'école.

Je me levai et remis le fauteuil à sa place.

— O.K., Sylvester, lui dis-je, voilà ce que vous allez faire. Quand papa vous appellera ce soir, dites-lui que je vais monter le voir demain. Et qu'à l'entrée, je déclarerai être son avocat. Et celui de Moya avec. Et que vous et moi sommes associés. Assurez aussi votre papa que je cherche à coopérer avec lui, et pas du tout à faire de nos deux camps des ennemis. Dites-lui qu'il vaudrait mieux qu'il accepte ma visite et qu'il m'écoute. Et demandez-lui de dire la même chose à Hector. Et précisez bien aussi de ne surtout pas refuser parce que sinon, la situation risquerait de devenir très inconfortable pour lui, là-haut dans le désert.

— Mais c'est quoi, ces conneries ? Vous et moi avocats-conseils associés ? Mon cul, oui !

Je revins vers son bureau et me penchai, les deux mains sur l'acajou du plateau. Sly Junior bascula en arrière tant qu'il pouvait dans son fauteuil.

— Je vais vous dire un truc, Junior : si jamais je me tape deux heures de route pour aller là-haut et que ça ne se passe pas exactement comme je viens de vous le dire, deux choses vont se produire. Et d'un, le brouilleur va se mettre à fonctionner toute la nuit, ce qui vous, vous laissera le bec dans l'eau et dans l'incapacité de savoir quoi faire, dire et lancer comme procédure. Et de deux, le barreau de Californie va s'intéresser de près à votre petit arrangement avec papa. Ce qui à leurs yeux équivaudra à un exercice illégal de la profession d'avocat, pour papa. Et pour vous, à un exercice de la profession sans avoir la moindre putain d'idée de ce que signifie le droit.

Sur quoi je me redressai, fis mine de partir, et me retournai aussitôt vers lui.

— Et quand j'irai parler de tout ça aux mecs du barreau, je n'oublierai pas de mentionner cette citation à comparaître bidon. Et ça, c'est fort possible que ça ne leur plaise pas trop non plus.

— Vous êtes un vrai fumier, Haller, vous savez ?

J'acquiesçai de la tête et repartis vers la porte.

— Quand il le faut...

Et je sortis en laissant la porte grande ouverte derrière moi.

Chapitre 22

La Lincoln m'attendait où je l'avais laissée. Je sautai sur la banquette arrière, et fus accueilli par un type assis à côté de moi, juste derrière Earl. Je jetai un coup d'œil au rétroviseur et découvris un air de quasi-excuse dans le regard de mon chauffeur.

Je recentrai mon attention sur l'inconnu. Il portait des lunettes de soleil d'aviateur, un jean et une chemise de golf noire. Brun de peau, cheveux et moustache à l'avenant. Ma première pensée fut qu'il avait l'air d'un tueur des cartels.

Il sourit en voyant ce qu'il y avait dans mon regard.

— Détendez-vous, Haller, me dit-il. Je ne suis pas ce que vous croyez.

— Mais qui êtes-vous, nom de Dieu ?

— Vous le savez.

— Marco ?

Il sourit à nouveau.

— Et si vous demandiez à votre chauffeur d'aller faire un tour ?

J'hésitai un instant, puis regardai Earl dans le rétroviseur.

— Allez-y, Earl, lui dis-je. Mais ne vous éloignez pas trop. Que je puisse vous voir.

Ce que je voulais en réalité, c'était que ce soit lui qui puisse me voir. Je voulais un témoin parce que j'ignorais ce que Marco avait derrière la tête.

— Vous êtes sûr ? me demanda Earl.

— Oui, allez-y.

Il descendit de voiture et referma sa portière. Avança de quelques pas et s'appuya à la carrosserie en croisant les bras. Je regardai Marco.

— Bien, dis-je. Qu'est-ce que vous voulez ? C'est vous qui me suivez ?

Il me parut ruminer un peu mes questions avant de se décider à me répondre.

— Non, je ne vous suis pas, dit-il enfin. J'étais venu voir un avocat qui m'avait collé une citation à comparaître et voilà que je tombe sur vous. Vous et lui travaillez ensemble ?

La réponse était judicieuse parce qu'elle semblait plausible. Elle lui permettait de ne pas confirmer le fait que c'était bien lui qui m'avait collé une balise GPS sous le châssis et cela semblait lui plaire, même si moi, je n'étais pas convaincu. Je lui donnai la quarantaine. Il se dégageait de sa personne une certaine compétence, une sorte d'assurance, il avait l'air de quelqu'un qui sait qu'il a deux coups d'avance sur tout le monde.

— Qu'est-ce que vous voulez ? lui demandai-je à nouveau.

— Ce que je veux, c'est vous aider à ne pas merder un max.

— Un max, c'est-à-dire ?

Il fit comme s'il n'avait pas entendu la question.

— Connaissez-vous le mot *sicario*, maître ?

Prononcé avec tout ce qu'il fallait d'inflexions latines. Je me détournai, regardai par la fenêtre, puis reposai les yeux sur lui.

— J'ai déjà entendu ce mot, je crois.

— Il n'y a pas vraiment d'équivalent en anglais, mais c'est comme ça qu'on appelle les assassins des cartels au Mexique. Des *sicarios*.

— Merci pour la leçon.

— Là-bas, les lois sont différentes de ce que nous avons ici. Savez-vous qu'ils n'ont pas de code ou de cadre légal permettant à un ado d'être accusé comme un adulte ? À partir de dix-huit ans, personne ne peut être accusé ou incarcéré pour des crimes commis quand il ou elle était enfant.

— C'est bon à savoir pour la prochaine fois que je serai là-bas, mais moi, c'est en Californie que j'exerce.

— Résultat, les *sicarios* que recrutent et entraînent les cartels sont des ados. S'ils sont pris et condamnés, ils font un ou deux ans de taule, sortent à dix-huit ans et sont prêts à se remettre au boulot. Vous voyez ?

— Je vois surtout que c'est une véritable tragédie. Parce que ces gamins n'en sortent pas rééduqués, ça, c'est sûr.

Il n'eut aucune réaction visible à mon sarcasme.

— Hector Arrande Moya avait seize ans lorsqu'il a reconnu devant un tribunal de Culiacán, État du Sinaloa, avoir torturé et assassiné sept personnes avant l'âge de quinze ans. Dont deux femmes. Il avait pendu trois de ses victimes dans une cave et mis le feu à quatre autres alors qu'elles étaient encore en vie. Il avait violé les deux femmes et tronçonné tous les corps avant de les donner à bouffer aux coyotes dans les collines.

— Et le rapport avec moi ?

— Tout ça, il l'avait fait sur ordre des cartels. Vous savez, c'est là qu'il a été élevé. Et quand il est sorti de la *penta* à dix-huit ans, c'est vers eux qu'il est retourné : les cartels. À ce moment-là, bien sûr, il avait déjà un surnom. On l'appelait *El Fuego*… parce qu'il brûlait les gens.

Je consultai ma montre pour lui montrer mon impatience.

— L'histoire est belle, Marco, mais pourquoi me la raconter ? Et vous ? Qu'est-ce que…

— Voilà le type que vous et Fulgoni complotez à faire libérer. *El Fuego.*

— Je ne sais pas de quoi vous parlez, dis-je en hochant la tête. La seule personne que j'essaie de faire libérer est Andre La Cosse. À l'heure qu'il est, il croupit dans une cellule parce qu'on l'accuse d'un meurtre qu'il n'a pas commis. Mais je vais vous dire un truc pour Hector Moya : si vous voulez coller perpète à cet enfoiré, commencez par bâtir un dossier réglo. Ne…

Je m'arrêtai net et levai les mains, paumes en l'air. Ça suffisait.

— Et maintenant, dégagez de ma voiture, lui dis-je calmement. Si j'ai besoin de vous parler, je le ferai au tribunal.

— On est en guerre, Haller, et vous devez choisir de quel côté vous êtes. Il y a des sacrifices qu'il…

— Oh, et maintenant vous allez me parler de choix à faire ? Et Gloria Dayton, hein ? C'était votre choix peut-être ? Quelqu'un à « sacrifier » ? Allez vous faire foutre, Marco. Il y a des règles, Marco, des règles de droit. Et maintenant, dehors !

Cinq secondes durant, nous nous dévisageâmes. Mais finalement il cilla. Entrouvrit sa portière et sortit lentement de la voiture à reculons. Puis il se pencha en avant et me regarda.

— Jennifer Aronson, dit-il.

J'écartai les mains comme si j'attendais ce qu'il avait encore à me dire.

— Qui ?

Il sourit.

— Dites-lui seulement que si elle veut savoir des choses sur moi, elle peut très bien venir me voir, directement. Quand elle le voudra. Inutile de traînasser aux alentours du tribunal, de sortir des dossiers, de marmonner des questions. Je suis ici. Tout le temps.

Sur quoi il referma la portière et s'éloigna. Je le regardai descendre le trottoir et tourner au coin de la rue. Il ne se présenta pas au cabinet de Fulgoni alors qu'à l'entendre c'était la seule raison qui l'avait amené dans le quartier, où il m'avait repéré.

Earl reprit vite sa place au volant.

— Ça va, patron ? me demanda-t-il.

— Ça va. Allons-y.

Il fit démarrer la voiture. Ma frustration et l'impression d'avoir été vulnérable me submergeant, je lui aboyai dessus.

— Comment ce type a-t-il fait son compte pour monter dans la voiture, hein ? m'écriai-je.

— Il s'est pointé et a frappé à la vitre. Puis il m'a montré son badge et m'a dit de déverrouiller l'arrière. J'ai cru qu'il allait m'en coller une derrière la tête.

— Génial ! Et après, tu me laisses monter à l'arrière avec lui ?

— Je pouvais rien faire, patron. Il m'avait dit de pas bouger. Qu'est-ce qu'il vous a raconté ?

— Tout un tas de conneries auxquelles il croit. Allons-y.

— Où ça ?

— Je ne sais pas. Prends vers le loft. Pour l'instant.

Je décrochai aussitôt mon téléphone et appelai Jennifer. Je ne voulais pas lui faire peur, mais il était clair que Marco savait les efforts qu'elle déployait pour connaître son passé et voir un peu les autres affaires auxquelles il avait été mêlé.

Mon appel atterrit droit sur son répondeur. En entendant sa voix, je ne sus trop s'il valait mieux lui laisser un message ou lui demander de me rappeler. Je décidai que le mieux – et peut-être même le plus sûr – était de lui laisser un message de façon qu'elle trouve l'info dès qu'elle décrocherait son téléphone.

— Jennifer, c'est moi. Je viens d'avoir la visite de l'agent Marco et il est au courant de tout ce que vous faites pour enquêter sur son passé. Il doit avoir des amis au greffe, ou là où vous sortez des archives. Je me demande donc si vous ne feriez pas mieux de garder ce que vous avez pour vous et de passer à Moya. Je vais le voir demain à la prison de Victorville et j'aimerais être au jus de tout ce qu'il y a déjà sur lui de toute façon. Faites-moi savoir que vous avez bien reçu ce message. Bye.

Cisco fut le suivant et cette fois-ci, je l'eus en direct. Je lui parlai de ma rencontre avec Marco et lui demandai pourquoi les Indiens qui étaient censés me surveiller et me dire si j'étais suivi ne m'avaient rien signalé. Je ne fus pas des plus agréables :

— Aucun avertissement, Cisco! Le mec m'attendait dans ma bagnole, bordel!

— Je ne sais pas ce qui s'est passé, mais je me renseigne, dit-il en ayant l'air aussi agacé que moi.

— C'est ça, fais-le et rappelle-moi.

Je raccrochai. Earl et moi roulâmes plusieurs minutes en silence, tandis que je me repassais ma conversation avec Marco dans la tête. J'essayais de comprendre ce qui avait poussé cet agent de la DEA à me rendre visite. Mais d'abord, s'occuper de la menace. Il cherchait à refroidir l'enthousiasme de mon équipe pour l'empêcher d'enquêter sur ses activités. Il semblait aussi vouloir me tenir le plus loin possible de l'affaire Moya. Il devait penser que la condamnation à perpète de ce type était relativement sûre avec un avocat aussi inexpérimenté que Sly Fulgoni Jr aux commandes de la demande de recours en *habeas corpus*. Et il avait probablement raison. Mais me balancer l'image d'un Moya pire que le diable n'était qu'une manœuvre de façade. Les motivations de Marco n'avaient rien d'altruiste. Tout bien considéré, j'en arrivai à la conclusion qu'il avait essayé de me flanquer la frousse parce que je la lui avais flanquée moi-même. Et cela voulait dire qu'on allait dans la bonne direction.

— Hé, patron?

Je regardai Earl dans le rétroviseur.

— Dans votre message à Jennifer, je vous ai entendu dire que vous alliez monter à Victorville demain. C'est vrai? On y va?

J'acquiesçai d'un signe de tête.

— Oui, on va y aller. En tout début de matinée.

Et en disant ça aussi fort, ce fut un va-te-faire-foutre retentissant que j'envoyai à Marco.

Mon téléphone bourdonna, c'était Cisco. Il avait déjà une explication.

— Désolé, Mick, me dit-il, ils ont merdé. Ils ont vu le mec arriver et monter dans la voiture avec Earl. Ils m'ont dit qu'il lui avait montré un badge, mais ils ne savaient pas qui c'était. Ils ont cru que c'était un ami.

— Un « ami » ? Le mec est obligé de montrer son badge à Earl pour monter dans la voiture et ils le prennent pour un « ami » ? Mais merde, quoi ! Ils auraient dû t'appeler tout de suite pour que toi, tu m'appelles et m'empêches de me ramener la braguette ouverte.

— Tout ça, je le leur ai déjà dit. Tu veux que je les vire ?

— Quoi ? Pourquoi ?

— Ben, il me semble assez clair qu'on sait qui t'a collé une balise sous la bagnole, non ?

Je repensai à Marco me jurant que c'était un hasard s'il m'avait vu alors qu'il venait voir Fulgoni pour sa citation à comparaître. Je n'y avais pas cru un seul instant. C'était bien lui qui m'avait collé une balise sous la voiture, j'étais d'accord avec Cisco.

— Tu ferais aussi bien d'économiser le fric, lui dis-je. Oui, vire tes gars. On peut pas dire qu'ils aient été géniaux question prévenir en amont.

— Tu veux aussi qu'on t'enlève la balise de la voiture ?

Je réfléchis un instant à la question et au plan que je m'étais préparé pour le lendemain. Je décidai de me payer la tête de Marco et de lui montrer que sa petite visite et ses menaces voilées ne me mettaient pas à genou.

— Non, on la laisse. Pour l'instant.

— D'accord, Mick. Et, pour ce que ça vaut, les gars sont vraiment désolés.

— Ouais, O.K. Faut que j'y aille.

Je raccrochai. En regardant par le pare-brise, je remarquai qu'Earl coupait à travers les Beverly Hills par Little Santa Monica Boulevard pour me ramener chez moi. J'étais mort de faim et savais que nous allions arriver devant Chez Papa Jake, un boui-boui de bouffe à emporter coincé entre deux maisons et où l'on faisait les meilleurs sandwichs à la viande de tout l'ouest des États-Unis. Je n'y étais pas retourné depuis que la Superior Court de Beverly Hills avait été fermée suite aux réductions budgétaires et que moi, j'avais perdu des clients qui m'auraient obligé à venir dans le coin. Cela étant, j'avais développé une passion à la Legal Siegel pour les steaks aux oignons à la sauce pizzaïolo de Jake.

— Earl, on va faire un arrêt bouffe. Et si notre agent de la DEA nous suit toujours, il découvrira le secret le mieux gardé de Beverly Hills.

Chapitre 23

Après ce déjeuner tardif, j'en avais fini pour la journée. Je n'avais plus rien dans mon emploi du temps et aucun rendez-vous de prévu. J'envisageai de redescendre en ville et d'aller voir Andre La Cosse pour préciser certaines choses en vue du procès à venir. Mais les événements des dernières heures – du sermon de Legal Siegel à la visite surprise de Marco en passant par la rencontre avec Sly Junior – me poussèrent à rentrer chez moi. J'avais eu ma dose.

Je demandai à Earl de rejoindre le loft pour qu'il puisse reprendre sa voiture là où il l'avait laissée avant d'assister à la réunion générale. Puis je rentrai chez moi en voiture et n'y restai que le temps d'enfiler des vêtements plus appropriés à une balade dans la nature sauvage du Fryman Canyon. Cela faisait longtemps que je n'avais pas vu ma fille tenir le poste de gardien à l'entraînement. Pour avoir lu le bulletin d'information en ligne de l'école, je savais qu'il ne restait plus que quelques semaines dans la saison de football et que l'équipe se préparait pour le tournoi de l'État. Je décidai de franchir la colline pour voir ça et, qui sait, oublier l'affaire La Cosse un instant.

Mais l'oubli fut de courte durée, du moins inter-rompu le temps de remonter Laurel Canyon Boulevard : Jennifer me rappelait pour me dire qu'elle avait bien reçu mon message et l'ordre que je lui avais donné de laisser tomber ses recherches sur Marco.

— J'avais demandé aux archives du tribunal des dossiers sur d'autres affaires de l'ICE parce que ce que j'avais eu par PACER me semblait incomplet, m'expli-qua-t-elle. Je suis sûre qu'un des employés du greffe l'a appelé pour l'avertir.

— Tout est possible. Mais pour l'instant, tenez-vous-en à Moya.

— Compris.

— Pourrez-vous me faire passer tout ce que vous avez avant la fin de la journée ? J'ai beaucoup de route à me taper pour monter à la prison demain et ça ne serait pas une mauvaise chose que je lise tout ça.

— Ce sera fait…

Il y avait de l'hésitation dans sa voix. Comme si elle voulait en dire plus.

— Autre chose ? lui demandai-je.

— Je ne sais pas. Je me demande encore si nous procédons comme il faut dans cette affaire. Moya est une bien meilleure cible pour nous que la DEA.

Je voyais ce qu'elle voulait dire. Jeter le doute sur Moya au cours du procès à venir serait nettement plus facile et peut-être plus fructueux que de braquer la lumière sur un agent fédéral. Elle s'approchait de la très fine limite entre chercher la vérité et obtenir un verdict favorable au client. Et ce n'est pas toujours la même chose.

— Je comprends ce que vous voulez dire, lui répondis-je. Mais il y a des fois où il faut suivre son instinct et le mien me dit que c'est ce qu'il faut faire. Si j'ai raison, c'est la vérité qui libérera Andre.

— Je l'espère.

Je sentais qu'elle n'était pas convaincue ou que quelque chose d'autre la tracassait.

— Ça vous va ? lui demandai-je. Sinon, je peux me débrouiller de son affaire et vous, vous vous occupez des autres clients.

— Non, non, ça me va. C'est juste un peu bizarre, vous savez ? Tout est à l'envers.

— Mais encore ?

— Vous savez bien. Que les bons pourraient être les méchants. Et que le type en prison là-haut pourrait être notre meilleur espoir.

— Ouais, c'est bizarre.

Je mis fin au coup de fil en lui rappelant de me faire parvenir le bilan de ses recherches avant que je prenne la route de Victorville le lendemain matin. Elle me le promit et nous nous dîmes au revoir.

Un quart d'heure plus tard, je me garai sur le parking tout en haut de Fryman Canyon. Je pris les jumelles dans la boîte à gants, verrouillai mes portières et descendis le long du sentier. Puis je le quittai pour rejoindre mon poste d'observation. Sauf qu'une fois là-bas, je me rendis compte que le rocher que j'y avais installé avait été déplacé, quelqu'un semblant s'être servi de l'endroit, peut-être pour y dormir la nuit. Les hautes herbes avaient été écrasées en une forme qui rappelait celle d'un sac de couchage. Je regardai attentivement autour de moi pour m'assurer que j'étais seul et remis le rocher comme je le voulais au départ.

Plus bas dans la colline, la séance d'entraînement venait juste de commencer. Je collai les jumelles à mes yeux et regardai la cage nord. Le goal avait les cheveux roux et une queue-de-cheval. Ce n'était pas Hayley. Je vérifiai l'autre cage et il y avait bien un autre gardien, mais ce n'était pas non plus ma fille. Je me demandai si elle n'avait pas changé de poste et me mis à scruter le terrain. Je regardai chaque joueuse, en vain. Il n'y avait pas de numéro 7.

Je laissai les jumelles pendre à mon cou, sortis mon portable et appelai mon ex sur son poste au Bureau du district attorney de la division de Van Nuys. La secrétaire du pool me mit en attente, puis revint me dire que Maggie McPherson était de tribunal et donc injoignable. Je sus tout de suite qu'elle me racontait des histoires parce que Maggie ne faisait que préparer les dossiers. Elle n'était plus jamais de tribunal – c'était même là un des innombrables désastres dont elle me tenait responsable dans nos relations, si tant est qu'on puisse encore parler de relations.

J'essayai donc son portable alors qu'elle m'avait ordonné de ne jamais l'appeler à ce numéro pendant ses heures de travail, sauf s'il s'agissait d'une urgence. Et là, elle répondit.

— Michael ?

— Où est Hayley ?

— Comment ça ? Elle est à la maison. Je viens de lui parler.

— Pourquoi n'est-elle pas à l'entraînement de foot ?

— Quoi ?

— L'entraînement de foot. Elle n'y est pas. Elle est blessée ? Malade ?

S'ensuivit une pause et je sentis tout de suite que j'allais apprendre quelque chose que le père que j'étais aurait dû savoir depuis longtemps.

— Elle va bien. Elle a arrêté le foot depuis plus d'un mois.

— Quoi ? Pourquoi ?

— Eh bien… elle commençait à s'intéresser davantage à l'équitation et ne pouvait pas faire les deux en plus de ses devoirs. Alors, elle a arrêté. Je crois te l'avoir dit. Je t'ai envoyé un e-mail.

La multitude d'associations de juristes auxquelles j'appartenais et le nombre de clients qui avaient mon adresse e-mail étaient tels que j'avais plus de dix mille messages en souffrance dans ma boîte de réception. Ceux que j'avais expédiés à la corbeille un peu plus tôt dans la journée n'étaient que la partie émergée de l'iceberg. Il y en avait tellement que je n'avais pas lus que je sus tout de suite qu'elle pouvait avoir raison. Cela dit, il était rare que je rate un message de Maggie ou de ma fille. Malgré tout, je ne me sentais pas assez en forme pour en débattre et passai à autre chose.

— Tu veux dire qu'elle fait du cheval ?

— Oui, du saut. Elle va au centre équestre de L.A., près de Burbank.

Et là, je dus marquer un temps d'arrêt. J'étais gêné d'en savoir si peu sur ce qui se passait dans la vie de ma fille. Peu importait qu'il n'ait pas été de mon fait de me faire virer. J'étais le père et quoi qu'il en soit par ailleurs, c'était ma faute.

— Bon, écoute, Michael. Je voulais te le dire à un moment plus propice, mais je ferais tout aussi bien de te le dire maintenant pour être sûre que tu as bien reçu le message. J'ai pris un autre boulot et nous allons déménager dans le comté de Ventura cet été.

Le deuxième impact dans un une-deux à la boxe est censé faire plus de mal, et ce fut le cas.

— Ça s'est passé quand ? Quel boulot ?

— J'ai annoncé ça hier. Je leur donne un préavis d'un mois, après quoi je prends un mois pour chercher un appart et tout préparer. Hayley terminera son année à la même école. On déménagera après.

Le comté de Ventura est le suivant en remontant le long de la côte. Selon l'endroit où elles atterriraient, Maggie et ma fille pourraient être à une heure, voire une heure et demie de chez moi. Il y avait à l'intérieur même du comté de Los Angeles des distances qui, c'est vrai, prenaient plus de temps à parcourir à cause de la circulation. Il n'empêche, c'était comme si elles allaient s'installer en Allemagne.

— C'est quoi, le job que tu vas prendre ?

— Ce sera au Bureau du district attorney de Ventura. Je vais mettre sur pied une unité des crimes numériques. Et retourner au prétoire.

Et bien sûr, tout me revint d'un coup. Que je perde les élections lui avait bousillé sa carrière au Bureau du district attorney du comté de Los Angeles. Chargée de faire justement et également respecter les lois de l'État n'empêchait pas que cette institution soit une des bureaucraties les plus politiques du comté, et Maggie McPherson m'avait soutenu. En perdant, je l'avais fait perdre, elle aussi. Dès que Damon Kennedy avait pris les rênes, elle avait été transférée du bureau des affaires à plaider à celui de la préparation des dossiers que d'autres adjoints iraient défendre au tribunal. D'une certaine manière, elle avait même eu de la chance. Elle aurait pu écoper de pire. Un adjoint qui m'avait présenté à un meeting de campagne alors que j'étais le candidat en tête s'était vu transférer du tribunal à la prison d'Antelope Valley.

Comme Maggie, il avait arrêté. J'avais alors compris pourquoi elle avait fait la même chose. J'avais aussi compris qu'elle ne pourrait pas passer de l'autre côté et travailler pour la défense ou trouver du boulot dans une grande firme d'avocats. Elle était procureur jusqu'au bout des ongles et n'avait pas d'autre alternative – son seul choix serait l'endroit où elle exercerait. Je compris enfin que je devais m'estimer heureux qu'elle ne déménage que dans un comté voisin, et ne monte pas à San Francisco ou Oakland ou ne descende jusqu'à San Diego.

— Et où vas-tu chercher dans ce coin-là ?

— Eh bien, étant donné que le boulot est à City of Ventura, là ou pas très loin. J'aimerais assez aller voir du côté d'Ojai, mais ça risque d'être trop cher. À mon avis, ça serait parfait pour qu'Hayley fasse du cheval.

Ojai était un village genre « New Age barres Granola » situé dans une vallée au nord du comté. Bien des années plus tôt, avant que nous ayons notre fille, Maggie et moi y allions souvent le week-end. Il se pouvait même que notre fille y ait été conçue.

— Et donc… cette histoire de monter à cheval n'est pas une lubie ?

— Ça pourrait l'être. On ne sait jamais. Mais là, elle s'y donne à fond. On a loué un cheval pour six mois. Avec option d'achat à la fin.

Je hochai la tête. Ça faisait mal. Au diable mon ex, mais qu'Hayley ne m'en ait jamais parlé…

— Je suis désolée, reprit Maggie. Je sais que c'est dur pour toi et je veux que tu saches que je n'encourage pas ce genre de choses. Quoi qu'il se passe entre nous, pour moi, elle devrait entretenir des relations avec son père. Je ne plaisante pas, c'est ce que je lui dis.

— J'apprécie.

Je ne savais pas quoi dire d'autre. Je quittai mon rocher. Je ne voulais plus qu'une chose : m'en aller et rentrer chez moi.

— Tu pourrais me rendre un service ? lui demandai-je.

— Oui, quoi ?

Je m'aperçus que j'improvisais, que je suivais une idée à moitié formulée et dans le droit fil de ma douleur et du désir que j'avais – Dieu sait comment – de regagner ma fille.

— J'ai un procès qui s'annonce et je voudrais qu'elle vienne.

— Quoi ? Tu parles bien du mac que tu représentes ? Non, Michael, je ne veux pas qu'elle se tape ça. En plus, elle a école.

— Il est innocent.

— Non, vraiment ? Tu serais pas en train de me brosser dans le sens du poil comme tu le fais avec les jurés ?

— Non, c'est sérieux. Il n'a pas fait ce qu'on lui reproche, et je vais le prouver. Si Hay pouvait être là, peut-être que…

— Je ne sais pas. Je vais y réfléchir. Il y a école et je ne veux pas qu'elle rate les cours. Et y a aussi le déménagement.

— Venez pour le verdict. Toutes les deux.

— Écoute, faut que j'y aille. Y a de plus en plus de flics dans les parages.

Des flics qui attendaient le moment de déposer leurs dossiers, s'entend.

— D'accord, mais penses-y.

— Oui, oui, j'y penserai. Faut que j'y aille, Michael, tout de suite.

— Attends… une dernière chose. Tu pourrais m'envoyer un e-mail avec une photo d'Hayley sur son cheval? J'aimerais la voir.

— Bien sûr. Je te l'envoie.

Elle raccrocha, je fixai un instant le terrain de foot sous mes yeux en me repassant cette conversation pour essayer d'enregistrer tout ce que j'avais appris sur ma fille. Et je repensai à ce que Legal Siegel m'avait dit de toute cette culpabilité que je devais surmonter. Je compris alors que certaines choses sont plus faciles à dire qu'à faire, que certaines même sont infaisables.

Chapitre 24

À 19 heures ce soir-là, je descendis la côte pour gagner la supérette en bas de Laurel Canyon. Puis j'appelai un taxi et l'attendis un quart d'heure en lisant les petites annonces sur le tableau en liège installé devant. Le taxi me fit passer de l'autre côté de la colline et redescendre dans la Valley. Je demandai au chauffeur de me déposer dans Ventura Boulevard, à hauteur de Coldwater Canyon. De là, je partis à pied, traversai cinq carrefours pour rejoindre le studio de yoga, où j'arrivai un peu avant 20 heures.

Kendall Roberts était sur le point de fermer. Elle s'était attaché les cheveux sur le haut du crâne et y avait coincé un crayon. Ses dernières stagiaires s'en allaient les unes après les autres, leur matelas en caoutchouc enroulé sous le bras. J'entrai, attirai son attention et lui demandai si je pourrais lui parler après la fermeture. Elle hésita. Je ne l'avais pas avertie de ma venue.

— Vous avez faim ? lui demandai-je.

— Je viens de donner quatre cours d'affilée. Oui, je meurs de faim.

— Êtes-vous déjà allée Chez Katsuya, en bas de la rue ? C'est plutôt bon. Restaurant de sushis. Si vous aimez ça…

— J'adore ça, les sushis, mais non, je n'y suis jamais allée.

— Et si je descendais réserver une table le temps que vous me rejoigniez?

Elle hésitait toujours, comme si elle essayait de deviner mes intentions.

— On ne partira pas tard, lui promis-je.

Elle finit par accepter.

— O.K., je vous rejoins. Dans une quinzaine de minutes. Faut que je me repoudre le nez.

— Prenez votre temps. Vous aimez le saké?

— J'adore.

— Chaud ou froid?

— Euh… froid.

— À tout à l'heure.

Je descendis Ventura Boulevard, entrai Chez Katsuya et y tombai sur une foule de fanatiques du sushi. Il n'y avait plus aucune table de libre, mais je réussis à mettre la main sur deux tabourets au bar. Je commandai le saké et un peu de salade de concombres et sortis mon portable pour passer le temps en attendant Kendall.

Mon ex avait tenu parole en m'envoyant une photo de ma fille avec son cheval. On y voyait Hayley avec le museau du cheval derrière elle, juste au-dessus de son épaule. Noir, l'animal avait une rayure blanche en éclair qui lui courait le long du museau. La fille et le cheval étaient, l'un comme l'autre, absolument splendides. Je me sentis tout fier, mais regarder cette photo ne fit qu'ajouter à ma douleur d'apprendre qu'Hayley allait bientôt déménager dans le comté de Ventura.

Je fis disparaître la photo pour pouvoir rédiger un texto. Elle ne lisait ses e-mails qu'une ou deux fois par semaine et je savais que pour la joindre sans attendre, je devais lui envoyer un texto.

Je lui dis que sa mère m'avait envoyé une photo où on la voyait avec son cheval et que j'étais fier qu'elle se lance dans l'équitation comme elle le faisait. Je lui dis aussi que je venais d'apprendre pour son déménagement, que cela me chagrinait de savoir qu'elle serait si loin de moi, mais que je comprenais. Je lui demandai si je pourrais venir la voir pendant un de ses cours et je m'arrêtai là. Je fis partir tout ça dans l'azur et pensai assez bêtement recevoir une réponse dès que mon portable afficherait que le message était bien parti. Mais rien ne vint.

J'étais à deux doigts de rédiger un autre texto pour lui demander si elle avait bien reçu le premier lorsque Kendall apparut soudain à côté du tabouret voisin. Je rangeai mon portable dans ma poche et me levai pour l'accueillir, m'évitant ainsi l'embarras que m'aurait valu ce deuxième texto.

— Re ! me lança Kendall d'un ton enjoué.

Elle s'était changée au studio et portait un jean et une chemise de style champêtre. Elle avait dénoué ses cheveux et était magnifique.

— Mais bonjour ! lui renvoyai-je. Content que vous ayez pu venir.

Elle m'embrassa sur la joue en se serrant pour passer à côté de moi et s'asseoir sur son tabouret. Je lui versai une tasse de saké, nous portâmes un toast et le goûtâmes. Je scrutai son visage en m'attendant à une réaction de rejet, mais elle valida mon choix.

— Comment allez-vous ? lui demandai-je.

— Bien. J'ai passé une bonne journée. Et vous ? Ça m'a assez surprise de vous voir vous pointer au studio ce soir.

— Ah, bon, en fait… j'ai besoin de vous parler de quelque chose, mais commençons par commander.

Nous étudiâmes la liste des sushis ensemble, elle y cocha trois variations sur le thème du sushi au thon épicé tandis que je m'en tenais aux makis de concombre et aux California rolls. Avant l'élection, j'avais commencé à emmener ma fille Chez Katsuya, son palais se faisant déjà assez sophistiqué pour que les séances crêpes du mercredi soir cessent de la séduire. Mes goûts culinaires étaient évidemment assez restreints comparés aux siens et je ne pouvais toujours pas m'habituer à l'idée de manger du poisson cru. Mais comme il y avait plein d'autres choses à avaler pour les non aventureux…

Côté saké, c'était une autre histoire. Chaud ou froid, j'aimais bien. J'en étais à ma troisième tasse lorsqu'un des chefs finit par se pencher vers nous pour prendre nos commandes. Je pense que la façon dont je me ruai sur la boisson était due, au moins en partie, à la raison qui faisait que j'étais là et à la conversation que je me sentais obligé d'avoir avec Kendall Roberts.

— Alors, quoi de neuf ? reprit-elle après avoir très expertement manié ses deux baguettes pour goûter à la salade de concombres que j'avais commandée avant. C'est comme hier soir, vous savez… vous n'aviez pas à faire tout ce trajet pour venir me voir.

— Non, non, je voulais vous voir, vous, lui répondis-je. Mais j'ai aussi encore besoin de vous parler de mes histoires avec Moya et Marco, l'agent de la DEA.

Elle fronça les sourcils.

— Ne me dites pas qu'il faut que j'aille là-bas pour parler avec cet avocat.

— Non, rien de tout ça. Il n'y a pas de déposition à faire et je vais m'assurer que rien ne change de ce côté-là. Mais quelque chose vient de faire surface et…

Je marquai une pause parce que je n'avais pas encore réfléchi à la façon dont j'allais aborder le sujet avec elle.

— Alors… qu'est-ce qu'il y a ? me pressa-t-elle.

— L'affaire est assez délicate à cause des gens qui y sont impliqués. Il y a Moya là-haut en prison, et Marco, l'agent de la DEA, ici même, tout occupé à essayer de sauver son dossier et ses fesses. Et au milieu de tout ça, il y a ce qui est arrivé à Gloria, puis à mon client qu'on accuse de l'avoir tuée alors que moi, je pense qu'il n'a rien fait. Bref, des tas d'éléments mouvants et, ce matin, je découvre qu'on m'a collé un tracker sous ma voiture.

— Comment ça ? C'est quoi, un « tracker » ?

— Une espèce de GPS. Cela veut dire que quelqu'un me suit à la trace. Que des gens n'ignorent rien de mes déplacements… au moins en voiture.

Je me tournai sur mon tabouret pour la regarder et voir tout de suite comment elle prenait la nouvelle, et m'aperçus qu'elle n'en comprenait pas la portée.

— Je ne sais pas depuis combien de temps cet engin y est installé, mais je suis passé deux fois chez vous hier. La première avec Earl, et hier soir tout seul.

Enfin elle commença à comprendre. Je vis le premier soupçon de peur se glisser dans son regard.

— Qu'est-ce que ça veut dire ? demanda-t-elle. Que quelqu'un va venir chez moi ?

— Non, je ne pense pas que ce soit ça. Il n'y a aucune raison de paniquer. Mais je me suis dit que vous deviez le savoir.

— Qui vous a mis ce truc ?

— On n'en est pas certain à cent pour cent, mais on pense que c'est Marco, l'agent de la DEA.

C'est à ce moment inopportun que le chef fit passer une grande assiette en forme de feuille par-dessus le comptoir et la posa devant nous. Cinq makis y étaient joliment disposés avec du gingembre en saumure et la pâte de wasabi que ma fille qualifiait de « mort verte ». Je remerciai le chef d'un hochement de tête, Kendall se contentant de regarder fixement le plat en pensant à ce que je venais de lui dire.

— Je me suis même vraiment demandé si je devais vous en parler, repris-je. Mais je me suis dit que vous deviez être au courant. Et ce soir, j'ai pris des précautions. Je suis descendu à pied de chez moi et j'ai pris un taxi. Personne ne saura que je suis avec vous. Ma voiture n'a pas bougé de devant chez moi.

— Comment savez-vous qu'on ne vous suit pas, vous aussi ?

— J'ai des gens qui y ont travaillé toute la journée. Il semble qu'il n'y ait que le tracker électronique.

Si cela la réconforta un tant soit peu, elle n'en montra rien.

— Vous ne pouvez pas l'enlever et vous en débarrasser ?

— C'est effectivement une solution, lui répondis-je. Mais il y a une alternative. On pourrait le retourner contre eux. Vous savez bien, leur passer des infos incompréhensibles ou fausses. On n'a pas encore tout à fait décidé, ce qui fait que pour l'instant, l'engin est toujours là. Et si vous mangiez un peu de ça, hein ?

— Je ne suis plus très sûre d'avoir faim.

— Allez… Vous avez travaillé toute la journée. Et vous m'avez dit que vous mouriez de faim.

À contrecœur elle versa une larme de sauce au soja dans une des petites soucoupes et y mélangea un peu de wasabi. Puis elle y trempa une tranche d'un des makis au thon et la mangea. Cela lui plut tellement qu'elle en goûta aussitôt un autre. Nul comme je suis avec les baguettes, je me servis de mes doigts pour prendre une tranche de mon California roll. Et fis l'impasse côté wasabi.

Deux bouchées plus tard, je revenais à mon sujet.

— Kendall, lui lançai-je, je sais que je vous l'ai déjà demandé hier, mais il faut que je recommence. Cet agent de la DEA, ce James Marco, vous êtes sûre de n'avoir jamais eu affaire à lui ? Cheveux bruns, disons… dans les quarante ans ? Moustache, regard méchant, il…

— Si c'est un type de la DEA, c'est pas la peine de me le décrire. Je n'ai jamais eu affaire à eux.

J'acquiesçai d'un signe de tête.

— O.K., dis-je, et vous ne voyez aucune autre raison d'être dans sa ligne de mire par rapport à Gloria Dayton, c'est bien ça ?

— Aucune, non.

— Hier, vous m'avez dit qu'un des services que vous fournissiez était d'apporter de la cocaïne. Gloria et Trina obtenaient la leur de Moya. Où trouviez-vous la vôtre ?

Elle finit lentement le morceau de California roll qu'elle avait entamé et reposa ses baguettes sur le petit présentoir à côté de son assiette.

— Je n'aime vraiment pas parler de ça, dit-elle. Je pense que vous m'avez amenée ici pour me coincer et que je me sente obligée de vous répondre.

— Non, lui répondis-je vite. Ce n'est pas vrai et je ne veux pas que vous vous sentiez coincée. Je suis désolé d'être allé aussi loin. Je voulais seulement m'assurer que vous n'étiez pas en danger, c'est tout.

Elle s'essuya la bouche et j'eus le sentiment que le repas avait pris fin.

— J'ai besoin d'aller aux toilettes, dit-elle.

— O.K.

Je me levai et repoussai mon tabouret pour la laisser passer.

— Vous allez revenir, hein ? lui demandai-je.

— Oui, je vais revenir, répondit-elle sèchement.

Je me rassis et la regardai gagner le couloir du fond. Je savais qu'elle pouvait filer par une porte à l'arrière et que je n'en saurais rien avant une dizaine de minutes. Mais j'avais confiance.

Je sortis mon portable pour voir si ma fille avait répondu à mon texto, mais non, rien. Je songeai à lui en renvoyer un, tiens, à lui envoyer une photo du California roll de Chez Katsuya, mais décidai de laisser tomber.

Kendall revint moins de cinq minutes plus tard et se glissa sur son tabouret sans rien dire. Puis, avant même que je puisse parler, elle me servit une déclaration qu'elle avait dû préparer aux toilettes.

— Les produits que je fournissais aux clients, c'était d'Hector Moya que je les tenais, mais indirectement.

En fait, je les achetais à Gloria et à Trina, et à leur prix. Je n'ai jamais rencontré leur dealer ou croisé le chemin d'un quelconque agent de la DEA quand je faisais ça. C'est quelque chose que j'ai laissé derrière moi et je ne veux plus jamais avoir à en reparler avec vous ou avec quiconque.

— Aucun problème, Kendall. Je vous…

— Quand vous m'avez invitée à dîner, ça m'a rendue très heureuse. Je me suis dit… j'ai cru que c'était pour d'autres raisons et ça m'a remplie de joie. C'est pour ça que j'ai réagi comme je l'ai fait quand vous avez commencé à me poser des questions sur la drogue.

— Je suis désolé d'avoir tout foutu en l'air. Mais croyez-moi, moi aussi, ça m'a fait très plaisir que vous acceptiez de me retrouver. Alors… pourquoi ne pas oublier toutes ces histoires de boulot et manger des sushis ?

Je lui montrai le plat du doigt. Les trois quarts de notre commande s'y trouvaient encore. Elle risqua un sourire et acquiesça d'un signe de tête. Je lui rendis son sourire.

— Bon alors, dis-je, il va falloir redemander du saké.

Chapitre 25

Sur le chemin du retour, je décidai de laisser le chauffeur du taxi me ramener jusque chez moi. J'en avais assez du boulot, des nouvelles de la journée et de m'être tapé toute la montée dans le sentier de Fryman Canyon. Je me dis que même si quelqu'un surveillait ma maison et ma voiture, il ne pourrait jamais faire plus que se demander où j'étais passé pendant les quatre heures précédentes. Je réglai la course, descendis du taxi et montai les marches conduisant à ma porte.

Arrivé en haut, je m'arrêtai pour regarder partout dans le paysage iridescent. La nuit était si claire que je voyais jusqu'aux tours illuminées de Century City. Cela me rappela que c'était quelque part non loin de là que, plus bas dans la plaine, Sly Fulgoni Junior faisait si pâle figure sur les terres de la loi.

Je me retournai et regardai par-dessus mon autre épaule, au loin, vers le centre-ville. Là-bas, les lumières semblaient moins vives d'avoir à se battre pour percer à travers le smog. Mais je vis quand même des rougeoiements monter de Chavez Ravine... les Dodgers jouaient chez eux après un début de saison absolument calamiteux.

J'ouvris la porte et entrai. Allumer la radio et écouter l'éternellement jeune Vin Scully annoncer le début du match me tenta, mais j'étais trop fatigué. J'allai chercher une bouteille d'eau à la cuisine et m'arrêtai un moment pour regarder la carte postale d'Hawaï sur la porte du frigo. Et filai droit à ma chambre pour m'effondrer de sommeil.

Deux heures plus tard, monté sur un cheval noir, je galopais à travers de sombres étendues que seuls quelques éclairs illuminaient de temps à autre lorsque mon téléphone me réveilla.

J'étais allongé sur mon lit, encore habillé. Je regardai fixement le plafond en essayant de me rappeler mon rêve lorsque le téléphone sonna de nouveau. Je glissai ma main dans ma poche et répondis sans même jeter un coup d'œil à l'écran. Dieu sait pourquoi, je m'attendais si fort à ce que ce soit ma fille que mon « allô » en fut désespéré.

— Haller ?

— Oui, qui est-ce ?

— Sly Fulgoni. Ça va ?

Le timbre plus sombre de cette voix m'indiqua que c'était Sly Senior qui m'appelait encore une fois de Victorville.

— Ça va, oui. Comment avez-vous eu ce numéro ?

— C'est Valenzuela qui me l'a donné. Il ne vous aime pas trop, Haller. Une histoire de promesses non tenues.

Je m'assis au bord du lit et jetai un coup d'œil au réveil. Deux heures dix.

— Ouais, eh bien, qu'il aille se faire foutre. Pourquoi m'appelez-vous, Sly ? Je monte vous voir demain.

— Ouais, mais pas si vite, petit malin. J'aime pas trop que vous me menaciez. Moi ou mon fils, d'ailleurs. Bref, faut qu'on éclaircisse certaines choses avant que vous vous tapiez toute la route pour monter jusqu'ici.

— Ne quittez pas.

Je posai mon portable sur le lit et allumai ma lampe de chevet. Puis j'ouvris la bouteille d'eau que j'avais sortie avant d'aller me coucher et en descendis presque la moitié. Cela m'aida à y voir un peu plus clair.

Je repris le téléphone.

— Toujours là, Sly?

— Où voulez-vous que j'aille?

— Très juste. Bon alors, c'est quoi, ces choses à éclaircir?

— Et d'un, ces conneries d'avocats associés que vous avez mises dans le crâne de Sly Junior. Ça va pas marcher, Haller. L'affaire Moya, c'est à nous et on partage que dalle.

— Y avez-vous vraiment bien réfléchi?

— Parce qu'il faudrait y réfléchir? On a tout sous contrôle.

— Hé, Sly. C'est en prison que vous êtes. Va y avoir un moment où y aura plus de dossiers à monter et où il faudra bien que quelqu'un aille au tribunal. Non, parce que vous pensez vraiment que le petit Sly va se pointer dans un prétoire de tribunal fédéral et s'attaquer à des avocats de l'État en plus de la DEA sans être réduit en miettes?

Aucune réponse immédiate ne se faisant entendre, je sortis mon atout.

— Moi aussi, je suis père, Sly. Et on aime tous nos enfants, mais là, il bosse à partir d'un scénario que vous lui écrivez. Et les scénarios, y en a plus, une fois au prétoire. Au prétoire, ou t'assures ou tu meurs.

Toujours pas de réaction.

— Je n'avais pas pris de rendez-vous quand je me suis pointé à son cabinet tout à l'heure. Je ne sais pas trop ce qu'il fabriquait, mais à mon avis, ce n'était pas du boulot d'avocat. Il n'a aucune date de tribunal, Sly. Il n'a aucune expérience et il n'est même pas capable de répondre aux questions qu'on lui pose sur l'affaire. Ces dépositions que vous voulez programmer pour la semaine prochaine ? Je pense que ses questions, toutes ses questions… viendront de vous.

— C'est faux. Non, c'est faux.

Sa première objection à tout ce que je lui disais.

— Bon, d'accord, certaines seront de son cru. Ça n'en restera pas moins votre déposition et vous le savez. Écoutez, Sly, vous avez des raisons d'agir tout à fait crédibles. Je crois que ça pourrait marcher, mais à la seule condition que vous ayez quelqu'un qui y aille en sachant ce qu'il faut faire dans un recours en *habeas corpus*.

— Combien vous voulez ?

Cette fois, je marquai une pause. Je sus que je le tenais et qu'on allait conclure.

— Quoi ? Vous me parlez d'argent ? Je ne veux pas d'argent. Ce que je veux, c'est de la coopération pour mon bonhomme. On partage nos infos et Moya avec. Je pourrais avoir besoin de lui dans mon affaire.

Pas de réaction. Il réfléchissait. Je décidai de le court-circuiter avec ma dernière carte.

— À propos de Moya… vous voulez vraiment qu'il soit assis à côté de Sly Junior si ce truc commence à merder au prétoire ? Vous voulez qu'il regarde le fiston quand il faudra bien qu'il accuse quelqu'un une fois que le juge l'aura renvoyé en taule pour le restant de ses jours ? C'est que ces derniers temps, j'ai entendu dire des trucs sur le Moya de l'époque Sinaloa, vous savez ? Croyez-moi, ce n'est pas le genre d'individu qu'on a envie d'avoir à côté de son fils quand ça commence à mal tourner.

— Qui vous a raconté ces trucs ?

— L'agent Marco. Il est venu me voir, tout comme je suis allé rendre visite à Sly Junior.

Sly Senior ne répondit pas mais, cette fois, je ne brisai pas son silence. J'avais dit tout ce que j'avais à dire. J'attendis.

Cela ne prit pas longtemps.

— Quand serez-vous là demain ? me demanda-t-il.

— C'est le milieu de la nuit, là. Je vais retourner dormir... et me réveiller tard. Disons vers 8 heures. Après quoi, je me mettrai en route. Il y aura les formalités à l'arrivée mais bon, je devrais pouvoir vous voir avant le déjeuner.

— Le déjeuner ici, c'est à 10 h 30, bordel ! Et dire que j'avais toujours une table à 13 heures au Water Grill.

Je hochai la tête. Ce sont toujours les petites choses qui manquent le plus.

— Bon, alors je vous verrai après le déjeuner. D'abord vous, et ensuite Moya. Rappelez-lui que ce coup-ci, je suis de son côté. D'accord ?

— D'accord.

— Allez, à plus.

Et je raccrochai pour regarder mes textos. Ma fille n'avait toujours pas répondu à celui que je lui avais envoyé pas loin de six heures plus tôt.

288

Je mis le réveil de mon portable à 7 heures et posai l'appareil sur la table de nuit. Je me débarrassai de mes vêtements et, cette fois, je me glissai sous les couvertures. M'allongeai sur le dos et pensai à des trucs. À ma fille, puis à Kendall. Elle m'avait embrassé une deuxième fois quand nous nous étions quittés à la porte de Chez Katsuya. J'eus l'impression que certaines choses changeaient en moi. C'était comme si je fermais une porte et en ouvrais une autre. Ça me rendait tout à la fois triste et plein d'espoir.

Avant de sombrer, je me rappelai le cheval noir fonçant à travers le champ d'éclairs. Je m'étais accroché à son cou parce qu'il n'y avait pas de rênes. Je me rappelai m'y être accroché de toutes mes forces pour ne pas y perdre la vie.

Chapitre 26

Je descendis les marches à 8 heures précises et trouvai Earl qui m'attendait déjà. Adossé à sa voiture garée devant chez moi, il s'imprégnait de la vue de West Hollywood, de l'autre côté des replats de Laurel Canyon.

— Bonjour, Earl, lui lançai-je.

Il prit les deux gobelets de café Starbucks posés sur le capot et traversa la rue pour gagner la Lincoln. Je troquai les clés contre un gobelet et le remerciai d'avoir pensé à prendre des cafés avant de démarrer la journée.

La Lincoln avait été passée au peigne fin par Cisco la veille dans l'après-midi. La balise était toujours en place, mais ni lui ni ses hommes n'avaient trouvé de mouchards ou de caméras sur le véhicule.

Nous prîmes plein sud pour rejoindre l'autoroute 10 vers l'est et ne nous arrêtâmes que pour faire un énorme plein de la Lincoln. Les routes étaient noires de monde, mais je savais que ça s'éclaircirait dès que nous aurions dépassé le centre-ville et pris la 15, direction nord. À partir de là, ce serait tout droit à travers le désert de Mojave.

La veille au soir, Jennifer m'avait envoyé plusieurs e-mails avec des pièces jointes sur ses recherches. Je passai le temps à les parcourir. La première chose qui attira mon attention fut son analyse de la demande de recours en *habeas corpus* déposée par Moya et de tout ce qui en dépendait. Cela faisait déjà huit ans que Moya était incarcéré depuis son arrestation. La condamnation à perpète dont il avait écopé pour avoir détenu une arme et être ainsi tombé sous le coup du statut fédéral du criminel de carrière était la seule chose qui le maintenait encore derrière les barreaux. Il n'avait eu droit qu'à six ans pour la cocaïne trouvée sur lui. La perpétuité y avait été ajoutée.

Cela signifiait que sa libération immédiate dépendait de l'issue de son recours. À mes yeux, cela constituait une raison supplémentaire pour qu'il collabore avec moi dans l'affaire La Cosse et mette son avenir entre des mains plus expertes que celles de Sylvester Sly Junior.

Le savoir donnait une tout autre perspective à la visite que Marco m'avait rendue la veille. L'agent de la DEA ne pouvait ignorer, quand il était assis en face de moi dans la Lincoln, que le grand violent qu'il avait a priori mis à jamais sous les verrous pouvait bientôt retrouver la liberté, tout dépendant de l'issue de deux affaires judiciaires sur lesquelles il n'avait aucun contrôle.

Je passai ensuite aux minutes du procès d'Hector Moya sept ans plus tôt. J'en lus deux parties, la première étant le témoignage d'un policier de l'équipe du LAPD chargée de l'exécution des mandats, la deuxième une partie du témoignage de l'agent de la DEA James Marco. Le flic du LAPD rapportait l'arrestation de Moya et comment il avait découvert l'arme cachée sous son matelas, dans la chambre d'hôtel. Le témoignage de Marco comprenait les réponses qu'il avait faites aux questions qu'on lui posait sur l'analyse et le travail de traçage de l'arme à feu retrouvée. C'était là un témoignage clé dans la mesure où il reliait l'arme à Moya, celui-ci l'ayant achetée à Nogales, Arizona.

À peu près au moment où nous arrivions dans le désert de Mojave après avoir traversé les montagnes, je commençai à me lasser de tout ce travail de lecture et demandai à Earl de me réveiller lorsque nous toucherions au but. Puis je m'allongeai sur la banquette et fermai les yeux. J'avais eu une nuit agitée après ma conversation nocturne avec Sly Fulgoni Senior et avais besoin de rattraper mon retard de sommeil. Je savais d'expérience qu'entrer dans cette prison serait épuisant. L'épreuve affecte, et lourdement, tous les sens. Bruits, odeurs, gris terne de l'acier que rehausse l'orange criard des tenues des prisonniers, mélange de désespoir et de menace sur les visages des hommes auxquels je rendais visite, tout cela ne me donnait aucune envie d'y rester plus que nécessaire. J'avais toujours l'impression de retenir mon souffle d'un bout à l'autre de ma visite.

Malgré l'étroitesse de la banquette arrière, je réussis à dormir presque une demi-heure. Earl me réveilla alors que nous approchions du pénitencier. Je vérifiai mon portable et m'aperçus que nous avions bien roulé en dépit de la circulation du début. Il n'était encore que 10 heures, et c'était précisément à ce moment-là que débutaient les visites des avocats.

— Patron, me lança Earl, si ça vous gêne pas, ce coup-là je vais vous attendre dehors.

Je lui souris dans le rétroviseur.

— Ça ne me gêne pas, Earl, lui dis-je. J'aimerais bien pouvoir en faire autant.

Je lui passai mon téléphone par-dessus le dossier du siège. Je n'aurais certainement pas la permission de l'avoir avec moi à l'intérieur, ce qui avait quelque chose d'ironique étant donné que les prisonniers, eux, avaient accès à des portables.

— Si jamais Cisco, Lorna ou Bullocks appellent, tu réponds et tu leur dis que je suis à la prison. Tout le reste, tu le laisses au répondeur.

— C'est compris.

Il me déposa à la grande entrée des visiteurs.

Tout le processus pour voir Fulgoni et Moya se passa sans encombre. Je dus montrer mon permis de conduire et ma carte de membre du barreau de Californie, puis signer un document certifiant que j'étais avocat, et un deuxième certifiant que je n'introduisais pas de drogue ou d'autres produits et objets interdits dans l'établissement. On me fit ensuite passer au magnétomètre une fois ma ceinture et mes chaussures retirées, puis on m'installa dans un parloir privé et me confia une alarme électronique à fixer à ma ceinture. Si mon client me menaçait physiquement, je devais arracher cet engin gros comme un récepteur d'appels de ma ceinture, ce qui déclencherait une alarme et ferait venir des gardiens. Il faudrait, bien sûr, que je sois encore vivant pour tirer dessus, mais ce détail n'était pas mentionné. Tout cela était le résultat d'une décision de justice interdisant aux gardiens de surveiller les rencontres entre les clients et leurs avocats dans les prisons.

Je me retrouvai donc seul à attendre dans cette pièce de trois mètres sur trois. Elle était équipée d'une table, de deux chaises et d'une boîte d'appel électronique fixée au mur près de la porte. Attendre faisait alors partie du tableau. Je ne crois pas être jamais entré dans une salle où ç'aurait été mon client qui m'attendait.

Il est classique de voir un avocat enchaîner ce genre d'entretiens avec de multiples clients – même lorsqu'il s'agit d'affaires n'ayant rien à voir entre elles. Cela économise les voyages et permet d'écourter les délais d'habilitation de sécurité. Cela étant, les prisonniers sont amenés selon des horaires qui conviennent au personnel de l'établissement et qui dépendent des emplois du temps et disponibilités des détenus. J'avais demandé au responsable des visites la permission de voir Fulgoni en premier. Ma demande lui avait arraché une grimace, mais il m'avait dit qu'il verrait ce qu'il serait possible de faire.

C'est peut-être pour cela que l'attente me parut extraordinairement longue. Une demi-heure s'écoula avant que Fulgoni n'arrive enfin. Je faillis dire au garde qui l'escortait qu'il avait dû se tromper de bonhomme, mais me rendis compte que c'était bien Sylvester Fulgoni Senior que j'avais devant moi. Même si je le reconnus, ce n'était plus du tout l'homme que j'avais côtoyé dans les prétoires où nous travaillions tous les deux à une époque. Celui qui entra en traînant des chaînes aux pieds était pâle, hagard et tout recroquevillé sur lui-même. Pour la première fois, je me dis qu'il devait porter une moumoute toutes ces années où j'entendais parler de lui à L.A. Ce genre de vanité n'étant pas toléré en prison, il avait le crâne chauve et les néons du plafond s'y reflétaient nettement.

Il s'assit en face de moi, les poignets reliés à une chaîne tout autour de sa taille. Nous ne nous serrâmes pas la main.

— Bonjour, Sly, lui lançai-je. Alors, ce déjeuner?

— Comme tous les autres jours. Saucisse de Bologne sur pain blanc, impropre à toute consommation humaine.

— Navré de l'apprendre.

— Pas moi. Je me dis que le jour où je commencerai à aimer ça, c'est que j'aurai vraiment un problème.

— Je vois, dis-je en hochant la tête.

— Je ne sais pas pour vous mais, à l'époque, j'avais des clients qui aimaient se cacher en prison. Dans des endroits comme ici. C'est plus facile qu'être à la rue parce qu'on y a ses trois repas par jour, un lit et du linge propre. Et, côté baise et drogue, y a qu'à demander. C'est dangereux, mais la rue l'est pas mal non plus.

— Oui, j'ai eu quelques clients comme ça moi aussi.

— Eh bien, moi, je suis pas comme ça. Moi, je pense que cet endroit est un véritable enfer sur Terre.

— Mais il vous reste moins d'un an à tirer, non?

— Trois cent quarante et un jours. Il fut un temps où je pouvais donner le chiffre exact à la minute près, mais je suis un peu plus détendu sur le sujet à présent.

Je hochai à nouveau la tête et décidai qu'on avait assez plaisanté comme ça. L'heure était venue de passer aux choses sérieuses. Je n'avais pas fait tout ce chemin pour discuter des défauts et des avantages de la vie en prison ou pour donner, figurativement parlant, une petite tape dans le dos de Sylvester Fulgoni.

— Avez-vous parlé de moi à Hector Moya ce matin? lui demandai-je.

— Oui, dit-il. Et tout est O.K. Il vous verra et vous prendra comme coconseil avec Sly Junior.

— Bien.

— Je ne peux pas dire que ça l'enchante vu qu'il est assez convaincu que vous êtes en partie responsable de sa détention ici.

Avant que je puisse dire un seul mot pour ma défense, un énorme *boum!* secoua la pièce et, je le crus, la prison tout entière. Je portai la main à l'alarme à ma ceinture, ma première idée étant qu'il avait dû y avoir une explosion et qu'une tentative d'évasion était en cours.

Puis je remarquai que Fulgoni n'avait même pas cillé et affichait un sourire désinvolte.

— Ça, c'est du costaud, dit-il calmement. Ils ont dû faire décoller le B-Two. Le bombardier furtif.

Évidemment. Je me rappelai la base aérienne toute proche. J'essayai d'oublier et de revenir à ce qui nous occupait. Mon bloc-notes était posé sur la table devant moi. J'y avais porté quelques questions et points à ne pas oublier en attendant Fulgoni. Je voulais commencer par les trucs de base et avancer jusqu'aux questions essentielles dès que Fulgoni serait enfin vraiment investi dans la conversation.

— Parlez-moi de Moya, lui lançai-je. Je veux savoir quand et comment toute cette histoire a commencé.

— Eh bien, pour autant que je sache, je suis un des deux avocats défroqués de la prison. L'autre a pris part à une arnaque bancaire à San Diego. Toujours est-il que, petit à petit, on finit par savoir ce que vous faisiez avant et on vient vous voir. Au début, c'est pour des conseils et des recommandations d'ordre général.

Après, y en a certains qui veulent de l'aide pour rédiger une demande. Ces types-là sont ici depuis assez longtemps pour que leurs avocats les aient laissés tomber parce qu'ils ont épuisé tous leurs recours. Mais eux n'ont toujours pas renoncé.

— Je comprends.

— Et Hector faisait partie du lot. Il est venu me voir pour me dire que le ministère public n'avait pas été juste avec lui et qu'il voulait savoir ce qu'il pouvait faire. Le truc, c'est que personne n'a jamais voulu le croire. Même ses avocats ne croyaient pas à son histoire et ils n'ont même pas voulu mettre un enquêteur sur le coup, enfin… d'après ce que j'ai compris.

— C'est bien de la DEA qui lui colle un flingue dans sa chambre pour obtenir une aggravation des charges que vous me parlez, hein ?

— C'est ça, de l'aggravation des charges qui lui a valu perpète. Et pas du tout de la poudre qu'il avait dans sa chambre. Parce que ça, il le reconnaissait complètement. Mais l'arme, non. Il disait qu'elle n'était pas à lui et il s'avère qu'il dit ça depuis le premier jour, mais personne ne l'a jamais écouté. Eh bien moi, si, je l'ai écouté. Non parce que… qu'est-ce que je peux faire d'autre ici qu'écouter les gens ?

— Ça !

— Et c'est là que tout a commencé. Mon fils a rempli la demande de recours et voilà.

— Bien, mais reprenons avant que Sly Junior la remplisse. Revenons à l'année dernière. J'essaie de remettre de l'ordre dans tout ça, vous voyez ? Moya vous dit que l'arme a été mise dans sa chambre. Vous a-t-il dit que c'était Gloria Dayton qui l'y avait collée ?

— Non, il m'a dit que c'étaient les flics. Il a été arrêté par le LAPD après la conclusion de votre accord avec le Bureau du district attorney. Vous vous rappelez ? Sauf qu'il n'a entendu parler d'un deal que des années plus tard… quand je l'en ai informé. À l'époque, il savait seulement que le LAPD n'était entré dans sa chambre que suite à un mandat d'amener pour délit de fuite. Les flics trouvent la coke dans la commode, le flingue sous le matelas, et tout est dit. Il n'était inculpé de délit de fuite que pour ne s'être pas présenté à une audience du tribunal d'accusation. Ce n'était rien comparé au dossier qu'ils ont maintenant. Il avait l'arme et trente-six grammes de poudre dans sa chambre. Et voilà les Fédéraux qui débarquent et raflent tout, et lui finit devant un tribunal fédéral, où ils décrochent un prix qui couronne l'ensemble de leurs œuvres ? Ça tombe bien, non ?

— Oui, bon, mais tout ça, je le sais. C'est de l'arme que je vous parle. Ce que j'essaie de voir, c'est comment vous êtes parti de son histoire pour arriver à Gloria Dayton. Parce que dans votre demande de recours en *habeas corpus*, il est dit que c'est elle qui a mis l'arme dans sa chambre.

— C'est simple. J'ai posé les bonnes questions, j'ai pris du recul et regardé le tableau d'ensemble. En partant de l'idée qu'il fallait croire Hector Moya. Comme je vous l'ai dit, personne ne l'avait jamais fait. Mais lui était venu me voir et m'avait confié : « Oui, la poudre dans la chambre était bien à moi et j'exécuterai ma condamnation pour ça. Mais pas pour l'arme. » Et moi, je me suis dit : « Pourquoi nier un fait et pas l'autre, à moins de dire la vérité ? »

Je voyais bien des raisons de mentir pour une chose et pas pour l'autre, mais je gardai ça pour moi en attendant la suite.

— Et donc ? Gloria ?

— Ah oui, Gloria. Hector me dit que quelqu'un lui a mis l'arme dans sa chambre. Eh bien moi, une affaire d'aggravation des charges suite à l'introduction d'une arme à feu, j'en avais déjà eu une, sauf que c'était un dossier de la DEA depuis le début. Il n'y avait pas de flics du coin dans le tableau. Il ne s'agissait que d'une arrestation suite à un achat de drogue par un agent de la DEA et le client me jurait qu'il n'avait pas d'arme sur lui quand la vente avait foiré. Au début, je ne l'ai pas cru… non parce que, qui irait acheter un kilo de came avec 25 000 dollars dans une mallette sans une arme juste au cas où ? Mais après, j'ai commencé à y regarder de plus près.

— Et vous avez démontré qu'on lui avait collé cette arme pour aggraver ses charges ?

Il fronça les sourcils et hocha la tête.

— En fait, non, dit-il, je n'ai jamais pu le prouver. Et mon gars est tombé pour ça. Mais l'unité qui avait procédé à l'arrestation faisait partie de l'ICE ou l'Interagency Cartel Enforcement, un truc sous le contrôle de la DEA et commandé par un certain Jimmy Marco. Et c'est ce même mec qui est tombé sur Moya et l'a coincé. Alors, quand ce nom est apparu dans le dossier, je me suis dit qu'il y avait du vrai dans son affaire. Vous savez bien… c'était la deuxième fois que je tombais sur ce nom dans un dossier et j'ai pensé : *Y a pas de fumée sans feu.*

Je réfléchis un long moment pour remettre tout ça en ordre et comprendre les décisions de Fulgoni.

— Vous aviez donc le nom de Marco, mais il n'était entré dans la danse qu'après l'arrestation et la découverte de la cocaïne et du flingue par les flics du coin, dis-je en guise de résumé. Ce qui fait que si Marco était effectivement derrière tout ça, vous deviez, vous, essayer de comprendre comment il avait réussi à introduire l'arme dans la chambre pour que les flics du coin tombent dessus.

Il acquiesça d'un signe de tête.

— Exactement. Je suis donc allé voir Hector et je lui ai dit : « Et si c'était les flics du coin qui vous avaient collé le flingue dans la chambre ? Et s'il était déjà là, sous le matelas, parce que quelqu'un l'y avait mis un peu plus tôt ? Qui s'est trouvé dans cette chambre entre le moment où vous avez rempli les papiers à la réception et celui où l'arrestation a eu lieu ? » Quatre jours s'étaient écoulés dans l'intervalle et je lui ai demandé de me donner les noms de tous les gens qui étaient entrés dans cette chambre à ce moment-là.

— Gloria Dayton.

— Voilà, et on s'est concentrés sur elle. Mais elle n'était pas la seule à être entrée dans la pièce. Il y avait aussi eu au moins une autre pute, le frère d'Hector et deux ou trois autres associés. Heureusement, on n'a pas eu à vérifier les femmes de ménage parce que Hector avait laissé le panneau *Ne pas déranger* tout ce temps sur la porte. Et si on s'est concentrés sur Gloria, c'est parce qu'un copain m'a passé tous ces noms à l'ordinateur de la police et... *bingo !* elle s'était fait serrer la veille du jour où les flics ont fait tomber Hector.

Je hochai la tête. Le raisonnement se tenait. Moi aussi, je me serais concentré sur Gloria. Et je savais aussi ce que j'aurais fait ensuite.

— Comment avez-vous retrouvé Gloria ? Elle avait changé de nom. Elle avait déménagé, puis était revenue.

— Par Internet. Ces filles peuvent bien changer de nom et de lieu, ça n'a aucune importance. Ce genre de boulot se fonde sur le visuel. Sly Junior a retrouvé ses photos d'identité judiciaire lorsqu'elle s'était fait arrêter huit ans plus tôt pour possession de drogue et prostitution, est allé sur le Net et a regardé les trombines des nanas sur les sites d'escort. Elle avait changé de coiffure, mais c'était à peu près tout. Il a imprimé les clichés, les a apportés ici et Hector a confirmé.

J'en fus tout surpris. Sly Junior avait donc fait quelque chose qui avait permis d'avancer de manière significative dans l'affaire.

— Et après, bien sûr, vous avez dit à Junior de lui coller une citation à comparaître.

J'avais dit ça comme si cette mesure n'était que pure routine.

— Voilà, on lui en a collé une. On voulait qu'elle vienne faire une déclaration officielle.

— Et qui lui a donné la citation en mains propres ? Valenzuela ?

— Je ne sais pas. Quelqu'un que Sly Junior avait embauché.

Je me penchai au-dessus de la table et, mû par mon élan et un sentiment d'urgence, fis monter l'intensité en le bombardant de questions sans répit.

— A-t-elle été photographiée pour attester la remise du document ?

Il haussa les épaules comme s'il ne savait pas et s'en foutait.

— Alors ?

— Écoutez, je sais pas, dit-il. J'étais ici, moi, Haller. Qu'est-ce que ça a de si…

— S'il y a eu photo, je la veux. Dites-le à votre fils.

— Bon, d'accord.

— Quand lui avez-vous remis la citation ?

— Je ne connais pas la date. Un jour de l'année dernière. Évidemment, avant qu'elle se fasse buter par son mac.

Je me penchai encore plus en travers de la table.

— Combien de temps avant ?

— Environ une semaine, je crois.

J'abattis mon poing sur la table.

— Elle n'a pas été tuée par son mac ! C'est vous qui êtes responsable de sa mort ! m'écriai-je en le montrant du doigt. Vous et votre fils. Ils ont découvert l'existence de la citation à comparaître et rien ne leur garantissait qu'elle ne parle pas.

Il se mit à hocher la tête avant que j'aie fini.

— Et d'abord, c'est qui ce « ils » ? me demanda-t-il.

— Marco, l'équipe de l'ICE. Parce que vous croyez qu'ils auraient pris le risque que ça sorte au grand jour ? Surtout si coller des armes à feu à droite et à gauche est une de leurs pratiques habituelles. Pensez aux réputations, carrières et dossiers qui en auraient pris un coup. Vous ne pensez pas que ce soit un mobile suffisant pour tuer ? Vous croyez qu'ils n'auraient jamais pris le risque de flinguer une pute si ça pouvait sécuriser leur opération ?

Il leva une main pour m'arrêter.

— Écoutez, Haller, je ne suis pas con. Ces risques, je les connaissais. La demande de citation à comparaître a été faite sous le sceau du secret. Il est impossible que Marco en ait eu connaissance.

— Et donc, elle clapote une semaine plus tard et vous, quoi… ? Vous, vous vous dites que c'est son mac qui l'a butée et que tout ça n'est qu'une coïncidence ?

— J'ai cru ce qu'ont cru les flics et ce que mon fils m'a lu dans les journaux. Que son mac l'avait tuée et que nous avions raté l'occasion de faire en sorte qu'elle puisse aider Moya.

Je fis non de la tête.

— Arrêtez les conneries ! Vous saviez. Comment n'auriez-vous pas su que vous mettiez des trucs en branle ? Combien de jours avant sa déposition a-t-elle été tuée ?

— Je ne sais pas. Je n'ai pas comp…

— Mon cul, oui ! Vous saviez ! Combien de jours ?

— Quatre, mais ça n'a pas d'importance. C'était sous scellés. Il n'y avait qu'elle et nous qui savions.

Je hochai la tête.

— Ben voyons ! Il n'y avait qu'elle et vous qui saviez et qu'est-ce que vous croyiez… ? Qu'elle n'allait en parler à personne et que personne ne pourrait en parler à quelqu'un d'autre ? Ou qu'il était impossible qu'elle appelle Jimmy Marco, pour qui elle avait servi d'indic, et lui demande : « Qu'est-ce que je fais de ça ? »

Soudain je compris quelque chose qui me donna la réponse à l'une des questions que je me posais depuis que je me baladais avec la fausse citation à comparaître qu'on avait servie à Kendall Roberts. Je pointai le doigt sur la poitrine de Fulgoni.

— Je sais ce qui s'est passé, lui dis-je. Vous avez cru que Marco avait quelqu'un au greffe. Quelqu'un qui lui avait parlé de la demande de citation à comparaître déposée sous le sceau du secret. C'est pour ça que votre fils a concocté la fausse citation qu'il a demandé à Valenzuela de donner à Kendall Roberts en mains propres. Vous ne vouliez pas recommencer… vous ne vouliez pas être responsables de la mort de quelqu'un d'autre. Vous vouliez que Kendall Roberts vienne témoigner de façon que Junior puisse découvrir ce qu'elle savait sur Gloria et Marco, mais vous aviez peur qu'une vraie demande de citation à comparaître revienne aux oreilles de Marco, même déposée sous le sceau du secret.

— Vous ne savez pas de quoi vous parlez, Haller.

— Oh que si, je sais exactement de quoi je parle. D'une manière ou d'une autre, c'est votre citation à comparaître qui a tué Gloria. Et comme vous le saviez tous les deux, vous avez décidé de n'en parler à personne et de vous faire tout petits pendant qu'une pauvre couillonne se ferait descendre.

— Vous êtes complètement à côté de la plaque sur ce point.

— Vraiment ? Je ne pense pas. Pourquoi ces citations sont-elles parties cette semaine, hein ? La mienne et celle de Marco, et la bidon pour Kendall Roberts ? Pourquoi maintenant ?

— Parce que la demande de recours était partie presque six mois plus tôt. Il fallait qu'on se remue ou elle risquait d'être rejetée. Ça n'avait rien à voir avec Gloria ou…

304

— Un beau ramassis de conneries, tout ça ! Et vous savez quoi, Sly ? Vous et votre fils ne valez pas mieux que Marco et Lankford dans cette affaire.

Il se leva.

— Et d'un, je ne sais pas qui est ce Lankford. Et de deux, nous en avons terminé et vous pouvez oublier pour Moya. Il est à nous, pas à vous. Il n'est pas question que vous le voyiez.

Il se tourna et gagna la porte en traînant les pieds.

— Asseyez-vous, Sly. Nous n'en avons pas terminé, lui lançai-je. Si vous sortez d'ici, c'est le barreau de l'État qui vous tombera dessus. Oui, sur vous et sur Junior. Vous n'êtes plus avocat, Sly. C'est une usine à pétitions que vous faites fonctionner ici et vous filez des affaires à un gamin qui reste assis à ne rien faire dans un bureau avec un maillot des Dodgers sur le dos parce que le droit et lui, ça fait deux. Le barreau va le bouffer tout cru et l'éjecter comme il faut. C'est ça que vous voulez pour lui ? À qui filerez-vous des dossiers quand le fiston sera hors course ?

Il fit demi-tour et flanqua un coup de talon dans la porte pour alerter le gardien.

— Alors, qu'est-ce qu'on fait, Sly ? lui demandai-je.

Le gardien ouvrit la porte. Fulgoni le regarda brièvement, hésita, puis lui dit qu'il avait besoin de cinq minutes de plus. La porte se referma et Fulgoni se tourna vers moi.

— Vous avez menacé mon fils hier, mais je ne croyais vraiment pas que vous auriez les couilles de me menacer.

— Ce n'est pas une menace, Sly. Je vais vous réduire au silence, tous les deux.

— Vous êtes une vraie ordure, Haller.

J'acquiesçai.

— C'est vrai, je suis une ordure. Mais quand on a un innocent accusé de meurtre…

Il ne trouva rien à répondre.

— Rasseyez-vous, Sly, lui ordonnai-je. Et maintenant, vous allez me dire comment faire avec Hector Moya.

Chapitre 27

Il s'écoula vingt-cinq minutes entre mon rendez-vous avec Fulgoni et celui que j'avais prévu avec Moya, agrémentées de deux *boum !* supersoniques supplémentaires à vous faire trembler les dents. La porte s'ouvrant enfin, Moya entra lentement et calmement dans la pièce sans me lâcher des yeux. Il se déplaçait avec une grâce et une aisance qui faisaient mentir sa situation, allant même jusqu'à suggérer que les deux hommes qu'il avait derrière lui étaient ses valets personnels, et pas du tout des gardiens de prison. D'un orange particulièrement vif, sa combinaison de prisonnier avait des plis impeccables. Celle de Fulgoni avait pâli suite à des milliers de lavages et ses manches s'effilochaient.

Moya était plus grand et plus musclé que ce à quoi je m'attendais. Et plus jeune, aussi. Je lui donnai trente-cinq ans maximum. Il avait des épaules larges en haut d'un torse en V. Les manches de sa tenue moulaient ses biceps. Je me rendis compte que malgré le rôle que j'avais joué dans son affaire huit ans plus tôt, je ne l'avais jamais vu en chair et en os, ni même en photo dans un journal ou à la télé. L'image que je m'étais faite de lui était purement imaginaire. Je l'avais vu petit, rondouillard, vénal et cruel, bref, quelqu'un qui n'avait eu que ce qu'il méritait. Je ne m'attendais pas du tout à l'individu qui se tenait devant moi. Et c'était inquiétant : contrairement à Fulgoni, il n'était enchaîné ni aux chevilles ni à la taille. Il était donc tout aussi libre de ses mouvements que moi.

Il ne s'y trompa pas et, sentant tout de suite mon inquiétude, il régla le problème avant même de s'asseoir.

— Je suis ici depuis bien plus longtemps que Sylvestri, dit-il. C'est parce qu'on me fait confiance qu'on ne m'enchaîne pas comme une bête.

Il parlait avec un fort accent, mais était parfaitement compréhensible. J'acquiesçai prudemment de la tête, sans trop savoir si son explication n'était pas une sorte de menace en soi.

— Asseyez-vous donc, lui dis-je.

Il tira la chaise, s'assit, croisa les jambes, posa les mains sur les genoux et eut l'air tout aussi détendu que s'il voyait un avocat dans son étude.

— Vous savez, dit-il, il y a six mois de ça, j'avais dans l'idée de vous faire tuer d'une manière très douloureuse. Lorsque Sylvestri m'a dit le rôle que vous aviez joué dans mon affaire, j'étais très en colère. J'étais fâché et voulais votre mort, maître Haller. Et celle de Glory Days avec.

Je hochai la tête comme si sa situation m'inspirait de la sympathie.

— Eh bien mais, je suis heureux que rien de tel ne se soit produit, lui dis-je. Parce qu'à l'heure qu'il est, je suis toujours là et peux peut-être vous aider.

Ce fut à son tour de hocher la tête.

— Si je vous dis tout ça, c'est parce que seul un imbécile pourrait croire que je n'avais aucune raison de vous faire éliminer, vous et Gloria Dayton. Mais je ne l'ai pas fait. Si ç'avait été le cas, vous et elle auriez tout simplement disparu. Parce que c'est comme ça qu'on procède. Il n'y aurait donc plus d'affaire et de procès pour un innocent.

— Je comprends, dis-je. Maintenant, ça ne vous fait sans doute ni chaud ni froid, mais je dois aussi vous dire qu'il y a huit ans je ne faisais que mon travail et que ce travail consistait à faire de mon mieux pour une cliente.

— Aucune importance. Vos lois. Votre code. Un indic est un indic et chez moi, ils disparaissent. Des fois avec leurs avocats.

Et il me dévisagea froidement avec les yeux les plus sombres que je pense avoir jamais vus en dehors de ceux de mon demi-frère. Puis il me lâcha du regard et sa voix changea du tout au tout lorsqu'il en vint aux affaires du jour, son ton passant de la menace directe à la coopération entre collègues.

— Alors, maître Haller, de quoi devons-nous discuter aujourd'hui ?

— De l'arme qui a été trouvée dans votre chambre d'hôtel quand vous avez été arrêté.

— Elle n'était pas à moi. Je le dis depuis le début. Mais personne ne m'a jamais cru.

— Oui, mais moi, je n'étais pas dans la course au début... enfin, pas de votre côté. Cela dit, je suis assez sûr de vous croire maintenant.

— Et vous allez faire quelque chose pour que ça change ?

— Je vais essayer.

— Comprenez-vous ce qui est en jeu ?

— Je comprends que les gens qui vous ont fait ça ne reculeront devant rien pour que leurs crimes restent secrets… parce que je suis aussi assez sûr que vous n'êtes pas le seul à qui ils ont fait ça. Ils ont déjà tué Gloria Dayton. Nous devons donc faire preuve de la plus grande prudence jusqu'au moment où nous pourrons tout dévoiler à des jurés. Dès que nous en serons à ce stade, ils auront plus de mal à se cacher derrière leurs badges et sous le couvert de la nuit. Il faudra qu'ils sortent du bois et répondent à nos questions.

Il acquiesça d'un signe de tête.

— Cette Gloria… Elle comptait pour vous ?

— Pendant un moment, oui. Mais ce qui m'importe aujourd'hui, c'est que j'ai un client incarcéré à la prison du comté parce qu'on l'accuse de l'avoir tuée alors qu'il ne l'a pas fait. Il faut que je le sorte de là et pour ça, j'ai besoin de votre aide. Et si vous m'aidez, il est certain que je vous aiderai. Ça vous va ?

— Ça me va. J'ai des gens qui peuvent vous protéger.

Je hochai la tête. Je m'étais bien dit que c'était une offre qu'il pourrait me faire, mais ce n'était pas le genre de protection qui m'intéressait.

— Je crois que ça ira, lui dis-je. J'ai des gens à moi, mais je vais vous dire… J'ai un client à la section rose du pénitencier de Men's Central de Los Angeles. Vous pourriez trouver quelqu'un qui veille sur lui ? Il est tout seul et je crains qu'ils s'aperçoivent qu'on va droit vers un procès où pas mal de ces secrets vont être révélés. Et ils comprendront tout de suite que la meilleure façon de l'éviter sera de ne pas aller au procès.

— Pas de client, pas de procès, dit-il en inclinant la tête.

— Vous avez tout compris.

— Je vais donc voir à ce qu'il soit protégé.

— Merci. Et pendant que vous y êtes, moi, à votre place, je doublerais les mesures de protection que vous avez mises en place pour vous ici même.

— Ça aussi, ce sera fait.

— Bien. Et maintenant, parlons de cette arme.

Je remontai quelques pages en arrière dans les notes que j'avais prises en marge des minutes du procès, me rafraîchis la mémoire et dit à Moya :

— O.K., à votre procès, le flic du LAPD a déclaré être entré dans votre chambre, vous avoir arrêté et, après seulement, avoir découvert l'arme. Étiez-vous toujours dans la pièce lorsqu'il l'a trouvée ou vous en avait-on déjà sorti ?

Il hocha la tête comme pour me dire que cette question-là, il pouvait y répondre.

— C'était une suite de deux pièces. Ils m'ont d'abord menotté et fait asseoir dans le salon. Un type est resté debout avec une arme pour me surveiller pendant que les autres commençaient à fouiller la pièce. Ils ont trouvé la cocaïne dans un tiroir de la chambre. Après, ils ont dit qu'ils avaient trouvé l'arme. Le type est sorti de la pièce, me l'a montrée dans un sachet en plastique et je lui ai dit qu'elle n'était pas à moi. Et lui m'a dit : « Maintenant, si. »

Je portai quelques notes dans mon bloc et repris la parole sans lever le nez.

— Et c'est l'officier du LAPD qui a témoigné au tribunal ? Un officier du nom de Robert Ramos ?

— C'était lui.

— Vous êtes sûr qu'il a dit : « Maintenant, si » quand vous lui avez dit qu'elle n'était pas à vous ?

— C'est ce qu'il a dit.

Cette note-là était bonne à prendre. C'était du ouï-dire et, en tant que telle, elle ne pourrait peut-être même pas être acceptée comme élément de preuve dans un procès, mais si Moya disait la vérité – et je le pensais –, cela signifiait que Ramos pouvait, lui, savoir si l'arme avait été mise dans la pièce. Qui sait si on ne lui avait pas conseillé d'aller voir sous le matelas ?

— Aucune vidéo de la fouille n'a été présentée à votre procès. Vous rappelez-vous avoir vu quelqu'un avec une caméra vidéo ?

— Oui, ils m'ont filmé. Et ils ont fait une vidéo de toute la pièce. Ils m'ont humilié. Ils m'ont obligé à me déshabiller pour la fouille. Et le type à la vidéo était là.

Cela éveilla ma curiosité. Ils avaient un enregistrement vidéo, mais ne s'en étaient pas servis au procès ? Pourquoi ? Qu'y avait-il dans cet enregistrement qui en faisait quelque chose de risqué à montrer à des jurés ? L'humiliation d'Hector Moya ? Peut-être. Mais ça pouvait très bien être autre chose.

Je pris une nouvelle note et passai à la question suivante.

— Êtes-vous déjà allé à Nogales, Arizona ?

— Non, jamais.

— Vous êtes sûr ? Jamais, jamais ?

— Jamais.

À s'en tenir à son témoignage devant la cour, Marco avait reçu un rapport de l'ATF sur l'origine de l'arme. Il se serait agi d'un Guardian calibre 25 fabriqué par la

312

North American Arms. Il aurait été acheté au Colorado par un certain Budwin Dell, qui l'aurait revendu à la foire aux armes de Nogales cinq semaines avant qu'on le trouve dans la chambre de Moya. N'étant pas un marchand d'armes avec licence fédérale, ce Dell aurait été autorisé à le vendre sans délai ni enquête sur le passé du client. Et pour une vente en liquide, il n'aurait eu pour seule obligation que celle de prouver son identité. Un agent de l'ATF détaché à l'ICE avait alors été envoyé à Littleton, Colorado, pour l'interroger et lui montrer une photo de tapissage. Dell y avait désigné Hector Moya comme étant le client qui lui avait acheté l'arme à Nogales. Son livre de comptes montrait que la vente avait été faite à un certain Reynaldo Sante, son nom se trouvant comme par hasard dans les innombrables faux papiers découverts dans la chambre où Moya avait été arrêté.

Témoin clé à ce procès, Dell avait ainsi relié Moya à l'arme et aux papiers d'identité retrouvés en sa possession. Que Moya ait alors prétendu que l'arme et ces papiers y avaient été mis par la police avait dû paraître complètement invraisemblable aux jurés.

Mais maintenant, en sachant que Glory Days et Trina Trixxx étaient des indics au service de l'agent de la DEA à la tête de l'ICE-T, l'idée ne me paraissait plus du tout invraisemblable.

— Hector, repris-je, il faut que vous me disiez la vérité sur un point précis. Ne mentez pas parce que, à mon avis, la vérité pourrait effectivement vous servir.

— Allez-y.

— Les faux papiers d'identité au nom de Reynaldo Sante… Au procès, vous avez dit que l'arme et ces papiers avaient été mis dans votre chambre par les flics. Mais ce n'est pas vrai, n'est-ce pas?

Il réfléchit un peu avant de répondre et commença par hocher la tête.

— Les papiers étaient à moi, mais pas l'arme.

À mon tour de hocher la tête. C'était bien ce que je pensais.

— Et vous vous étiez servi de cette identité lors de précédents voyages à L.A., c'est ça?

— Oui.

— Et lors de ces voyages, quand vous preniez des chambres d'hôtel sous le nom de Reynaldo Sante, vous y retrouviez aussi Glory Days et Trina Trixxx?

— Oui.

Je notai tout ça. L'adrénaline s'était mise à monter dans mes veines. Je commençais à y voir clairement le moyen de prendre et l'affaire de La Cosse et celle de Moya. Je n'allais pas tarder à découvrir quelque chose.

— O.K., dis-je. Jusque-là, tout va bien. Je pense qu'on peut arriver à quelque chose.

— Que voulez-vous savoir d'autre?

— Rien pour l'instant. Mais je reviendrai vous voir. Aujourd'hui, ce que je voulais surtout, c'était m'assurer de votre coopération et savoir que nous pourrions travailler ensemble. Je vais avoir besoin de votre témoignage au procès de mon autre client. Ce faisant, nous établirons une pièce qui viendra appuyer votre demande de recours en *habeas corpus*. Cette affaire aidera l'autre. Vous comprenez?

— Je comprends.

— Et témoigner au procès ne vous pose pas de problèmes? Vos « amis » comprendront ce que vous faites?

— Je leur ferai comprendre.

— Alors, tout va bien. La dernière chose que je tiens à faire, c'est vous donner un petit conseil sur Sylvester Fulgoni.

— Sylvestri, oui.

— D'accord, Sylvestri. Ç'a été un très bon avocat, mais ce n'est plus le cas aujourd'hui. Il faut donc ne pas oublier que tout ce que vous lui dites n'est pas protégé comme ce que vous me dites à moi. Faites attention à ce que vous lui racontez. Compris ? Soyez prudent.

Il fit oui de la tête.

— Bon et à ce propos... pour que tout soit légal entre nous, il faut que vous me signiez un papier qui m'autorise à vous représenter.

J'avais le document dans la poche, prêt, bien plié dans la longueur. Je le lui glissai en travers de la table avec un stylo et il le signa.

— O.K., je crois qu'on en a terminé pour aujourd'hui, lui dis-je. Ne prenez pas de risques, Hector.

— Et vous non plus, Miguel.

Chapitre 28

De retour à la Lincoln, je demandai à Earl s'il pouvait nous ramener en ville.

— Comment ça s'est passé, patron ? me demanda-t-il.

— Tu sais quoi, Earl ? J'ai vu des tas de gens différents dans des tas de prisons différentes, mais je ne crois pas être jamais aussi bien tombé.

— C'est bon, ça.

— Ouais, c'est vraiment bon.

J'ouvris le répertoire de mon portable et descendis jusqu'aux *V*. Je n'avais peut-être plus Valenzuela en numérotation abrégée, mais je savais que j'avais encore son numéro. J'appelai en me demandant s'il répondrait en voyant mon nom à l'écran. J'allais raccrocher avant que mon appel n'atterrisse dans sa messagerie lorsque enfin il décrocha.

— Salut, Mick, ne me dis pas que tu m'appelles parce que t'as tout le boulot que tu m'avais promis.

— En fait, je me suis dit que tu devrais savoir que je me suis mis avec Fulgoni et que tout donne donc à penser qu'on va effectivement se remettre à bosser ensemble.

— Si c'est pas une honte ! Mais je le croirai quand je l'entendrai de la bouche même de Fulgoni, pas de la tienne.

— Pas de problème. Appelle-le. Mais j'ai besoin que tu me fasses quelque chose tout de suite.

— Ben tiens, évidemment ! Mais pas question que je tombe dans tes pièges à la con ce coup-ci. D'abord, j'appelle Fulgoni et s'il me dit que c'est bon, alors je verrai.

— Tu fais absolument comme tu veux, Val. Mais j'ai besoin que tu m'envoies la photo que tu as prise de Giselle Dallinger quand tu lui as donné sa citation en mains propres en novembre. Et si je ne la reçois pas dans les dix minutes, t'es viré.

— On verra ce qu'en dit Sly.

— Sly et son vieux travaillent pour moi. Et pas l'inverse. Il te reste neuf minutes.

Je raccrochai. Il y avait toujours quelque chose qui m'énervait chez lui. Il faisait toujours comme s'il savait des trucs que j'ignorais, comme s'il me tenait d'une manière ou d'une autre.

— C'est vrai ? me demanda Earl derrière son volant. Vous vous mettez avec Fulgoni ?

— Seulement pour une affaire. Je ne pourrais pas en supporter davantage avec ces types.

Il acquiesça.

Je regardai dehors et m'aperçus qu'il nous avait ramenés à la 15, direction sud. Il y avait peu de voitures, j'eus l'espoir d'arriver à Los Angeles avant les embouteillages de l'après-midi. Cela me permettrait de ne pas perdre l'élan que m'avait donné cette visite à la prison.

Je rappelai Cisco pour réorienter ses tâches.

— J'ai besoin que tu ailles faire un tour dans le Colorado, lui dis-je.

— Pour y trouver… ?

— Un certain Budwin Dell. Il a témoigné contre Moya à son procès. C'est un vendeur d'armes sans licence. Il est originaire de Littleton et a déclaré lui avoir vendu son arme lors d'un salon à Nogales. Je pense qu'il a menti. Et je crois que c'est un type de l'ICE qui l'y a poussé. L'ATF devait le tenir pour une raison ou pour une autre. Je veux que tu ailles lui parler et que tu voies s'il tiendra bon lorsque je le ferai venir à la barre.

— Je bosse déjà sur cinq trucs différents, Mick. Tu veux vraiment que je laisse tout tomber et que je prenne l'avion ?

Il arrive que l'élan vous fasse aller trop vite en besogne. La remarque de Cisco était judicieuse.

— Non, je veux simplement que tu y ailles quand ce sera le moment. Mais je pense que ce type sera un témoin clé.

— D'accord. J'y vais avant la fin de la semaine. Mais faut d'abord que je voie s'il est là. S'il suit les salons, il pourrait être absolument n'importe où. Ces trucs-là font fureur depuis quelque temps.

— Bien vu. Je te laisse décider. Tu sauras quoi faire.

— Et t'as trouvé autre chose, là-haut ?

— Sly Fulgoni Junior a cité Gloria à comparaître une semaine avant qu'on la tue. Pour moi, c'est ce qui a déclenché tout le bazar. Ils l'ont tuée avant qu'elle puisse parler.

Il poussa un sifflement. Il le faisait chaque fois qu'une pièce du puzzle se mettait en place.

— Il n'y avait pas de citation chez elle. J'ai examiné le relevé de ses biens, dit-il.

— Parce qu'ils l'ont volée. C'est pour ça qu'elle a été tuée chez elle. Ils devaient absolument trouver le document pour que les flics du coin ne se mettent pas à poser des questions.

— Comment ont-ils su qu'elle en avait une?

— Fulgoni ayant déposé sa demande sous le sceau du secret, je pense que Gloria en a parlé à quelqu'un qu'il ne fallait pas.

— Marco?

— C'est ce que je me dis. Mais deviner ne suffit pas. Je veux que ce soit établi.

— Relevés de téléphone?

— S'il y en a. La Cosse m'a dit qu'ils se servaient de jetables et qu'ils en changeaient tout le temps.

— Je vois ce que je peux trouver. Tu pourrais avoir à demander les relevés de téléphone de Marco à un juge et on essaiera de trouver les numéros de jetables correspondant à ceux de Gloria.

— Ça sera un combat au finish.

— Qu'est-ce que t'as récolté d'autre là-haut, Mick? Ça m'a tout l'air d'une franche réussite, ce petit voyage.

— Oui, j'ai l'impression de tenir l'affaire. On a juste besoin de coincer ce Budwin Dell et de trouver quelques trucs en plus…

Ainsi poussé à réfléchir à la bataille qui s'ensuivrait si je demandais à voir les relevés téléphoniques de Marco, je fus soudain frappé de voir sur quel terrain le vrai combat avait toutes les chances de se dérouler.

— Tout sera affaire de citations à comparaître, repris-je. Parce que faire venir ces types au tribunal… Dell, Marco, Lankford… aucun d'entre eux n'a envie de témoigner de son propre chef. Les agences de maintien de l'ordre auxquelles ils appartiennent se battront becs et ongles. Les Fédéraux iront même jusqu'à s'opposer à ce que je fasse venir Moya à la barre. Ils invoqueront des histoires de sécurité de la ville, de coûts à régler par le contribuable, tout et n'importe quoi pour empêcher qu'il soit ramené à Los Angeles pour témoigner.

— Ils pourraient avoir raison pour la sécurité publique, me fit remarquer Cisco. Déplacer un mec des cartels ? Ça pourrait même être tout le plan de Moya : qu'on le transfère de façon que ses mecs puissent essayer de le libérer. Y en a des kilomètres entre Los Angeles et Victorville !

Je repensai à Moya et à la conversation que nous venions d'avoir.

— Possible, lui concédai-je. Mais quelque chose me dit que ce ne sera pas le cas. Il veut sortir par la grande porte. Et s'il remporte son *habeas*, il y a des chances pour qu'il soit tout de suite libre vu ce qu'il s'est déjà tapé de prison. Soit huit ans et des poussières. La seule chose qui l'y retient encore est son aggravation de peine pour possession d'arme.

— Bon, mais quoi qu'il en soit, tu vas avoir besoin d'un juge plutôt costaud. De quelqu'un qui ne se laisse pas intimider.

C'était vrai. Beaucoup de juges n'étaient plus que des façades pour l'État. Mais même les autres auraient bien du mal à me laisser leur soumettre le système de défense que j'envisageais. La vraie bataille se jouerait lors des audiences qui se tiendraient avant même qu'un seul juré ne s'assoie sur sa chaise. À moins que je ne trouve une autre stratégie pour obliger mes témoins à comparaître.

Je décidai de ne plus y penser pour l'instant.

— Et toi, comment tu te débrouilles ? lui demandai-je.

— Je ne suis pas très loin de relier Lankford à Marco.

La nouvelle était bonne.

— Raconte.

— C'est encore un peu confus, mais donne-moi encore un jour et… Ça repose sur une histoire de double meurtre à Glendale. Une arnaque à la drogue qui a mal fini il y a dix ans de ça. J'attends les archives… vu que c'est un *cold case*, je n'aurai aucun mal à les avoir.

— Tu me dis dès que tu sais. As-tu eu des nouvelles de Bullocks ?

— Non, pas aujourd'hui.

— Elle…

— Hé, patron ! s'écria Earl sur le siège avant.

Je regardai ses yeux dans le rétro. Ils ne me regardaient pas. Ils fixaient quelque chose derrière nous. Quelque chose qui le terrorisait.

— Mais c'est qu…

L'impact fut violent et bruyant lorsque quelque chose qui semblait avoir la force d'un train en marche nous rentra dedans par l'arrière. J'avais mis ma ceinture, mais mon corps n'en fut pas moins projeté dans l'abattant fixé à l'arrière du siège devant moi, puis écrasé contre la portière lorsque la Lincoln commença à glisser sur la droite. En me battant contre la force centrifuge de la glissade, je réussis à relever suffisamment la tête pour regarder par-dessus le rebord droit de la portière. Et voir la rambarde de sécurité un millième de seconde avant que nous la prenions de plein fouet, notre élan nous faisant passer par-dessus.

La voiture se mit à faire des tonneaux en descendant un talus en béton, le vacarme de l'acier qui se froisse et du verre qui vole en éclats me vrillant dans la tête tandis qu'elle roulait une fois sur elle-même, puis deux, puis trois. Je fus secoué comme une poupée de chiffon jusqu'à ce qu'enfin elle s'arrête dans un hurlement de métal, sur le toit et à 45 degrés par rapport à la route.

Je ne sais pas combien de temps je restai K.-O., mais en rouvrant les yeux, je m'aperçus que j'étais suspendu tête en bas par ma ceinture de sécurité. Un vieil homme se tenait à quatre pattes près de la portière droite et me regardait par la vitre cassée.

— Monsieur… ? Ça va ? me demanda-t-il. Méchant, ce truc.

Je ne répondis pas. Je portai la main à ma ceinture et appuyai sur le mécanisme d'ouverture sans réfléchir. Je m'écrasai aussitôt sur le plafond de la voiture, m'enchâssai des éclats de verre dans la joue et me fis encore plus mal sur tout le corps.

Je grognai, essayai de me relever lentement et regardai le siège avant pour prendre des nouvelles d'Earl.

— Earl… ?

Il avait disparu.

— Monsieur… ? Vaudrait mieux que je vous sorte de là, reprit le vieil homme. Ça sent l'essence. Je crois que le réservoir est crevé.

Je me tournai vers ce type qui jouait les sauveurs.

— Où est Earl ? lui demandai-je.

Il hocha la tête.

— C'est votre chauffeur ?

— Oui. Où est-il ?

Je tendis la main pour m'ôter un éclat de verre de la joue. Je sentis le sang sur mes doigts.

— Il s'est fait éjecter, me répondit le vieil homme. Il est étendu là-bas. Il a l'air mal en point. Je ne pense pas qu'il… enfin, les infirmiers vous diront ça mieux que moi. Je les ai appelés. J'ai fait le 911 et ils arrivent.

Sur quoi, il me regarda et hocha la tête.

— Merci, lui dis-je.

— Là… permettez que je vous aide. Ce truc pourrait prendre feu.

Ce ne fut qu'au moment où je rampai hors de la voiture et, une main sur l'épaule de mon sauveteur, me remettais difficilement debout que je vis Earl étendu face contre terre sur le talus au-dessus de la Lincoln. Du sang coulait le long du béton en un flot épais qui lui partait du cou et de la face.

— Vous avez eu de la chance, me dit le vieil homme.

— C'est ça. Mister Lucky, c'est moi, dis-je.

J'ôtai ma main de son épaule, me penchai en avant jusqu'à ce que mes doigts touchent le sol et remontai jusqu'à Earl. Je sus tout de suite qu'il était mort. Il avait dû être projeté hors de la voiture, celle-ci lui roulant dessus juste après. Il avait le crâne en bouillie et le visage tellement déformé qu'il en était affreux à voir.

Je m'assis sur le béton à côté de lui et me détournai. Je vis mon sauveteur me regarder, l'air horrifié. Je savais que j'avais le nez cassé et que du sang coulait des deux côtés de ma bouche. Je me dis que je devais être tout aussi affreux à voir.

— Vous avez vu ce qui s'est passé ? lui demandai-je.

— Oui. C'est une dépanneuse rouge. Elle vous est rentrée dedans comme si vous étiez même pas là et elle a continué sa route.

J'acquiesçai et baissai la tête. Earl avait la main tendue, paume sur le béton ensanglanté. Je la couvris avec la mienne.

— Je suis navré, Earl, murmurai-je.

TROISIÈME PARTIE

L'homme au chapeau

Lundi 17 juin

Chapitre 29

L'accusation mit huit jours à présenter son dossier contre Andre La Cosse, sa prestation se terminant fort stratégiquement un vendredi de façon que les jurés aient tout le week-end pour l'étudier avant que la défense puisse placer un seul mot. Bill Forsythe, l'adjoint au district attorney, s'était montré très professionnel dans son travail. Rien de spectaculaire, rien qui dépassât les bornes. Il avait bâti son affaire autour de l'interrogatoire vidéo de l'accusé et tenté de le relier solidement aux éléments de preuve récoltés sur la scène de crime. Dans l'enregistrement, La Cosse disait avoir attrapé Gloria Dayton par le cou au cours de leur bagarre. Forsythe avait aussitôt appelé le légiste qui avait alors déclaré que l'os hyoïde de la victime présentait une fracture. Cette manière de relier les choses entre elles était au cœur même de son système, les autres aspects, tels les témoignages et les éléments de preuve, en découlant telles les vagues concentriques qui se forment lorsqu'on jette une pierre dans l'eau d'un lac.

Oui, le juge Leggoe avait accepté l'introduction de la vidéo accablante en rejetant ma demande de n'en rien faire un jour avant que ne commence la sélection des jurés, son seul et unique commentaire étant que la défense n'avait pas réussi à établir que la police avait fait preuve de coercition et s'était en quelque manière que ce soit montrée de mauvaise foi pendant l'interrogatoire. Cet arrêt n'étant pas totalement inattendu, j'avais aussitôt choisi de le prendre du bon côté ; j'étais maintenant sûr d'avoir le premier motif d'appel si jamais le verdict devait tourner au désavantage de mon client.

Grâce à cet enregistrement, Forsythe avait donné aux jurés et le mobile et la faisabilité même du crime en se servant des mots mêmes de la défense pour y parvenir. J'avais déjà découvert dans nombre de procès auxquels j'avais pris part pour la défense au cours de mes presque vingt-cinq ans de carrière qu'il n'est rien de plus difficile que de défaire les dommages infligés à l'accusé suite à ce que son conseil a lui-même déclaré. Et c'était bien ce qui s'était passé. Les jurés ont toujours envie d'entendre la version de l'accusé, que ce soit dans les témoignages et les enregistrements vidéo ou audio. C'est en interprétant d'instinct leur voix et leur physique que nous nous formons un jugement sur les gens. Il n'y a rien de mieux pour y arriver. Ni les empreintes digitales, ni l'ADN, ni le doigt que pointe le témoin oculaire n'y parviennent aussi bien.

Forsythe ne me posa qu'un seul piège, mais il fut des meilleurs. Son témoin fut une énième escort dont La Cosse avait assuré la gestion et la promotion sur le Net. L'accusation prétendit qu'il ne s'était présenté à elle que la veille, après avoir découvert l'existence de ce procès en lisant les journaux. J'avais demandé qu'on ne l'autorise pas à témoigner en accusant le procureur de l'avoir coincé, en vain. Leggoe m'avait fait comprendre qu'évoquer des forfaits de même nature était parfaitement admissible et avait autorisé Forsythe à amener son témoin à la barre.

Tout petit homme, Brian « Brandi » Goodrich ne faisait pas plus de un mètre soixante. Il portait un jean étroit et délavé, et un polo lavande. Travesti de son état, il déclara avoir été employé comme escort par Andre La Cosse. Il affirma aussi que celui-ci l'aurait étranglé jusqu'à ce qu'il en perde connaissance parce qu'il croyait qu'il lui cachait des gains. Lorsque enfin il était revenu à lui, il avait découvert qu'il était menotté à un poteau qui montait jusqu'au plafond dans son living et que sans pouvoir rien y faire il avait vu La Cosse lui saccager son appartement dans l'espoir d'y trouver le liquide qui manquait. Tout cela avec les pitreries habituelles à la barre. Ainsi avait-il, les larmes aux yeux, raconté avoir craint pour sa vie et s'estimer heureux de ne pas y être passé.

Assis à la table de la défense, je m'étais penché vers Andre et avait souri et hoché la tête, comme si le témoin n'était rien de plus qu'un enquiquineur et ne valait même pas la peine qu'on le prenne au sérieux. Mais ce que j'avais murmuré à l'oreille de mon client était loin d'être aussi léger.

— Je veux savoir, et tout de suite, si ça a bien eu lieu. Et ne me laissez pas le cul dans l'eau avec un mensonge, d'accord ?

Il avait hésité, puis s'était approché pour me chuchoter :

— Il exagère. Je l'ai menotté au poteau de strip-tease qu'il avait dans son living pour pouvoir fouiller sa baraque. Je ne l'ai certainement pas étranglé jusqu'à ce qu'il en perde connaissance. Je l'ai attrapé une fois par le cou pour qu'il me regarde et réponde à mes questions. Il n'est jamais tombé dans les pommes et ça n'a même pas laissé de marques. Même qu'il a bossé ce soir-là.

— Il ne vous a pas lâché et n'est pas allé bosser pour un autre ?

— Il ne m'a largué que six mois après. Seulement après avoir retrouvé un vieux protecteur.

Je me redressai et attendis que Forsythe ait terminé son interrogatoire. Quand ce fut mon tour d'interroger le témoin, je commençai par lui poser quelques questions qui, je l'espérais, rappelleraient aux jurés que Brandi était un prostitué et qu'il n'était jamais allé rapporter aux flics cette prétendue expérience d'avoir frôlé la mort.

— À quel hôpital vous êtes-vous rendu pour vous faire examiner le cou ? lui demandai-je.

— Je ne suis pas allé à l'hôpital.

— Je vois. Ce qui fait que l'os hyoïde de votre cou n'a pas été brisé comme celui de la victime dans cette affaire, si ?

— Je ne connais pas précisément les blessures de cette affaire.

— Bien sûr que non. Mais vous dites avoir été étranglé par l'accusé jusqu'à perdre connaissance et n'être ni allé voir la police ni avoir cherché à vous faire soigner.

— J'étais juste content d'être encore en vie.

— Et de pouvoir encore travailler, c'est bien ça ?

— Je ne comprends pas la question.

330

— Vous avez retravaillé comme escort dès le soir même, juste après avoir prétendument lutté pour rester en vie, non ?

— Je ne me rappelle pas.

— Si je vous montrais le livre de comptes où M. La Cosse reportait vos rendez-vous en qualité de prostitué, cela vous aiderait-il à vous en souvenir ?

— Si j'ai travaillé ce soir-là, c'est seulement parce qu'il m'y a contraint sous la menace.

— O.K., revenons à ce prétendu incident. L'accusé s'est-il servi de ses deux mains ou d'une seule ?

— Des deux.

— Et l'adulte que vous êtes ne s'est pas défendu ?

— J'ai essayé, mais il est bien plus fort que moi.

— Vous dites vous être retrouvé menotté à un poteau en revenant à vous. Où étiez-vous lorsqu'il vous a prétendument étranglé jusqu'à votre perte de connaissance ?

— Il m'a attrapé par-derrière dès que je l'ai laissé entrer dans l'appartement.

— Il vous a donc étranglé par-derrière ?

— Oui, en quelque sorte.

— Comment ça « en quelque sorte » ?

— Il m'a passé le bras autour du cou par-derrière et a serré. Alors, j'ai essayé de me battre parce que j'ai cru qu'il allait me tuer. Mais je suis tombé dans les pommes.

— Alors, pourquoi venez-vous de déclarer qu'il s'était servi de ses deux mains pour vous étrangler ?

— Ben, parce que c'est ce qui s'est passé. Il s'est servi de ses mains et de ses bras.

Je laissai ces dernières paroles planer quelques instants dans la salle pour que les jurés puissent se faire une idée. Je pensais lui avoir cabossé sa crédibilité en plusieurs endroits. Je décidai de passer à autre chose. J'avais de l'avance, je tentai un coup à l'aveugle. Le risque était calculé, mais je travaille souvent en me disant que celui qui témoigne volontairement exige en général quelque chose en retour. Dans le cas présent, il était assez clair que Goodrich voulait se venger, mais j'avais l'impression qu'il n'y avait pas que ça.

— Monsieur Goodrich, êtes-vous actuellement poursuivi pour quelque délit, forfait ou crime que ce soit ?

Son regard se porta un très bref instant vers la table de l'accusation.

— Dans le comté de Los Angeles ? Non.

— Et dans un autre comté, monsieur Goodrich ?

À contrecœur, il avoua alors être accusé de racolage dans le comté d'Orange, mais nia témoigner en échange d'une aide quelconque de ce côté-là.

— Je n'ai plus de questions à vous poser, lui assénai-je alors d'une voix dégoulinante de mépris.

Forsythe tenta de nettoyer un peu derrière lui en contre et martela encore et encore jusqu'à ce que ça rentre qu'il n'avait fait aucune offre ou promesse d'aide à Goodrich pour son problème dans le comté d'Orange.

Goodrich fut alors autorisé à quitter la barre. Je songeai que j'avais flanqué quelques bons coups de poing là où il fallait mais, malgré tout, les dégâts étaient là. Grâce à ce témoin, l'accusation avait ajouté un cas de forfait similaire à son très solide système prouvant et le mobile et la faisabilité du crime de La Cosse. Forsythe en avait fini et conclut à 16 heures ce vendredi-là, me garantissant ainsi tout un week-end de sommeil agité et de préparation dans la panique.

Et maintenant, c'était lundi et ce serait bientôt mon tour de me battre devant les jurés. La tâche était claire. Il allait falloir défaire tout ce qu'avait établi Forsythe. Changer ce que pensaient les douze jurés. Dans mes procès antérieurs, mon but se résumait à n'en faire changer d'avis qu'un seul. Dans les trois quarts des cas, parvenir à bloquer un jury est tout aussi bon qu'obtenir un verdict non coupable. Alors, le district attorney choisit souvent de ne pas faire appel et se montre plus coulant pour un arrangement à l'amiable. L'affaire a tout du chien malade et mieux vaut y mettre fin le plus rapidement et gentiment possible. Dans les tranchées de la défense, il s'agit bien d'une victoire. Mais là, non. Rien de tel n'était possible avec le dossier Andre La Cosse. J'étais persuadé que mon client avait fait des tas de choses, mais qu'il n'avait rien d'un assassin. J'étais sûr et certain qu'il était innocent des charges retenues contre lui et qu'il fallait seulement que les douze jurés me sourient le jour du verdict.

Je m'assis à la table de la défense et attendis que les gardes m'amènent La Cosse du pénitencier de Men's Central. Ceux d'entre nous qui se trouvaient au prétoire avaient déjà été avertis que le car qui le transportait avait pris du retard à cause de la circulation. Dès qu'il arriverait, le juge sortirait de son cabinet et la défense pourrait se lancer.

Je passai le temps à étudier une pleine page de notes que j'avais prises pour ma déclaration préliminaire. J'avais décliné la possibilité de la faire au début du procès et choisi de la présenter aux jurés juste avant d'attaquer. C'est souvent une manœuvre risquée, les jurés pouvant alors être privés, et pendant plusieurs jours, de tout type d'argument allant à l'encontre des théories de l'accusation et de sa façon de présenter ses éléments de preuve.

Forsythe avait fait la sienne douze jours plus tôt. Il s'était écoulé tellement de temps depuis qu'on aurait pu croire que sa version des faits était déjà profondément, voire irrémédiablement ancrée dans la tête des jurés. Cela dit, je sentais qu'ils ne pouvaient pas ne pas mourir d'envie d'entendre enfin quelque chose de la défense et de voir comment elle allait répondre à Forsythe avec sa vidéo et ses éléments de preuve physiques et scientifiques. Tout ça, ils allaient commencer à l'avoir le jour même.

Enfin, à 9 h 40, La Cosse fut introduit dans la salle d'audience par la porte donnant sur les cellules de détention. Je me tournai et regardai les gardes l'amener à la table de la défense, lui ôter ses chaînes ventrales et le faire asseoir à côté de moi. Il portait le deuxième costume que je lui avais acheté. Je voulais qu'il n'ait pas le même air que la semaine précédente, au moment où la défense avait démarré. Ces deux costumes avaient été acquis pour le prix d'un au *Men's Wearhouse*. C'était Lorna qui les avait achetés après que nous avions cherché dans la garde-robe de La Cosse et n'y avions rien trouvé qui corresponde à l'aspect homme d'affaires que je voulais qu'il présente aux jurés. Malheureusement, ces deux nouveaux costumes ne faisaient pas grand-chose pour masquer le déclin physique qui le frappait déjà. Il avait tout du malade arrivé au dernier stade d'un cancer en phase terminale. Personne ne s'était soucié de le voir perdre du poids pendant ses six mois et quelques d'incarcération. Il était maigre, il avait les bras et le cou couverts d'éruptions dues au détergent industriel utilisé à la laverie de la prison et la façon dont il se tenait à la table de la défense lui donnait l'air d'un vieillard. Je devais constamment lui dire de se redresser parce que les jurés l'observaient.

— Ça va, Andre ? lui demandai-je dès qu'il s'assit.

— Oui, murmura-t-il. Les week-ends sont longs là-bas.

— Je sais. On vous donne encore des trucs pour vos maux d'estomac ?

— On m'en donne, oui, et je les avale, mais je ne sais pas si ça fait quelque chose. J'ai toujours l'impression d'avoir le ventre en feu.

— Eh bien, espérons que vous ne serez plus longtemps là-bas et qu'on pourra vous trouver un hôpital de première qualité dès que vous sortirez.

Il hocha la tête d'une façon indiquant clairement qu'il ne croyait pas vraiment pouvoir un jour être libre de chaînes et laisser la prison derrière lui. C'est ce que les incarcérations de longue durée entraînent chez tout individu – elles détruisent tout espoir en lui. Même quand il est innocent.

— Et vous, comment allez-vous, Mickey ? me demanda-t-il. Comment va le bras ?

Malgré son état, Andre ne manquait jamais de s'enquérir de ma santé. De plus d'une façon, j'en étais encore à me remettre de l'accident. Earl était mort et j'étais abîmé, cabossé, surtout psychologiquement.

Physiquement parlant, j'avais subi une commotion cérébrale et avais eu besoin de me faire refaire le nez. Il m'avait fallu vingt-neuf points de suture pour refermer diverses lacérations et des séances bihebdomadaires de rééducation pour que mon bras gauche retrouve toute sa mobilité à l'endroit où les ligaments du coude s'étaient déchirés.

Pour dire les choses crûment, je m'en tirais à bon compte. On pourrait même dire que je l'avais volé. Mais ces blessures physiques n'étaient même pas comparables à l'intensité des dommages que je ressentais en moi. Je pleurais tous les jours la perte d'Earl Briggs, ma douleur n'ayant pour égale que le fardeau de culpabilité que je portais. Il ne se passait pas vingt-quatre heures sans que je ne revoie les décisions et mesures que j'avais prises en avril. Accablante entre toutes était celle qui m'avait vu garder la balise sous ma voiture et narguer les individus qui suivaient mes mouvements en allant voir assez effrontément Hector Moya à Victorville. Les conséquences de cette décision me suivraient jusqu'à la tombe, l'image du souriant Earl Briggs leur restant à jamais associée dans ma mémoire.

Lorsque l'épave de la Lincoln avait été examinée, le tracker avait disparu alors que Cisco l'y avait encore vu la veille dans l'après-midi. Cela ne faisait aucun doute dans mon esprit : quelqu'un m'avait suivi jusqu'à Victorville. Il ne subsistait aucun doute non plus quant à l'identité de l'individu qui avait pris la décision d'expédier la Lincoln dans la rambarde de sécurité, voire l'avait lui-même exécutée. Je n'avais qu'un seul vrai but dans ce procès : obtenir la libération de La Cosse et laver son honneur. Je n'en considérais pas moins que l'idée de détruire James Marco faisait aussi partie intégrante de ma stratégie.

336

Lorsque je repensais à ce qui s'était produit sur la 15, une seule chose, qu'on pouvait à l'extrême rigueur qualifier de bonne, en ressortait : un hélicoptère de sauvetage nous avait Earl et moi transportés au Desert Valley Hospital de Victorville. Earl était déjà mort lorsqu'il y était arrivé et j'avais, moi, été aussitôt admis en urgence. Lorsque j'étais ressorti du bloc, ma fille m'attendait au chevet de mon lit et m'avait pris la main. Cela avait beaucoup aidé à remettre les choses d'aplomb en moi.

Le procès avait été repoussé de presque un mois le temps que je recouvre la santé, et c'était Andre que le coût de l'affaire affectait le plus lourdement. Un mois d'incarcération supplémentaire, un mois supplémentaire d'espoirs fondus comme neige au soleil. Et pourtant, pas une fois il ne s'en était plaint. Il ne voulait qu'une chose : que j'aille mieux.

— Ça va, lui répondis-je. Merci de me demander. Je meurs d'envie de démarrer parce que maintenant, c'est enfin votre tour, Andre. Et qu'aujourd'hui, on commence à raconter une autre histoire.

— Bien, dit-il sans grande conviction.

— Vous n'avez plus qu'une seule chose à faire pour moi, Andre.

— Oui, je sais, je sais. Ne pas avoir l'air coupable.

— C'est ça même, lui renvoyai-je en lui donnant un petit coup de poing taquin de ma main valide.

C'était le mantra que je lui inculquais depuis le premier jour : ne pas avoir l'air coupable. Qui prend l'air coupable est invariablement déclaré tel. Dans son cas, c'était plus facile à dire qu'à faire. Il avait l'air vaincu, et avoir l'air coupable n'en est pas très loin.

Évidemment, pour ce qui était d'avoir l'air et de se sentir coupable, j'en connaissais un rayon. Mais comme lui, j'essayais de faire ce qu'il fallait. Je n'avais rien bu depuis la veille du jour où la sélection des jurés avait commencé. Week-ends compris. J'étais prêt et avais l'esprit acéré. Pour Andre, c'était le premier jour du reste de sa vie. Pour moi aussi.

— Je regrette seulement que David ne soit pas là, reprit-il en chuchotant si bas que je faillis ne pas l'entendre.

Réflexe déclenché par ce qu'il venait de dire, je me tournai légèrement, mon regard balayant la salle jusqu'au fond. Comme c'était le cas depuis le début du procès, l'espace réservé à l'assistance était presque vide. Un serial killer était jugé à la Chambre 111 et les trois quarts des médias s'y pressaient. L'affaire La Cosse n'avait guère attiré leur attention, le cynique en moi se disant que c'était parce que la victime n'était qu'une prostituée.

Cela dit, j'avais quand même des gens pour me soutenir. Kendall Roberts et Lorna Taylor avaient pris place au premier rang de l'assistance, juste derrière la table de la défense. Lorna venait régulièrement au procès. Pour Kendall, c'était le premier jour. Méfiante à l'idée de se pointer dans un tribunal et, qui sait, d'y rencontrer quelqu'un de son passé, elle s'en était tenue à l'écart jusqu'à ce que je lui demande clairement de passer, au moins le jour où je ferais ma déclaration préliminaire. Nous nous étions beaucoup rapprochés depuis le mois d'avril et je tenais à sa présence pour avoir un peu de soutien émotionnel.

Et là-bas dans la dernière rangée se trouvaient deux hommes qui assistaient au procès depuis la sélection des jurés. Je ne connaissais pas leurs noms, mais je savais qui ils étaient. Ils portaient des costumes de prix, mais cela leur donnait un air décalé dans ce lieu. Musclés, ils avaient aussi la peau très bronzée : on semblait vivre dehors, et pas du tout dans des prétoires. Bâtis de la même façon qu'Hector Arrande Moya, ils avaient les épaules si larges et bien remplies que j'en étais venu à ne plus voir en eux que les « hommes de Moya ». Ils faisaient partie du contingent de protecteurs que celui-ci avait déployé pour surveiller mes arrières depuis mon accident de voiture dans les montagnes. J'avais d'abord refusé sa protection le jour où j'étais allé lui rendre visite à la prison. Il était maintenant trop tard pour Earl Briggs, mais je n'avais certainement pas refusé son offre la deuxième fois qu'il me l'avait faite.

Mais c'était tout. Il n'y avait personne d'autre pour assister au procès. David, l'associé de La Cosse depuis toujours, n'était nulle part sur les bancs. Il avait disparu après avoir tout retiré de ce qu'il restait des avoirs en or de La Cosse, et avait quitté la ville la veille même de l'ouverture du procès. Le perdre ainsi avait plus que toute autre chose contribué au fait qu'Andre partait en vrille.

D'une certaine façon, je le comprenais. Avoir Kendall dans cette salle d'audience comptait beaucoup pour moi. Je me sentais soutenu et moins seul. C'était comme si j'avais un allié dans mon combat. Cela dit, pour l'instant du moins, ma fille n'avait toujours pas mis les pieds au prétoire et ça me faisait mal. Nos retrouvailles à l'hôpital étaient loin d'avoir réchauffé notre relation. Et l'école n'était plus une excuse puisqu'elle avait fermé pour les grandes vacances au moment où on en était à la moitié des explications de l'accusation. Me tourner vers l'assistance comme je venais de le faire par pur réflexe n'avait été, je pense, qu'une énième façon d'espérer l'y trouver.

— C'est pas le moment de vous inquiéter de ça, murmurai-je à Andre… et à moi-même. Pour l'instant, il faut avoir l'air fort. Et l'être.

Il acquiesça d'un hochement de tête et tenta de sourire.

Lorsque David lui avait pris son or et filé, La Cosse n'avait pas été le seul à se retrouver à sec. À ce moment-là, j'avais déjà reçu un deuxième lingot en paiement de mon travail. Un troisième devait m'arriver au début du procès, mais l'or avait disparu. Bref, une affaire qui, au début, m'avait paru potentiellement fabuleuse du point de vue financier, était retombée au niveau du *pro bono* alors même que commençait le procès. La team Haller n'était plus payée.

À 10 heures pile, le juge Leggoe sortit de son cabinet et alla prendre sa place. Comme elle en avait l'habitude, elle commença par nous regarder Forsythe et moi et nous demanda s'il y avait des questions à régler avant de faire entrer les jurés. Et cette fois, il y en avait. Je me levai, lui montrai une poignée de documents et lui dis avoir des témoins à ajouter à ma liste si la cour l'approuvait. Elle me fit signe d'approcher, je lui tendis un exemplaire de ma nouvelle liste et en donnai une copie à Forsythe en regagnant ma table. Je m'y étais à peine rassis que celui-ci se dressait d'un bond pour élever son objection.

— Madame le juge, maître Haller s'est lancé dans l'éternelle pratique qui consiste à essayer de cacher son vrai témoin sous une montagne de noms. Sa liste avant conférence de mise en état était déjà énorme et voilà qu'il y ajoute ce que j'estime à une vingtaine, voire une trentaine d'individus qui, bien évidemment, ne seront jamais appelés à la barre.

Et de gesticuler avec les pages là où, derrière lui, Lankford avait pris place dans une rangée de chaises contre la barrière.

— Je vois même qu'il y a mis mon propre enquêteur auprès du Bureau du district attorney, reprit-il. Et, voyons voir… ce n'est plus un seul, mais deux prisonniers fédéraux qu'il y a ajoutés. Et un… non, deux… non, trois gardiens de prison ! Il y a ajouté tous les résidents de l'aile de la victime…

Sur quoi, il mit brutalement fin à sa litanie et laissa tomber les feuilles sur sa table comme s'il les jetait à la poubelle.

— L'accusation s'oppose formellement à ces ajouts, madame le juge. Il serait impossible d'aller plus loin sans avoir le temps d'examiner ces noms et de déterminer quels liens ils peuvent avoir, si tant est qu'ils en aient un, avec cette affaire.

Son objection n'avait rien d'une surprise. Nous l'avions même escomptée dans la stratégie que nous avions intitulée « Défense Marco Polo » tout en haut du tableau blanc que Lorna avait fait installer sur le mur de brique de notre salle de réunion au loft. Cette liste de témoins était notre ouverture dans ce gambit et, pour l'instant, Forsythe réagissait comme prévu, bien qu'à l'entendre, il n'ait pas encore prêté attention au plus important d'entre eux. À celui que nous avions qualifié de « grenade sous-marine » qui là, juste sous la surface, attendait d'exploser à la première fausse manœuvre de l'accusation.

Je me levai pour répondre à son objection et jetai un autre coup d'œil derrière moi dans le même temps. Toujours pas de fille, mais un petit sourire de Kendall. Je reportais mon regard vers l'avant de la salle lorsque je croisai celui de Lankford. Il me dévisagea d'un air à soixante pour cent *C'est quoi, ce bordel?* et quarante son très habituel *Va te faire mettre*. C'était sur ces soixante pour cent que je comptais.

— Madame le juge, dis-je en me tournant enfin vers elle. À s'en tenir à son objection, il semble évident que maître Forsythe sait déjà qui sont ces gens et les liens qu'ils ont avec cette affaire. Mais qu'importe, la défense sera plus qu'heureuse de lui laisser le temps d'examiner ces nouveaux noms avant de réagir. Cela étant, il n'est nul besoin d'interrompre le procès pour ça. Je suis prêt à régaler les jurés de la déclaration préliminaire que j'ai choisi de retarder et à interroger les témoins qui se trouvaient dans ma liste initiale et ont déjà été approuvés par la cour.

Leggoe eut l'air fort contente de se voir offrir une solution aussi facile.

— Très bien, dit-elle. Nous verrons ça demain matin à la première heure. Maître Forsythe, vous avez donc jusqu'à demain matin pour étudier la nouvelle liste et me préparer votre réponse.

— Merci, madame le juge.

Leggoe appela les jurés. Je restai debout à lire mes notes pendant qu'ils s'installaient, le juge leur expliquant que j'avais choisi de ne pas faire ma déclaration préliminaire au début du procès et que j'allais la leur faire tout de suite. Elle leur rappela aussi que ce que je me préparais à dire ne devait pas être pris pour des preuves irréfutables, puis elle me céda la parole. Je m'éloignai de la table de la défense en laissant mes notes derrière moi. Je ne m'en servais jamais lorsque je m'adressais directement aux jurés. Je tenais à garder le maximum de contact oculaire avec eux.

Le juge avait décidé que, pendant leurs déclarations préliminaires, les avocats pourraient se tenir juste devant le box des jurés. Les avocats donnent à cet endroit le nom de « puits de justice », mais pour moi il s'est toujours agi du « terrain de la preuve ». Pas de la preuve au sens juridique du terme, mais de faire ses preuves devant les jurés, pour leur montrer qui on est et pour quoi l'on se bat. Il faut commencer par gagner leur respect si l'on veut leur prouver quoi que ce soit. Il faut être plein de ferveur et ne pas s'excuser de se battre pour l'accusé.

C'est sur le juré n° 4 que je commençai par poser les yeux. Mallory Gladwell, vingt-huit ans, lisait des scénarios pour un studio de cinéma. Son travail consistait à les analyser aux fins d'achat et de développement. Dès qu'elle avait pris place et commencé à répondre à mes questions pendant la phase de sélection des jurés, j'avais su que je la voulais dans le jury. Je voulais ses talents d'analyse lorsqu'on en viendrait à la logique de ce que j'allais raconter. Je voulais que les jurés finissent par préférer ma version des faits à celle de Forsythe et mon instinct me disait que c'était elle qui pouvait les amener à cette décision.

Pendant toute la présentation de l'accusation, je ne l'avais pas lâchée des yeux. C'est vrai que je regardais tous les jurés pour essayer de voir ce qu'ils pensaient et ne louper aucun signe permettant de savoir quel témoignage ou élément de preuve avait le plus gros impact sur eux, ce qui les faisait douter, ce qui les mettait en colère, etc. Mais c'était en Mallory que je voyais mon chien alpha. Je me disais que les talents qu'elle devait déployer pour décomposer une histoire l'amèneraient à être une voix, sinon la voix qui, entre toutes, compterait pendant les délibérations. Parce qu'elle pouvait être mon joueur de flûte de Hamelin, c'était sur elle que je posai les yeux en premier, et sur elle encore que je les poserais en dernier. Je voulais qu'elle s'investisse à fond dans ma défense.

Qu'elle me rende mon regard et ne se détourne pas m'indiqua clairement que je ne m'étais pas trompé de cible.

— Mesdames et messieurs, lançai-je, je ne pense pas qu'il soit nécessaire de présenter quiconque dans cette enceinte. Nous n'en sommes plus au tout début de ce procès et je suis sûr que nous savons tous qui est qui. Je vais donc être très bref parce que c'est au cœur de cette affaire que je veux m'attaquer au plus vite. À la vérité même de ce qui est arrivé à Gloria Dayton.

En parlant, je fis deux pas en avant sans même m'en rendre compte, écartai les mains et les posai sur le rebord du box des jurés. Puis je me penchai pour essayer de rendre le contact entre un homme et douze inconnus aussi intime que celui d'un fidèle avec son prêtre ou son rabbin. Je voulais que chacun se dise que je ne parlais qu'à lui seul.

— Les avocats, vous savez, usent de toutes sortes de qualificatifs pour tout et n'importe quoi, y compris les jurés. Nous vous qualifions de « dieux du verdict ». Rien d'irrespectueux envers la religion ou la foi à cela. C'est seulement que c'est très exactement ce que vous êtes. Les dieux du verdict. Vous siégez ici et décidez qui est coupable et qui ne l'est pas. Qui sera libre et qui ne le sera pas. Le fardeau est certes noble, mais lourd à porter. Pour arriver à une décision aussi difficile, vous devez avoir tous les faits. Toute l'histoire, et la vraie. Et encore et surtout, sa juste interprétation.

Je lançai à nouveau un bref coup d'œil à Mallory Gladwell. Puis j'ôtai mes mains du rebord du box et revins au puits de justice de façon à pouvoir embrasser les douze jurés et leurs deux remplaçants d'un seul regard. Et, ce faisant, je me déplaçai comme si de rien n'était à droite de façon que les trois quarts d'entre eux me voient à leur gauche.

— Je vous demande donc de prêter une attention toute particulière aux arguments de la défense pendant les quelques jours ou semaines à venir. Car, pour l'instant, vous n'avez entendu qu'une version de l'histoire… celle de l'accusation. Mais maintenant, c'en est une autre que vous allez voir et entendre. Et vous verrez alors qu'il y a deux victimes dans cette affaire. Gloria Dayton, bien sûr, en premier lieu. Mais Andre La Cosse en est une autre. Comme Gloria Dayton, il a été manipulé, comme elle, on s'est servi de lui. Si c'est elle qui a été assassinée, c'est lui qu'on a piégé pour qu'il endosse la responsabilité de ce meurtre.

« Si l'on s'en tient à la stricte réalité, mon job est de semer le doute dans vos esprits. Si vous avez en effet le moindre doute raisonnable quant à la culpabilité ou à l'innocence d'Andre La Cosse, votre job est de

345

le déclarer non coupable. Mais dans les jours qui vont suivre, je vais aller bien au-delà, et ce voyage, vous le ferez avec moi. Et en viendrez à savoir qu'Andre est totalement innocent. Et en viendrez encore à savoir qui a vraiment commis ce crime horrible. »

Et là, je marquai une pause, mais continuai de regarder les jurés les uns après les autres. Je les tenais. Je le voyais.

— Avant d'en terminer avec cette déclaration préliminaire, permettez que je règle quelque chose qui, j'en suis sûr, vous a troublés dans la présentation de l'accusation. Je veux parler de la façon dont M. La Cosse gagne sa vie. À dire vrai, moi aussi, cela me trouble. En gros, M. La Cosse est un maquereau du numérique. Et comme bon nombre d'entre vous, je suis père, et il me gêne de devoir penser à un être qui tire profit de l'exploitation sexuelle de jeunes femmes et de jeunes hommes. Cela dit, le verdict que vous allez rendre dans cette affaire ne saurait être influencé par ce que fait Andre La Cosse pour gagner sa vie. Vous ne devez pas le déclarer coupable de meurtre à cause de ce qu'il est. Je vous prie instamment de penser à Gloria Dayton, la victime dans cette affaire, et de vous demander si elle méritait d'être tuée parce qu'elle se prostituait. La réponse est bien évidemment non, tout comme il est bien évident qu'Andre La Cosse ne doit pas être condamné pour meurtre pour la simple raison qu'il est proxénète.

Je m'arrêtai un instant, mis les mains dans mes poches et regardai par terre. L'heure était venue de finir en beauté. Je relevai la tête et regardai Mallory droit dans les yeux.

— En guise de conclusion, je vous fais ici une promesse pour laquelle vous pourrez me demander des comptes. Si je ne réussis pas ce que je viens de vous dire, alors allez-y et déclarez mon client coupable. C'est là un pari que je suis prêt à prendre et qu'Andre est lui aussi prêt à prendre parce que l'un comme l'autre, nous savons où est la vérité. Notre rectitude est celle des innocents.

Je fis durer le silence dans l'espoir que Forsythe élève une objection. Je voulais que les jurés le voient me mettre au défi, essayer de m'empêcher de dire la vérité. Mais le procureur n'était pas tombé de la dernière pluie juridique. Il savait ce qu'il faisait, se retint et ne me donna pas ce que je voulais.

Je passai à autre chose.

— La défense vous donnera donc des faits et des témoignages prouvant que M. La Cosse n'est rien d'autre qu'un pigeon dans cette affaire. Un innocent pris dans la pire espèce de machination. Une machination dans laquelle ceux en qui nous avons le plus confiance ont conspiré pour piéger un innocent. Cette histoire raconte la façon dont un complot destiné à protéger une vérité cachée a fini par conduire à un meurtre et à l'étouffer. Mon espoir, et c'est aussi celui de mon client – et là, je me tournai et montrai Andre La Cosse d'un geste de la main –, est que vous découvriez la vérité avec nous et rendiez le verdict de non coupable qui convient. Je vous remercie.

Je regagnai mon siège et consultai aussitôt mes notes pour vérifier que je n'avais rien oublié.

Il me sembla que j'avais abordé tous les points et j'en fus heureux. Andre se pencha vers moi et me murmura ses remerciements. Je l'informai qu'il n'avait encore rien vu.

— Je suis d'avis de passer à la pause du matin, dit le juge. Lorsque nous reviendrons dans un quart d'heure, nous commencerons la présentation de la défense.

Je me levai lorsque les jurés firent de même, les regardai franchir la porte de leur salle de réunion les uns derrière les autres et vis Mallory Gladwell qui avançait, tête baissée. Puis, au dernier moment, juste à l'instant où elle allait disparaître de ma vue, elle se retourna pour jeter un coup d'œil au prétoire. Son regard croisa le mien et s'y attarda une fraction de seconde avant qu'elle ne s'éloigne à nouveau.

Dès que le juge eut ajourné la séance, je me dirigeai vers le couloir pour vérifier où en était mon premier témoin.

Chapitre 30

La vraie raison qui m'avait poussé à fuir le prétoire, dès que le juge avait ajourné la séance et que les jurés étaient partis, était que j'avais besoin d'aller aux toilettes. J'étais debout depuis 4 heures du matin et n'avais cessé de penser au procès et de me préparer pour ma déclaration préliminaire. J'avais carburé au café, et l'heure était venue de purger la machine.

Je vis Cisco assis sur un banc dans le couloir, juste à côté de Fernando Valenzuela.

— Comment se porte-t-on ? leur lançai-je en passant.

— Super, me répondit Cisco.

— Ouais, c'est ça, ajouta Valenzuela.

— Je reviens tout de suite, leur annonçai-je.

Quelques instants plus tard, je me soulageais enfin devant l'urinoir. J'en fermai même les yeux en me repassant certains points de ma déclaration en tête. Je n'entendis même pas la porte des toilettes s'ouvrir et ne me rendis pas plus compte que quelqu'un se tenait debout derrière moi. Juste au moment où je remontais ma fermeture Éclair, je fus poussé tête la première dans le carrelage au-dessus de l'urinoir. Puis on me coinça les bras et je fus incapable de bouger.

— Et ta protection des cartels, où elle est, hein ?

Je reconnus aussi bien sa voix que son haleine qui puait le café et les cigarettes.

— Lankford, m'écriai-je, tu me lâches, enfoiré !

— Non, parce que tu veux faire le con avec moi, Haller ? Parce que tu veux qu'on fasse un petit pas de deux ?

— Je sais pas de quoi tu causes. Mais si tu me bousilles ce costume, je vais aller en toucher un mot au juge. Mon enquêteur est assis juste devant la porte et il t'a vu entrer.

Il m'écarta brutalement du mur et m'expédia contre la porte d'une cabine. Je recouvrai vite mes esprits, regardai si mon costume avait souffert et resserrai ma ceinture. Nonchalamment, comme si les menaces de Lankford ne m'impressionnaient pas le moins du monde.

— Retourne au prétoire, Lankford.

— Pourquoi m'as-tu mis sur ta liste ? Pourquoi veux-tu que je témoigne à la barre ?

Je gagnai la rangée de lavabos et me lavai calmement les mains.

— À ton avis ? lui renvoyai-je.

— Ce jour-là au bureau… quand tu as dit m'avoir vu porter un chapeau. Pourquoi t'as dit ça, connard ?

J'examinai mes mains, jetai un coup d'œil dans la glace et le regardai.

— Parce que j'aurais parlé d'un chapeau ?

Je me penchai et pris une poignée de serviettes en papier pour m'essuyer les mains.

— Oui, t'as parlé d'un chapeau. Pourquoi ?

Je jetai les serviettes en papier dans la poubelle, me retournai, puis hésitai, feignant me rappeler quelque chose d'un passé très lointain. Puis je le regardai et hochai la tête comme si j'étais perdu.

— Pour le chapeau, je sais pas. Ce que je sais, c'est que si tu me touches encore une fois comme ça, tu vas te manger des emmerdes à ne plus savoir qu'en faire.

Sur quoi, j'ouvris la porte et repassai dans le couloir en le laissant derrière moi. J'avais bien du mal à m'empêcher de sourire en retrouvant Cisco toujours assis sur le banc avec Valenzuela. La première règle de la stratégie Marco Polo était de laisser la partie adverse dans le noir. Lankford allait bientôt avoir nettement plus à s'inquiéter que de son seul chapeau.

— Tout va bien ? me demanda Cisco.

— Lankford aurait pas essayé de te tenir par les couillles là-bas dedans ? voulut savoir Valenzuela.

— T'es pas loin de la vérité, répondis-je. Allez, on y retourne.

Je poussai la porte du prétoire et la leur tins ouverte. Tandis qu'ils me passaient devant, je cherchai Lankford dans le couloir du coin de l'œil, mais ne le vis pas. Mais je vis mon demi-frère qui s'avançait, un épais dossier bleu sous le bras.

— Harry !

Il se retourna sans cesser de marcher, me vit, sourit en me reconnaissant et s'arrêta.

— Mick, comment vas-tu, mec ? Comment va le bras ?

— Ça va. Tu es de procès ?

— Oui, à la 111.

— Eh mais, c'est le procès qui me vole la vedette ! lui lançai-je en souriant et en faisant semblant de protester.

— C'est un *cold case* qui remonte à 1994. Un certain Patrick Sewel… un vrai dégénéré. Ils viennent de l'amener de San Quentin où il avait déjà pris perpète pour un autre meurtre. Cette fois, il risque la peine de mort.

J'acquiesçai d'un hochement de tête, mais ne me sentis pas d'aller jusqu'à lui souhaiter bonne chance. Après tout, il travaillait quand même pour la partie adverse.

— Alors, du nouveau pour ton chauffeur? me demanda-t-il. Ils ont serré quelqu'un?

Je le regardai un instant en me demandant s'il avait appris des choses concernant notre enquête sur les forces de l'ordre.

— Toujours pas, non, répondis-je.

— Dommage.

J'acquiesçai.

— Bon, ben, faut que j'y retourne. Ça fait plaisir de te voir, Harry.

— Même chose pour moi. On devrait essayer de réunir les filles à nouveau.

— Absolument.

Nous avions des filles du même âge. Mais apparemment du moins, la sienne lui parlait encore régulièrement. Lui, c'était quand même des méchants qu'il mettait en taule. Moi, je les faisais sortir.

J'entrai dans la salle en m'engueulant d'avoir ce genre de pensées négatives. J'essayai de me rappeler le conseil de Legal Siegel : me débarrasser de ma culpabilité afin d'être au mieux de ma forme pour défendre La Cosse.

Les jurés une fois revenus, j'appelai mon premier témoin. Valenzuela gagna la barre en tapotant le bord du box des jurés de la paume de la main. Il se comportait comme si témoigner à un procès pour meurtre était aussi banal que de s'acheter des clopes au *7-Eleven* du coin.

Il prêta serment, épela son nom pour le greffier et je démarrai en lui demandant de commencer par dire aux jurés comment il gagnait sa vie.

— Eh bien, lança-t-il, on pourrait dire que je suis un homme de bien des talents. Je suis l'huile qui permet au système judiciaire de tourner sans accrocs.

Je fus à deux doigts de le reprendre en précisant que ce qu'il voulait dire était qu'en fait il graissait bien des pattes pour que ça marche, mais me retins. C'était quand même mon témoin. Au lieu de ça, je lui demandai d'être plus précis quant à la nature de son travail.

— Et d'un, je garantis les cautions et j'ai aussi une licence de DP qui me sert pour les remises en mains propres. Et si vous descendez au premier étage de cet immeuble, c'est moi qui en détiens le bail. C'est avec mon frère et…

— Revenons un peu en arrière, dis-je en l'interrompant. Qu'est-ce qu'une licence de DP ?

— De détective privé. Il faut en avoir une pour pouvoir faire ce genre de travail.

— De quoi parlez-vous quand vous dites vous servir de cette licence pour la remise en mains propres ?

— Eh bien… Vous savez bien, la remise des pièces en mains propres, quoi ! Comme quand les gens sont poursuivis en justice et autre, et que l'avocat est obligé de lancer une citation à comparaître quand il veut qu'on vienne faire une déclaration, déposer ou témoigner devant un tribunal. Comme ce que je fais en ce moment même.

— Et donc, vous remettez des citations à comparaître en mains propres ?

— Voilà, c'est ça. C'est ce que je fais.

Malgré toutes les années qu'il avait passées à graisser la machine, il était assez clair qu'il n'avait pas une grande expérience du témoignage. Ses réponses étaient hachées et incomplètes. Alors que j'avais cru que ce serait un de mes témoins les plus faciles à interroger, je me retrouvais à fournir le double d'efforts pour que les jurés obtiennent des réponses complètes. Ce n'était pas ce qu'il y avait de mieux pour commencer, mais je continuai, plus en colère contre moi-même que contre lui de n'avoir pas répété mon affaire avec lui avant.

— Bien, dis-je, votre travail de remise en mains propres vous a-t-il mis en contact avec la victime Gloria Dayton ?

Il fronça les sourcils. Ce que je pensais être une question simple venait de le désarçonner.

— Eh ben… oui, mais ça, à l'époque, je le savais pas. Ce que je veux dire par là, c'est qu'elle s'appelait pas Gloria Dayton la seule et unique fois où je suis entré en contact avec elle, vous voyez ?

— Vous voulez dire qu'elle se servait d'un autre nom ?

— Oui, voilà. Le nom qu'y avait sur la citation à lui remettre en mains propres était Giselle Dallinger. C'est à celle-là que j'ai remis la citation.

— Bien, et c'était quand ?

— C'était le lundi 5 novembre à 18 h 06, dans l'entrée de l'immeuble résidentiel de Franklin Street où elle habitait.

— Vous m'avez l'air très précis sur l'heure et l'endroit. Comment pouvez-vous en être aussi sûr ?

— Parce que j'enregistre toutes ces remises au cas où quelqu'un se pointerait pas au tribunal, ou pour faire une déposition. Parce que comme ça, je peux dire à l'avocat ou au juge que bon, vous voyez ? bien sûr que j'ai remis la pièce en mains propres à la personne et qu'elle devrait être là. Et je leur montre la photo avec l'heure et le timbre dessus.

— Vous prenez une photo ?

— Oui, c'est un principe.

— Vous avez donc pris une photo de Giselle Dallinger après lui avoir remis une citation à comparaître en mains propres le 5 novembre.

— C'est ça même.

Je sortis alors un tirage 18 x 24 de la photo datée et timbrée que Valenzuela avait prise de Giselle, née Gloria, et demandai au juge de l'accepter en tant que pièce à conviction n° 1 pour la défense. Forsythe s'y opposa, tout en se déclarant prêt à stipuler que Valenzuela avait bien remis une citation à comparaître à Gloria Dayton. Mais je me battis pour la photo : je voulais que les jurés la voient. Le juge se rangeant à mon avis, je la tendis au juré n° 1 de façon qu'elle puisse être examinée et passée à tous les jurés l'un après l'autre.

Plus que toute autre chose, c'était à ça que je voulais arriver en appelant Valenzuela à la barre. L'image était d'une importance clé parce qu'elle faisait beaucoup plus qu'accréditer l'histoire de Valenzuela. On y découvrait dans les yeux de Gloria une peur qu'il fallait voir et qu'il ne suffisait pas d'attester. Le cliché avait été pris au moment même où elle levait la tête après avoir lu le document. C'était le nom de Moya qu'elle y avait lu dans l'intitulé de l'affaire – *Hector Arrande Moya contre Arthur Rollins, directeur du pénitencier fédéral de Victorville* – et, aussitôt, la peur l'avait frappée. Je voulais que les jurés voient son expression et qu'ils en déduisent que c'était bien de la peur, sans que moi ou un témoin ayons à le leur dire.

— Monsieur Valenzuela, de qui émanait cette citation à comparaître que vous lui remettiez ?

— Je travaillais pour un avocat du nom de Sylvester Fulgoni Junior, répondit-il.

Je m'attendais à moitié à ce qu'il ajoute une petite improvisation sur le thème de l'avocat qui te fout « une putain de veste » dans tout procès mais, heureusement, il épargna les jurés. Qui sait s'il ne commençait pas à comprendre ce qu'était un témoin ?

— Et à quelle affaire se rattachait cette citation à comparaître ?

— À l'affaire Moya contre Rollins. Un certain Hector Moya, un dealer condamné par la justice, essayait…

Forsythe éleva une objection et demanda à voir le juge. Il était clair qu'il ne voulait absolument pas que les jurés entendent quoi que ce soit de ce que Valenzuela s'apprêtait à dire. Le juge nous fit signe d'approcher et alluma le ventilateur antibruit.

— Madame le juge, mais où va-t-on avec ça ? lui lança Forsythe. Avec ce tout premier témoin, maître Haller essaie de détourner ce procès pour meurtre afin de nous amener dans une tout autre affaire qui n'a rien à voir avec celle-ci. Je me suis interdit d'élever la moindre objection jusqu'à maintenant, mais là… nous devons arrêter ça.

Je remarquai ce « nous », comme s'il partageait la tâche de me garder dans les clous avec le juge.

— Madame le juge, répliquai-je, maître Forsythe veut « arrêter ça » parce qu'il sait très bien où je veux en venir… parce qu'il sait très bien que ce à quoi je veux en venir va faire dérailler toute son affaire. Celle qui a valu cette citation à comparaître à Gloria Dayton est excessivement proche de celle qui nous occupe et tout notre système de défense repose là-dessus. Je vous demande donc de me laisser poursuivre et vous aurez tôt fait de comprendre pourquoi l'accusation veut me bloquer sur ce point.

— « Excessivement », maître Haller ?

— Oui, madame le juge, jusqu'à l'excès.

Elle réfléchit un instant à la question, puis hocha la tête.

— Objection rejetée. Vous pouvez poursuivre, maître Haller, mais ne tardez pas à en venir au fait.

Nous regagnâmes nos postes et je reposai ma question à Valenzuela.

— Je le redis : *Moya contre Rollins*. Rollins, c'est le directeur de la prison de Victorville où Hector Moya est depuis genre… sept ou huit ans. Et le Moya, il essaie d'en sortir vu que la DEA l'a piégé en lui collant une…

Forsythe renouvela son objection, ce qui sembla beaucoup agacer le juge. Une fois de plus, il demanda à la voir, mais elle refusa. Il dut formuler son objection devant tout le monde.

— À ce que j'en sais, madame le juge, dit-il, le témoin n'est pas avocat et nous donne une interprétation juridique d'un recours en *habeas corpus*. Et voilà qu'il va nous présenter comme des faits avérés de simples allégations dans une action en justice. Et tout le monde sait qu'on peut alléguer n'importe quoi dans une action en justice. Que ceci ou cela soit dit ne signifie pas que…

— Très bien, maître Forsythe, dit le juge. Vous avez très clairement formulé votre objection aux jurés.

Je regrettai qu'il n'ait pas conféré avec le juge. Il s'était très adroitement servi de son objection pour casser le témoignage de Valenzuela avant même que celui-ci ne puisse le donner. Il venait de rappeler aux jurés, et en temps voulu, que *Moya contre Rollins* n'était encore qu'une action en justice pleine d'allégations, et pas du tout de faits avérés.

— Je vais donc refuser l'objection et laisser finir le témoin, conclut Leggoe.

Légèrement démonté, je demandai à Valenzuela de me donner encore une fois sa réponse, celui-ci résumant alors l'accusation principale à la base de la demande de recours en *habeas corpus* – à savoir que l'arme qui avait fini par lui valoir perpète avait été placée dans sa chambre par la DEA.

— Merci, dis-je lorsque sa réponse fut enfin formulée et portée aux minutes. Qu'avez-vous fait après avoir remis cette citation à comparaître à Giselle Dallinger ?

Ma question eut l'air de le déconcerter.

— Je, euh… j'ai dû dire à maître Fulgoni que c'était fait, dit-il enfin.

— Bien, et avez-vous jamais revu Mlle Dallinger ?

— Non, jamais. Ç'a été tout.

— Quand avez-vous entendu parler d'elle à nouveau après le 5 novembre ?

358

— Ça devait être une semaine plus tard, environ. J'ai appris qu'elle avait été assassinée.

— Comment l'avez-vous appris ?

— C'est maître Fulgoni qui me l'a dit.

— Avez-vous appris autre chose sur sa mort ?

— Ben oui, j'ai lu le journal et j'ai vu qu'on avait arrêté quelqu'un.

— C'est de l'arrestation d'Andre La Cosse pour meurtre que vous parlez ?

— Oui, c'était dans le journal.

— Et comment avez-vous réagi quand vous l'avez lu ?

— Ben, c'était comme si j'étais genre soulagé parce que ça voulait dire qu'on n'avait rien à voir avec ça.

— Que voulez-vous…

Forsythe éleva de nouveau une objection pour absence de rapport avec l'affaire. J'arguai que la réaction de Valenzuela à la nouvelle du meurtre, puis de l'arrestation, avait au contraire tout à y voir, le cœur même de la défense étant que la citation à comparaître remise à Gloria Dayton était le mobile à l'origine de son assassinat. Leggoe m'autorisa à poursuivre, mais en se gardant le droit d'estimer le degré de pertinence du témoignage de Valenzuela après qu'il en aurait terminé. Pour moi, c'était une victoire insigne. Même si elle en venait à ôter ses réponses des minutes du procès, elle ne pourrait pas les faire disparaître de la tête des jurés.

— Poursuivez, monsieur Valenzuela, lançai-je au témoin. Dites aux jurés pourquoi vous vous êtes senti soulagé en apprenant que M. La Cosse avait été arrêté pour ce meurtre.

— Ben, parce que ça voulait dire que ç'avait rien à voir avec l'autre truc. Vous savez bien, l'affaire Moya.

— Bien, mais pourquoi aurait-il fallu que ça vous inquiète ?

— Parce que Hector Moya, c'est un mec des cartels et je me suis dit, ben, vous savez, que…

— Je vais devoir interdire au témoin d'aller plus loin, dit Leggoe. Nous arrivons dans un domaine bien au-delà de ses connaissances et de son savoir-faire. Posez une autre question, maître Haller.

Mais des questions, je n'en avais plus. Malgré le côté brut de décoffrage de ses réponses, Valenzuela avait été un témoin hors pair et j'étais heureux que nous nous en soyons si bien sortis. Je donnai la parole à Forsythe pour qu'il l'interroge en contre, mais il fut assez sage pour ne pas la prendre. Il n'aurait pas pu tirer grand-chose de Valenzuela sans qu'en retour, celui-ci ne répète des choses appuyant la version de la défense.

— Je n'ai pas de questions à poser au témoin, dit-il à Leggoe.

Elle commença par excuser Valenzuela qui se dirigea aussitôt vers la sortie, puis elle m'ordonna d'appeler le témoin suivant.

— Madame le juge, lui répondis-je, c'est peut-être le moment de faire la pause déjeuner.

— Non, vraiment, maître Haller ? Et pourquoi donc ? D'après l'horloge, il n'est que midi moins vingt.

— C'est que, euh… le témoin suivant n'est pas encore là, mais si vous m'accordez l'heure du déjeuner, je suis sûr que je pourrais le faire venir pour la séance de l'après-midi.

— Très bien. Les jurés sont donc excusés jusqu'à 13 heures.

Je regagnai la table de la défense pendant que les jurés quittaient la salle. Forsythe me décocha un drôle de regard et hocha la tête lorsque je passai devant lui.

— Vous ne voyez donc pas ce que vous venez de faire, hein ? murmura-t-il.

— Qu'est-ce que vous racontez ? lui demandai-je.

Il ne répondit pas et je continuai d'avancer. Arrivé à la table de la défense, je rassemblai mes blocs-notes et mes documents. Je n'étais pas assez bête pour laisser traîner quoi que ce soit sur la table pendant les pauses. Dès que la porte se fut refermée sur le dernier juré, la voix du juge résonna dans tout le prétoire.

— Maître Haller !

Je levai la tête.

— Oui, madame le juge.

— Maître Haller… cela vous dirait-il d'aller déjeuner avec votre témoin dans sa cellule de détention ?

Toujours inconscient d'avoir commis un faux pas, je souris.

— Eh bien, sa compagnie ne me déplairait pas, lui répondis-je, mais le sandwich au fromage ne fait pas partie de mes plats favoris, madame le…

— Permettez donc que je vous avertisse, maître Haller. Déjeuner ou autre, on ne me suggère jamais la moindre pause devant mes jurés, vous… comprenez ?

— Je le comprends maintenant, madame le juge.

— Ceci est mon prétoire, maître Haller, pas le vôtre. Et c'est moi qui décide à quelle heure on fait la pause déjeuner et à quelle heure on ne la fait pas.

— Oui, madame le juge. Je vous prie de m'excuser et cela ne se reproduira plus.

— Si c'était le cas, ce ne serait pas sans conséquences.

Et sa robe noire flottant derrière elle, elle quitta son siège d'un air exaspéré. Je me repris et jetai un œil à Forsythe : il souriait d'un air sournois. Il était clair qu'il avait déjà travaillé avec Leggoe et connaissait son code des convenances. *La belle affaire!* pensai-je en moi-même. Au moins avait-elle attendu que les jurés aient disparu avant de sortir l'artillerie.

Je quittai le prétoire, passai dans le couloir et tombai sur Cisco qui faisait les cent pas près des ascenseurs. Il tenait son portable à l'oreille, mais ne disait pas un mot.

— Où est passé Fulgoni, bordel! m'écriai-je.

— Je ne sais pas. Il a dit qu'il serait là. Ils m'ont mis en attente dans son étude.

— Il a une heure pour arriver. Et il vaudrait mieux qu'il soit là!

Chapitre 31

Kendall était partie avant la pause déjeuner pour regagner la Valley et faire son quart à la Flex. Lorna et moi descendîmes Spring Street, passâmes dans Main Street et rejoignîmes *Pete's Café*. De temps en temps, je regardais par-dessus mon épaule pour être sûr que notre équipe de sécurité ne nous lâchait pas. Les hommes de Moya étaient toujours là.

Nous avions choisi d'aller chez Pete parce que c'était bon, qu'on y était servi rapidement et qu'on pouvait s'y payer un sandwich bacon-laitue-tomate absolument excellent et que, Dieu sait pourquoi, je mourais d'envie d'en manger un. Le seul problème était que c'était toujours bourré de flics – et ce fut cette fois encore le cas. Situé à quelques rues à peine du Police Administration Building, ce restaurant était un des préférés du haut commandement et des inspecteurs des équipes d'élite de la division Vols et Homicides. J'échangeai quelques regards et hochements de tête gênés avec certains types que je reconnaissais pour avoir déjà travaillé avec eux dans divers procès. Nous eûmes droit à une table aux trois quarts cachée du reste du restaurant par un gros pilier et cela me convint parfaitement. Je commençais à me dire que j'avais atterri en plein territoire ennemi alors que je ne voulais qu'un bacon-laitue-tomate au pain complet.

Lorna fit suffisamment preuve de finesse en me demandant si je voulais qu'elle se taise pendant que je réfléchissais à l'affaire et à la séance qui nous attendait après le déjeuner. Je lui répondis qu'il n'y avait guère de sens à bâtir une stratégie pour l'après-midi avant de savoir si Sly Junior allait se pointer au tribunal comme il était censé le faire. Après avoir commandé, nous passâmes notre temps à examiner mon emploi du temps et à chercher des heures qu'on pourrait se faire payer. Le cabinet commençait à manquer d'argent. Avant d'apprendre qu'il n'y aurait plus de lingots d'or d'Andre La Cosse, j'avais beaucoup dépensé en enquêtes et préparation de dossiers. Il y avait plus d'argent à sortir de nos coffres qu'à y entrer, et ça posait problème.

C'était l'une des raisons pour lesquelles Jennifer Aronson n'était pas venue au prétoire ce matin-là. Je ne pouvais plus me payer le luxe de ne pas la faire travailler pour les rares clients solvables qu'il nous restait. Elle avait passé sa matinée à une audience concernant le propriétaire du loft dont nous nous servions pour nos réunions.

Au moins la carte que j'utilisai pour régler l'addition passa-t-elle sans encombre. Je ne pouvais même pas imaginer mon humiliation si elle avait été refusée et coupée en deux devant un parterre de flics.

Cette bonne nouvelle s'accompagna d'une autre lorsque je reçus un texto de Cisco alors que nous regagnions le tribunal.

Il est là. On peut démarrer.

Je partageai la nouvelle avec Lorna et pus enfin me détendre pendant le reste du trajet. Enfin… jusqu'à ce qu'elle aborde le sujet que nous évitions consciencieusement depuis presque deux mois.

— Mickey, me dit-elle, tu veux que je commence à chercher un autre chauffeur ?

Je fis non de la tête.

— Je n'ai pas envie de parler de ça tout de suite. Et en plus, je n'ai pas de voiture. Pourquoi est-ce que je voudrais un chauffeur ? Tu ne serais pas en train de me dire que tu ne veux plus me conduire ?

Tous les matins, elle passait me prendre pour m'emmener au tribunal. En général, le soir, c'était Cisco qui me ramenait chez moi, de façon à pouvoir vérifier que tout allait bien.

— Non, c'est pas ça, dit-elle. Ça ne me gêne pas du tout de te conduire, mais… Combien de temps vas-tu encore attendre avant d'essayer de reprendre le cours d'une vie normale ?

Le procès avait beaucoup contribué à apaiser les blessures morales causées par l'accident. La concentration que ça me demandait m'empêchait de repenser au jour où nous étions montés dans le désert de Mojave.

— Je ne sais pas, lui répondis-je. N'oublions pas que ce qui est « normal », nous ne pouvons pas nous le payer. Il n'y aura pas d'argent pour un chauffeur ni pour une voiture tant que je n'aurai pas touché le chèque de l'assurance.

Et ce chèque était bloqué à cause de l'enquête. La dépanneuse ne s'étant pas arrêtée, la California Highway Patrol avait déterminé que l'accident était une tentative d'homicide doublée d'un délit de fuite. Le véhicule avait été retrouvé incendié et réduit en cendres un jour plus tard dans un champ d'Hesperia. Il avait été volé dans une fourrière le matin même de l'accident. À ce que j'en savais, les enquêteurs de la CHP ne savaient toujours pas qui le conduisait lorsqu'il avait embouti ma Lincoln.

*

Sylvester Fulgoni Junior parcourut le long chemin qui menait du fond de la salle au box des témoins en tournant sans cesse la tête à droite et à gauche comme si c'était la première fois qu'il voyait un prétoire de sa vie. Arrivé à destination, il allait s'asseoir lorsque le juge lui rappela qu'il devait rester debout en jurant de dire la vérité, toute la vérité et rien que la vérité.

Après lui avoir posé les questions préliminaires pour établir qui il était et ce qu'il faisait, je me concentrai sur le recours en *habeas corpus* d'Hector Moya et lui demandai de décrire tout ce qui l'avait amené à citer Gloria Dayton à comparaître afin de l'obliger à déposer.

— Eh bien, tout a commencé quand M. Moya m'a dit que l'arme trouvée par la police dans sa chambre d'hôtel ne lui appartenait pas et qu'elle y avait été déposée par quelqu'un, répondit-il. Notre enquête nous a alors amenés à conclure que cette arme était déjà cachée dans sa chambre lorsque la police y est arrivée pour procéder à l'arrestation.

— Et qu'est-ce que cela vous a fait comprendre ?

— Eh bien, que si cette arme y avait bien été cachée comme M. Moya n'arrêtait pas de l'affirmer, c'était que quelqu'un qui se trouvait dans cette chambre avant l'arrivée de la police l'y avait mise.

— Où cela vous a-t-il conduit ?

— Nous avons vérifié tous ceux qui s'étaient trouvés dans cette chambre pendant les quatre jours où M. Moya y était resté avant d'être arrêté. Et, par élimination, nous avons réduit le champ de nos recherches à deux femmes qui s'y étaient effectivement trouvées à de multiples reprises. Il s'agissait de prostituées qui se donnaient les noms de Glory Days et de Trina Trixxx… avec trois *x*. Trina Trixxx n'a pas été difficile à retrouver dans la mesure où elle travaillait toujours sous ce nom à Los Angeles et avait un site Web. Je l'ai contactée et lui ai fixé un rendez-vous.

Et là, il s'arrêta et attendit mes instructions. Lorsque nous avions discuté de son témoignage, je lui avais recommandé de ne pas dévoiler trop d'éléments de l'histoire d'un coup et de s'en tenir à des réponses courtes. Je lui avais aussi conseillé de ne rien dire spontanément sur ce qu'il avait dû lui payer pour qu'elle accepte de coopérer. Je n'avais pas envie que cette information tombe gratis dans l'escarcelle de Bill Forsythe.

— Voulez-vous bien dire au jury ce qui s'est passé à ce rendez-vous ? lui demandai-je.

Il acquiesça d'un hochement de tête enthousiaste.

— Eh bien, elle a commencé par révéler que son vrai nom était Trina Rafferty. Elle a aussi admis connaître M. Moya et s'être trouvée dans sa chambre à l'époque. Elle a nié y avoir jamais mis une arme, mais a reconnu que son amie Glory Days lui avait dit l'avoir fait.

Je fis de mon mieux pour feindre la perplexité et levai une main, l'air de dire « je-ne-comprends-vrai-ment-pas ».

— D'accord, mais… pourquoi aurait-elle dissimulé une arme dans cette chambre ?

Cela déclencha une objection de Bill Forsythe et un échange privé de cinq minutes entre lui et le juge. Et je finis par recevoir l'autorisation de poursuivre avec ma question. C'est là un des rares moments où la défense a un avantage dans un procès au pénal. Tout dans ces procès va à l'encontre de la défense, mais la dernière chose que souhaite un juge est de devoir concéder la réouverture d'un procès en appel pour faute dans sa façon de mener les débats. Voilà pourquoi la grande majorité des juristes, y compris le juge Nancy Leggoe, se donnent un mal de chien pour permettre à la défense de procéder comme elle l'entend du moment qu'elle reste dans les limites du décorum et des règles de production de la preuve. Leggoe savait qu'à soutenir toute objection de Forsythe, elle risquait de se retrouver avec un jugement cassé par une cour supérieure. Au contraire, rejeter une objection de l'accusation fait rarement courir le même risque. Dans la pratique, cela signifie que donner la plus grande latitude à la défense pour bâtir son affaire est, juridiquement parlant, la voie la plus sûre à suivre.

De retour au lutrin, je demandai donc encore une fois à Fulgoni pourquoi Glory Days aurait dû coller une arme dans la chambre d'hôtel d'Hector Moya.

— Trina Rafferty m'a confié que Glory Days et elle travaillaient pour la DEA et que la DEA voulait que Moya soit condamné à perpèt…

Forsythe s'envola presque tant il bondit pour élever son objection.

— Madame le juge ! s'écria-t-il. En quoi tout cela est-il fondé ? L'accusation élève l'objection la plus énergique contre ce que vient de déclarer le témoin et la façon dont son conseil se sert de ce procès pour s'en aller errer sans but dans tout ce flot de sous-entendus.

Leggoe ne perdit pas de temps pour réagir.

— Maître Haller, dit-elle, je pense que cette fois maître Forsythe a raison. Je vous prie donc de nous montrer en quoi tout cela est fondé ou de passer à autre chose avec le témoin.

Comme quoi, cet avantage de la défense… Il me fallut quelques secondes pour prendre du recul et repartir dans une autre direction. Je posai alors à Fulgoni toute une série de questions établissant les paramètres et de l'arrestation et de la condamnation de Moya, en insistant avec une attention toute particulière sur les articles du code fédéral qui permettent à l'accusation d'augmenter la gravité des charges et de demander la perpétuité lorsque l'accusé est trouvé en possession d'une arme à feu et de soixante grammes de cocaïne… cette dernière quantité étant jugée par ce même code fédéral comme dépassant celle de la consommation personnelle autorisée.

Cela me prit presque une demi-heure, mais je finis par revenir à la question de savoir pourquoi Glory Days – et nous avions déjà établi que, de fait, il s'agissait de Gloria Dayton – aurait voulu cacher une arme dans la chambre de Moya. Forsythe éleva encore une fois une objection, en arguant que tout le travail de préparation que je venais d'effectuer était insuffisant, mais le juge conclut qu'elle était d'accord avec moi et rejeta l'objection.

— Nous pensions, cela fondé sur des faits apparus lors de notre enquête, que Gloria Dayton était un indic de la DEA et qu'elle a caché l'arme dans la chambre de M. Moya sur ordre de son agent traitant.

Voilà. C'était enfin dans les minutes. La pierre angulaire de la défense. Je jetai un coup d'œil à Forsythe. Il écrivait furieusement dans un bloc-notes sans lever la tête : on était en colère. Il ne devait même pas avoir envie de voir la réaction des jurés.

— Et qui était cet agent ? demandai-je.

— Un certain James Marco, répondit Fulgoni.

Je baissai la tête et fis semblant de vérifier des notes quelques instants dans mon bloc pour que les jurés puissent mémoriser ce nom au plus profond de leur crâne.

— Maître Haller ? me pressa le juge. Posez la question suivante.

Je regardai Fulgoni et réfléchis à la direction à prendre maintenant que j'avais mis le nom de Marco dans toutes les têtes.

— Maître Haller ! me pressa encore Leggoe.

— Oui, madame le juge, m'empressai-je de répondre. Maître Fulgoni, de qui tenez-vous que ce James Marco aurait été l'agent traitant de Gloria Dayton ?

— De Trina Rafferty. Elle m'a dit que Gloria et elle travaillaient toutes les deux pour lui en qualité d'indics.

— Trina Rafferty vous a-t-elle dit si James Marco lui avait demandé d'introduire cette arme dans la chambre de M. Moya ?

Avant qu'il puisse répondre, Forsythe éleva une objection pleine de colère au motif que toutes ces questions n'étaient qu'ouï-dire. Le juge l'appuya sans me permettre d'argumenter contre sa décision. Je demandai à être entendu, à contrecœur elle nous fit signe d'approcher. Je me lançai sans attendre.

— Madame le juge, la défense se retrouve entre l'enclume et le marteau. La cour vient d'accepter l'objection de maître Forsythe et de m'interdire de poursuivre mon interrogatoire au motif qu'il ne s'agirait que de pur ouï-dire. Cela ne me laisse pas d'autre choix que celui d'obtenir ce renseignement de la bouche même de l'agent Marco. Or, comme vous le savez, Marco se trouvait dans la première liste de témoins soumise à la cour il y a pratiquement quatre semaines. Mais nous n'avons jamais pu remettre une quelconque citation à comparaître ni à l'agent Marco ni à aucun autre membre de la DEA.

Leggoe haussa les épaules.

— Et quelle solution voulez-vous que la cour apporte à cette situation ? Que j'autorise des preuves par ouï-dire ? Il n'en est pas question, maître Haller.

Je me mis à hocher la tête avant même qu'elle ait fini.

— Ça, je le sais, madame le juge. Mais je me disais qu'une injonction à comparaître venant de vous, avec la bénédiction de l'accusation, s'entend, pourrait beaucoup aider à ce que l'agent Marco paraisse dans cette enceinte.

Elle se tourna vers Forsythe et haussa les sourcils. La balle était maintenant dans le camp de l'accusation.

— Madame le juge, je suis tout à fait heureux de donner ma bénédiction à cette mesure, dit Forsythe.

Que ça marche ou pas, tout ce que l'agent Marco aura à faire sera de se montrer et de nier toutes ces accusations farfelues. Il ne s'agira que de la parole d'un agent hautement décoré contre celle d'une pute et je…

— Maître Forsythe! s'écria le juge d'une voix qui n'avait plus rien d'un chuchotement. Je vous prie de veiller au décorum et de montrer un peu de respect dans mon prétoire.

— Je vous prie de m'excuser, madame le juge, lui renvoya-t-il vite. D'une prostituée… Ce que je voulais dire, c'est que cela se résumera à la parole de l'agent contre celle de la prostituée et, en cela, l'accusation n'a aucune inquiétude.

L'arrogance de l'accusation est un péché mortel quand elle survient dans un tribunal pénal. C'était la première fois que je voyais Forsythe y succomber et je compris alors qu'il avait bien des chances de devoir ravaler ses paroles avant la fin du procès.

— Très bien, conclut Leggoe, alors allons-y. Je vais ajourner la séance quinze minutes avant l'heure prévue afin que nous puissions formuler cette injonction à comparaître.

Nous regagnâmes nos places et je regardai Fulgoni qui m'attendait à la barre. Jusque-là il s'était montré détendu, calme et réfléchi. J'étais sur le point de changer la donne et de l'emmener dans une direction que nous n'avions ni discutée ni répétée durant les quelques jours précédant le procès.

— Maître Fulgoni, lui lançai-je, jusqu'à quel point Gloria Dayton vous a-t-elle confirmé cette théorie de l'arme cachée?

372

— Elle ne m'a rien confirmé du tout. C'est moi qui l'ai citée à comparaître pour qu'elle me fasse une déposition, mais elle a été assassinée avant même que je puisse lui parler.

J'acquiesçai d'un signe de tête et regardai mes notes.

— Et depuis quand pratiquez-vous le droit?

Ce brusque changement de direction le surprit.

— Euh… ça fera deux ans et demi le mois prochain.

— Avez-vous jamais pris part à un procès avant celui-ci?

— Vous voulez dire au tribunal?

Je faillis éclater de rire. S'il n'avait pas été mon propre témoin, je l'aurais rétamé avec cette réponse. Dans la situation présente, j'avais besoin de ne le laisser que pour mort avant d'en terminer avec mes questions.

— C'est ça, « au tribunal », répétai-je d'un ton sec.

— Non, aucun pour l'instant. Mais je connais des avocats pour qui il faut surtout ne jamais aller au prétoire et toujours régler l'affaire avant d'en arriver là.

— De ma place, le conseil n'est pas mauvais, maître Fulgoni. Pouvez-vous dire aux jurés comment, alors même que vous sortez de l'école de droit depuis à peine deux ans et demi et n'avez jamais mis les pieds dans un prétoire, vous avez fait votre compte pour avoir Hector Moya comme client?

— On me l'a envoyé, dit-il en hochant la tête.

— Qui ça « on »?

— Mon père, en fait.

— Et comment cela s'est-il produit?

Il me jeta un regard où je lus clairement qu'on m'avertissait de ne pas aller sur des terres qu'il avait estimées hors limites la dernière fois que nous avions discuté de son témoignage. Je lui renvoyai un regard qui disait : « Alors là, c'est pas d'pot. T'es sous serment, mec. Je te tiens. »

— Dites donc aux jurés comment votre père en est venu à vous envoyer M. Moya, s'il vous plaît.

— Euh… c'est-à-dire que mon père est incarcéré à la même prison fédérale qu'Hector. Ils se connaissent, et mon père m'a recommandé auprès de lui.

— Bien, vous avez donc pris l'affaire deux ans et demi après être sorti de l'école de droit et avez engagé une procédure de recours en *habeas corpus* dans l'espoir de faire annuler la condamnation à perpétuité de M. Moya, c'est bien ça ?

— Oui.

— Parce que l'arme à feu qui lui a valu cette condamnation avait été cachée dans sa chambre ?

— Oui.

— Et c'est bien Gloria Dayton qui, d'après vous, l'y avait déposée ?

— Oui.

— Vous vous fondiez sur ce que Trina Rafferty vous avait dit.

— Oui.

— Et avant d'engager cette procédure, aviez-vous lu les minutes du procès de M. Moya en 2006 ?

— Pour l'essentiel, oui.

— Aviez-vous lu la transcription de l'audience au cours de laquelle le juge lui a infligé cette condamnation à perpétuité ?

— Oui.

Je demandai alors à Leggoe l'autorisation de présenter au témoin le document que j'avais déposé en tant que deuxième preuve à conviction, à savoir la transcription de la condamnation d'Hector Moya le 4 novembre 2006.

Elle acquiesça et je m'avançai vers Fulgoni pour lui tendre la pièce. Je l'avais déjà ouverte à la page que je voulais qu'il lise aux jurés.

— Qu'avez-vous entre les mains, maître Fulgoni? lui demandai-je.

— La transcription de l'audience de condamnation au tribunal fédéral. Ce sont les remarques du juge.

— Est-ce bien cela que vous avez lu en vous préparant à lancer votre demande de recours en *habeas corpus* au bénéfice de M. Moya?

— Oui.

— Bien. Comment s'appelle le juge?

— L'Honorable Lisa Bass.

— Pouvez-vous, s'il vous plaît, lire aux jurés les passages que j'ai surlignés dans les déclarations du juge Bass?

Il se pencha et commença à lire.

— « Monsieur Moya, le rapport de présentence vous concernant est consternant. Vous avez mené une vie de criminel et atteint un haut rang dans le très meurtrier cartel de Sinaloa. Vous êtes un homme froid et violent et n'avez plus rien d'humain. C'est la mort que vous vendez. La mort, c'est ce que vous êtes. Et il m'échoit aujourd'hui le bonheur de vous condamner à la prison. Je regrette de ne pas pouvoir faire plus. Pour être honnête, je regrette que vous n'ayez pas droit à la peine de mort parce que je l'aurais prononcée. »

C'est là que Fulgoni s'arrêta. Les commentaires du juge n'étaient pas terminés, mais j'estimai que les jurés en avaient déjà un assez bon aperçu.

— Bien, et donc, vous avez lu cette transcription de l'audience de condamnation à un moment donné de l'année dernière quand vous prépariez votre demande de recours en *habeas corpus* au profit de M. Moya, c'est ça?

— C'est ça, oui.

— Vous saviez par conséquent, alors même que vous prépariez votre citation à comparaître pour Gloria Dayton, quel genre d'antécédents avait M. Moya, c'est bien ça?

— Oui.

— Et donc, maître Fulgoni… vous est-il jamais venu à l'esprit, à vous, le jeune avocat sans expérience, qu'il était peut-être dangereux de citer Gloria Dayton à comparaître afin d'obtenir d'elle une déclaration dans laquelle vous lui demanderiez sans aucun doute de s'expliquer sur cette arme qu'elle aurait cachée dans la chambre de Moya?

— Le danger venant de qui?

— Permettez que ce soit moi qui pose les questions, maître Fulgoni. C'est comme cela qu'on procède dans un vrai procès.

Un léger murmure de rires monta du côté des jurés, mais je fis comme si je ne l'avais pas entendu.

— Ne compreniez-vous pas, maître Fulgoni, qu'en lançant une citation à comparaître et en déclarant que Gloria Dayton était la personne qui avait caché l'arme dans la chambre d'hôtel d'Hector Moya, vous lui faisiez courir un grand danger?

— C'est pour ça que je l'ai fait sous le sceau du secret. Cela n'avait rien de public. Personne n'était au courant.

— Et votre client ? Il ne savait pas ?

— Je ne le lui ai pas dit.

— L'avez-vous dit à votre père qui se trouvait dans la même prison que lui ?

— Mais ça n'a aucun sens. Il ne l'aurait pas tuée.

— Qui ne l'aurait pas tuée ?

— Hector Moya.

— Maître Fulgoni, c'est aux questions que je vous pose que vous devez répondre. Comme ça, il n'y a pas de confusion. Avez-vous, oui ou non, dit à votre père que vous aviez identifié Gloria Dayton comme étant la personne qui, d'après vous, avait caché l'arme dans la chambre de M. Moya ?

— Oui, je le lui ai dit.

— Et lui avez-vous jamais demandé s'il l'avait dit à M. Moya avant la mort de Gloria Dayton ?

— Oui, je le lui ai demandé, mais ça n'avait aucune importance. C'était elle qui pouvait faire sortir Moya de prison. Il ne l'aurait jamais tuée.

Je hochai la tête et consultai un instant mes notes avant de poursuivre.

— Alors pourquoi avez-vous demandé à votre père s'il avait donné le nom de Gloria Dayton à M. Moya ?

— Parce qu'au début je n'ai pas compris. Je me suis dit qu'il n'était pas impossible qu'il ait agi par vengeance ou un truc comme ça.

— Est-ce ce que vous pensez maintenant ?

— Non, parce que maintenant je comprends. Il avait besoin d'elle vivante pour pouvoir l'emporter dans son *habeas*. Nous avions besoin d'elle.

J'espérai que l'alternative au scénario que je venais d'analyser s'imposait comme évident aux jurés. Pour l'heure, je faisais dans la subtilité. Je voulais qu'ils en viennent à cette conclusion par eux-mêmes, ce qui permettrait de la renforcer avec d'autres témoignages. Lorsqu'on croit avoir découvert ou être parvenu à comprendre quelque chose tout seul, on est plus apte à s'y accrocher.

Je jetai un coup d'œil à Mallory Gladwell assise dans le box des jurés et la vis écrire quelque chose dans un des carnets qu'on avait donnés à chacun d'eux. J'eus l'impression que mon juré alpha avait pigé la subtilité.

Je me retournai vers Fulgoni. Ç'aurait été le moment idéal pour en finir, mais je l'avais à la barre et sous serment. Je décidai de ne laisser passer aucune chance de marteler la théorie de fond de la défense.

— Maître Fulgoni, enchaînai-je, j'essaie de déterminer à quel moment vous avez lancé votre demande pour Hector Moya. C'était bien début novembre, n'est-ce pas? Et c'était bien aussi début novembre que vous avez cité Gloria Dayton à comparaître, non?

— Si, si.

— Elle a alors été assassinée dans la nuit du 11 au 12 novembre, n'est-ce pas?

— Je ne connais pas les dates exactes.

— Aucune importance. Moi, je les connais. Le matin du 12, Gloria était morte et il a fallu attendre encore cinq mois pour que l'*habeas* avance un peu, exact?

— Comme je vous l'ai dit, je ne connais pas précisément les dates. Je pense que c'est juste.

— Pourquoi avez-vous attendu le mois d'avril de cette année pour faire avancer les choses et citer à comparaître l'agent de la DEA James Marco, entre autres personnes ? Qu'est-ce qui a causé ce retard, maître Fulgoni ?

— C'était juste... pour la stratégie de l'affaire. Il arrive que la justice soit lente, vous savez ?

— Serait-ce parce que vous auriez compris que si Hector Moya avait effectivement besoin de Gloria Dayton vivante, peut-être y avait-il quelqu'un d'autre qui avait besoin d'elle morte ?

— Non, je ne pense pas que ce soit...

— Aviez-vous peur d'avoir ouvert une boîte de Pandore avec cette demande de recours en *habeas corpus* et d'être vous-même en danger, maître Fulgoni ?

— Non, je n'ai jamais eu peur.

— Avez-vous jamais été menacé par un membre des forces de l'ordre qui tenait à retarder, voire clore, l'affaire Moya ?

— Non, jamais.

— Comment l'agent Marco a-t-il réagi en se voyant cité à comparaître en avril ?

— De fait, je n'en sais rien. Je n'étais pas là.

— A-t-il jamais obéi à cette citation et vous a-t-il fait une déclaration ?

— Euh, non, pas encore.

— Vous a-t-il personnellement menacé si jamais vous décidiez de continuer à demander ce recours en *habeas* ?

— Non, il ne l'a pas fait.

Je le dévisageai longuement. Il avait l'air d'un gamin prêt à mentir de bout en bout pour se tirer d'un faux pas s'il le pouvait.

Enfin le moment était venu. Je regardai le juge et l'informai que je n'avais plus de questions à poser au témoin.

Chapitre 32

Forsythe tint Fulgoni à la barre pendant une bonne heure et demie d'interrogatoire en contre des plus sévères. Si, à cause de moi, le jeune avocat avait pu paraître sot à certains moments, Forsythe aidant, il eut l'air parfaitement incompétent. Il est clair que le procureur s'était donné une mission à accomplir en contre, et cette mission n'était autre que celle de réduire à néant la crédibilité de Sly Junior. Je m'étais, moi, servi de ce dernier pour faire porter plusieurs points d'importance aux minutes. Le seul espoir qu'il restait à Forsythe d'en diminuer l'impact était de mettre à mal leur source. Il fallait absolument qu'au moment où il le lâcherait, les jurés rejettent entièrement le témoignage de Fulgoni.

Il fut à deux doigts de réussir à la fin de ces quatre-vingt-dix minutes. Fulgoni semblait complètement lessivé. Dieu sait comment, ses vêtements donnaient l'impression de s'être fanés, il se tenait voûté, ne répondait plus aux questions que par monosyllabes et tombait d'accord avec pratiquement tout ce que le procureur lui suggérait dans ses questions. On en était arrivé au syndrome de Stockholm tant Fulgoni faisait tout pour plaire à son ravisseur.

J'essayai d'intervenir et de lui donner un coup de main ici et là en élevant des objections quand je le pouvais. Mais Forsythe restait adroitement dans les clous et, les unes après les autres, toutes mes objections étaient rejetées.

Enfin, à 16 h 15, tout fut fini. Fulgoni fut excusé et quitta la barre comme quelqu'un qui ne voudrait plus jamais mettre les pieds dans un tribunal alors même qu'il était avocat. Je m'approchai de la barrière et chuchotai à Cisco, assis au premier rang de l'assistance, de veiller à ce que Sly Junior ne file pas. J'avais encore besoin de lui parler.

Le juge renvoya les jurés chez eux et leva la séance pour la journée. Puis elle nous invita, Forsythe et moi, à la retrouver en son cabinet pour élaborer l'injonction à comparaître qui, nous l'espérions, amènerait James Marco à la barre. J'informai Lorna que rédiger le document ne prendrait pas très longtemps et lui dis qu'elle ferait bien d'aller sortir sa voiture du parking en sous-sol où elle la garait tous les matins.

Je rattrapai Forsythe dans le couloir qui conduisait au cabinet du juge derrière le prétoire.

— Bel éreintement de Fulgoni, lui lançai-je. Au moins a-t-il maintenant un peu d'expérience en matière de salle d'audience !

Forsythe se retourna et m'attendit.

— Quoi, moi ? C'est vous qui avez commencé… et c'était votre témoin.

— Sacrifice aux dieux. Il fallait le faire.

— Je ne sais pas ce que vous espérez gagner en jouant l'angle Moya, mais ça ne marchera pas, Mick.

— Nous verrons.

— Et c'est quoi, tous ces noms sur la nouvelle liste ? J'ai des enfants et j'aimerais bien pouvoir passer un peu de temps avec eux ce soir.

— Filez la liste à Lankford. Il a tout le temps, lui. Je crois que ses enfants, il les a bouffés.

Il riait encore lorsqu'il entra dans le cabinet de Leggoe. Elle avait déjà pris place à son bureau et s'était tournée vers son écran d'ordinateur posé sur le côté.

— Messieurs, lança-t-elle, essayons de finir ça avant les embouteillages.

Un quart d'heure plus tard, je quittais les lieux par le prétoire. Le juge avait lancé son injonction à comparaître. Ce serait au bureau du shérif de le faire parvenir au bureau de la DEA le lendemain matin. Le document ordonnait à la DEA d'expliquer pourquoi l'agent James Marco ne devrait pas se montrer au tribunal avant 10 heures ce mercredi-là. Cela signifiait que ce serait ou Marco ou un avocat de la DEA qui devrait comparaître. Si cela ne marchait pas, le juge Leggoe lancerait un mandat d'arrêt contre Marco et tout serait alors des plus intéressants.

Cisco et Sly Junior partageaient un banc dans le couloir. Un des hommes de Moya était, lui, assis tout seul sur un banc en face. L'autre avait suivi Lorna lorsqu'elle était descendue chercher la voiture.

Je m'approchai de Cisco et de Fulgoni et dis à ce dernier que, certes, je le savais, la journée avait été rude, mais que j'appréciais beaucoup l'aide qu'il m'avait fournie pour mon client. J'ajoutai que j'étais toujours impatient de travailler avec lui à sa demande de recours en *habeas* devant une cour fédérale.

— Je ne me trompais pas sur vous, Haller, me renvoya-t-il.

— Ah bon, quand ça ?

— Quand j'ai dit que vous étiez un vrai fumier ! s'écria-t-il, et il se leva pour partir. En plein dans le mille, que j'ai mis !

Cisco et moi le regardâmes gagner les ascenseurs à grands pas. Ce qu'il y a de bien à travailler tard au tribunal, c'est que les foules qui attendent les ascenseurs se raréfient et que l'attente n'est pas aussi pénible. Fulgoni en eut un très vite et disparut.

— Sympa, le mec, fit remarquer Cisco.

— Tu devrais voir le père. Il est encore mieux.

— Mais je ne devrais quand même pas en dire du mal. Un mec comme ça, y a des chances que je finisse par travailler pour lui un jour.

— Tu as probablement raison.

Je lui tendis une copie de l'injonction du juge. Il déplia le document et y jeta un coup d'œil.

— Y a sûrement quelqu'un là-haut à Roybal qui va s'en servir pour se torcher.

— C'est probable, mais ça fait partie du jeu. Juste au cas où, vaudrait mieux qu'on soit prêts si jamais il se pointe mercredi.

— C'est juste.

Nous nous levâmes et nous dirigeâmes vers les ascenseurs. L'homme de Moya nous emboîta le pas.

— Tu vas au loft ? demandai-je à Cisco.

La team Haller s'y était réunie régulièrement chaque après-midi après l'audience. Nous y relations les événements de la journée et parlions et envisagions ce qui se passerait le lendemain. C'était une façon de partager nos réussites et nos échecs. Ce jour-là, je pensais que la balance avait penché côté réussite. La réunion serait bonne.

— J'y serai, oui. J'ai juste un truc à faire avant, me répondit-il.

— Parfait.

Une fois dehors, je gagnai Spring Street et vis la Lexus de Lorna garée devant deux Lincoln Town Cars qui, elles aussi, attendaient des avocats de la cour. Je longeai le trottoir, dépassai les Lincoln, étais sur le point d'ouvrir la porte arrière de la Lexus, mais décidai de ne pas mettre Lorna dans l'embarras. Je m'installai devant.

— Ça doit faire de moi un « défenseur Lexus[1] », non ? lui dis-je. Peut-être que les mecs du cinéma vont me faire une suite au film.

Ça ne la fit pas sourire.

— On va au loft ? me demanda-t-elle.

— Si ça ne te gêne pas. Je veux être sûr qu'on soit prêts pour demain.

— Naturellement.

Elle déboîta brutalement du trottoir sans regarder et se fit incendier par un automobiliste auquel elle avait coupé la route. J'attendis quelques instants avant de décider d'intervenir ou pas. Je l'avais eue brièvement pour épouse. Je connaissais ses sautes d'humeur et savais que ses reparties calmes et hachées pouvaient très bien déborder si on laissait mijoter un peu trop longtemps sur le feu.

— Bon alors, quoi de neuf ? Tu es fâchée.

— Non, pas du tout.

— Bien sûr que si. Dis-moi.

— Pourquoi as-tu obligé Sylvester Junior à t'attendre après l'audience ?

---

1. Clin d'œil à *La Défense Lincoln*.

Je fronçai les sourcils en essayant de voir le rapport entre sa contrariété et le fait d'avoir obligé Fulgoni à m'attendre.

— Je ne sais pas. Je devais vouloir le remercier d'avoir témoigné à la barre. Ç'a été plutôt dur pour lui, cette journée.

— Et à qui la faute, hein?

Soudain je compris qu'elle me faisait la peau. Elle avait pitié de Sly Junior.

— Écoute, Lorna, ce gamin est totalement incompétent. Il fallait que je le montre parce que si je ne l'avais pas fait, j'aurais eu l'air tout aussi incompétent quand Forsythe l'aurait traité comme une serpillière. Sans compter qu'un jour ou l'autre, il finira par me remercier. Il vaut mieux lui remettre les pendules à l'heure maintenant que plus tard.

— Comme tu veux.

— C'est ça, comme je veux. Tu sais quoi? Earl ne m'a jamais fait chier sur la façon dont je traite mes affaires.

— Et regarde où ça l'a mené.

Ce fut comme si je recevais une flèche dans le dos.

— Quoi?! Et ça voudrait dire quoi?

— Non, rien.

— Oh allons, Lorna. Ne me colle pas cette merde sur le dos. Tu penses pas que je culpabilise assez pour ce qui lui est arrivé?

En fait, j'étais plutôt surpris qu'elle ait mis deux mois à me sortir ça.

— Tu savais qu'on te suivait. Ils t'avaient collé un tracker sous la voiture.

— Voilà, c'est ça, un tracker. Pour savoir où j'allais. Pas pour nous tuer. Ça n'a jamais fait partie du tableau. Pour l'amour de Dieu, Lorna, c'est un tracker qu'ils avaient collé sur la voiture, pas un engin explosif improvisé !

— Quand tu es monté voir Moya, tu aurais dû te douter qu'ils comprendraient que tu avais tout pigé et que tu représentais donc un danger.

— C'est n'importe quoi, ça, Lorna. Parce que je n'avais pas tout compris. Ni à ce moment-là ni maintenant. J'en suis toujours à naviguer à vue. En plus de quoi, la veille, Cisco m'avait dit que ses Indiens ne voyaient rien et j'avais pris la décision de les virer parce qu'ils nous coûtaient la peau des fesses et que tu n'arrêtais pas de me critiquer pour le fric.

— Et donc, c'est moi que tu accuses ?

— Non, je ne t'accuse pas, Lorna. Je n'accuse personne, mais il est clair qu'on a loupé un truc parce qu'on n'y voyait pas clair.

— Et Earl s'est fait tuer.

— Oui, Earl s'est fait tuer et pour l'instant, ils l'emportent au paradis. Et moi, je dois vivre avec ça : avoir appelé les mecs pour leur dire d'arrêter la surveillance. Pas que ç'aurait changé grand-chose, mais…

Et je levai les mains en l'air, genre « j'abandonne ».

— Écoute, repris-je, je ne sais pas pourquoi tout ça fait surface pile aujourd'hui, mais on pourrait pas arrêter d'en parler ? Je suis en plein procès et c'est avec des tronçonneuses que je jongle. Tout ça ne m'aide pas vraiment. Je vois le visage d'Earl tous les soirs quand j'essaie de m'endormir. Si ça te fait plaisir de savoir qu'il me hante, eh bien oui : il me hante !

Nous roulâmes en silence les vingt-cinq minutes qui suivirent, jusqu'au moment où nous entrâmes enfin dans le parking derrière le loft de Santa Monica Boulevard. Au nombre de voitures qui s'y trouvaient, dont trois fourgonnettes en piteux état, je compris que nous aurions droit à un accompagnement musical pour notre réunion. Le règlement du bâtiment stipulait que les groupes pouvaient répéter dans leurs lofts à partir de 16 heures.

Lorna et moi gardâmes le silence dans l'ascenseur de service puis, comme en colère, nos chaussures grincèrent sur le parquet. Leur bruit se changea en écho dans tout le loft au fur et à mesure que nous approchions de la salle de réunion.

Seule Jennifer s'y trouvait déjà. Je me rappelai Cisco me disant qu'il avait quelque chose à faire avant.

— Alors, comment ça s'est passé? me demanda Aronson.

— Plutôt bien, répondis-je en hochant la tête et en prenant un siège pour m'asseoir. Ça commence à bouger. J'ai même réussi à suggérer à Forsythe de laisser Lankford accepter la nouvelle liste de témoins.

— Non, je voulais dire au tribunal. Comment s'est comporté Fulgoni?

Je jetai un coup d'œil à Lorna – je n'avais pas oublié sa sympathie pour Sly Junior.

— Il a servi les besoins de la cause.

— Il a fini?

— Oui, nous en avons terminé avec lui pour l'instant.

— Et donc vous avez donné la nouvelle liste et qu'est-ce qui s'est passé?

C'était elle qui l'avait préparée en s'assurant que chaque nouveau nom ait un lien avec l'affaire de façon à pouvoir démontrer qu'il devait y figurer. Enfin… tous, sauf un.

— Forsythe a élevé des objections à n'en plus finir et le juge lui a accordé jusqu'à demain matin pour donner sa réponse. C'est pour ça que je vous veux au tribunal : ces noms, vous les connaissez mieux que moi. Vous serez libre demain ?

Elle acquiesça.

— Oui. C'est moi qui parle ou je me contente de vous murmurer les réponses ?

— C'est vous qui parlez.

Elle s'illumina à l'idée de s'opposer à Forsythe en plein tribunal.

— Bon mais… qu'est-ce qu'on fait s'il met Stratton Sterghos sur le tapis ?

Je réfléchis un instant avant de lui répondre. J'entendis quelqu'un y aller d'un riff à la guitare électrique quelque part dans le bâtiment.

— Et d'un, il n'y a pas de « si jamais » pour Sterghos. Forsythe soulèvera forcément la question. Dès qu'il le fera, vous commencerez à répondre, puis vous ferez mine de vous tourner vers moi comme pour me demander si vous n'êtes pas en train d'en dire trop. Et là, je reprendrai la main.

La nouvelle liste de témoins que j'avais soumise au tribunal était une pièce très soigneusement élaborée dans notre stratégie de défense. Tous les gens que nous avions ajoutés avaient un lien tangentiel avec l'affaire Gloria Dayton. Démontrer qu'untel ou unetelle y avait sa place et pouvait témoigner ne posait pas de problème. La vérité était, bien sûr, que nous ne pourrions en appeler que très peu à la barre. Les trois quarts de ces noms avaient été ajoutés à la liste dans le seul but de mieux en cacher un : celui de Stratton Sterghos.

Sterghos, c'était notre grenade sous-marine. Il n'avait aucun lien direct ou indirect avec Dayton. Cela faisait néanmoins vingt ans qu'il habitait en face d'une maison de Glendale où deux dealers de drogue avaient été assassinés en 2003. Et c'était dans l'enquête sur ces deux meurtres qu'à mon avis une alliance pas vraiment catholique s'était formée entre un Lankford qui était alors inspecteur et l'agent de la DEA James Marco. Je devais faire apparaître cette alliance au grand jour et trouver le moyen de la rattacher à Gloria. D'en montrer ce qu'on appelle la pertinence juridique. Il fallait que je relie l'affaire Glendale à l'affaire Dayton, sans quoi je ne pourrais jamais la vendre aux jurés.

— Vous espérez donc que Lankford acceptera la liste et soulèvera le lièvre Stratton Sterghos, reprit Jennifer.

J'acquiesçai d'un hochement de tête.

— Avec un peu de chance…

— Et qu'en plus, il fera une erreur.

J'acquiesçai à nouveau.

— Avec encore plus de chance…

C'est alors que, pile au bon moment, Cisco entra dans la salle. Je m'aperçus que le grand costaud n'avait pas fait un bruit en traversant le loft. Il gagna la cafetière et se servit un gobelet de café.

— Cisco, c'est du vieux ! l'avertit Lorna. Il est de ce matin. Il n'est même pas chaud.

— Faudra que ça fasse l'affaire, lui renvoya-t-il.

Il reposa la cafetière en verre sur la plaque froide et avala une gorgée de café. Nous fîmes tous la grimace, il sourit.

— Quoi? lança-t-il. J'ai besoin de caféine. On commence juste à s'installer et il se pourrait bien que j'aie à rester debout toute la nuit.

— Et donc, tout est prêt? lui demandai-je.

Il acquiesça.

— Je viens de vérifier, dit-il. Oui, on est prêts.

— Il ne nous reste plus qu'à espérer que Lankford fasse son boulot.

— Voire davantage.

Il se versa encore un peu de ce vieux café dans son gobelet.

— Laisse-moi t'en faire du frais, insista Lorna en se levant et en contournant la table pour rejoindre son mari.

— Non, ça ira, dit-il. Je peux pas rester longtemps de toute façon. Faut que je remonte là-haut avec l'équipe.

Elle s'arrêta. Elle avait l'air peinée.

— Quoi? dit-il.

— Qu'est-ce que t'es en train de fabriquer? lui demanda-t-elle. C'est dangereux?

Il haussa les épaules et me regarda.

— On a pris des précautions, dis-je, mais… Y a des types armés.

— On fait toujours attention, ajouta Cisco.

Je compris alors d'où sortait la discussion enflammée que Lorna et moi avions eue dans la voiture. Elle avait peur pour son mari, peur que le sort qui avait frappé Earl Briggs n'atteigne ensuite son foyer.

Chapitre 33

Cisco m'appela à minuit. J'étais au lit avec Kendall après m'être glissé hors de chez moi par la porte de derrière et avoir encore une fois pris un taxi pour franchir la colline et la retrouver chez elle. Les hommes de Moya me protégeaient vingt-quatre heures sur vingt-quatre et sept jours sur sept, mais je les laissais derrière chaque fois que j'allais voir Kendall : ils ne lui plaisaient pas et elle n'avait aucune envie de les voir près d'elle. Comme c'était devenu notre petite routine depuis le début du procès, nous avions dîné tard au bar à sushis après qu'elle avait fermé son studio pour rentrer chez elle. J'étais profondément endormi et rêvais d'un accident de voiture lorsque je reçus l'appel. Il me fallut un petit moment pour retrouver mes esprits et comprendre ce que signifiait ce coup de fil.

— On les a sur bande, me lança Cisco.
— Qui exactement ?
— Les deux. Lankford et Marco.
— Ensemble dans le même plan ?
— Voilà.
— Parfait. Ils ont fait quelque chose ?
— Oh que oui ! Ils sont entrés.

— Tu veux dire… par effraction ?

— Eh oui !

— Putain de Dieu ! Et ça aussi, tu l'as sur bande ?

— Oui, tout ça, et y a du rab. Marco vient de cacher de la drogue dans la baraque. De l'héroïne.

J'en restai presque sans voix. On n'aurait pu rêver mieux.

— Et ça aussi, c'est sur bande ?

— Oui, oui. On a tout. Tu veux qu'on démonte tout de suite ? Qu'on enlève les caméras ?

Je réfléchis quelques instants avant de répondre.

— Non, finis-je par dire. Je veux que ça reste. On a payé Sterghos pour quinze jours. On laisse tout en l'état. On ne sait jamais.

— T'es sûr ? On a assez de fric pour ça ?

— Oui, je suis sûr. Non, on n'a pas le fric qu'il faut.

— Ben, ces gars-là, vaudrait mieux pas les plumer.

J'y allai presque d'une plaisanterie comme quoi les Indiens, on les plumait depuis Christophe Colomb, mais décidai que ce n'était pas le moment de faire de l'humour.

— Je trouverai quelque chose.

— D'accord.

— On se revoit ce matin. Tu auras quelque chose que je pourrai voir ?

— Oui. Je vais tout télécharger sur l'iPad de Lorna. Tu pourras regarder ça en allant au tribunal.

— O.K., parfait.

Après avoir décroché, je vérifiai mes textos, histoire de voir si j'avais quelque chose de ma fille. Tous les soirs je lui avais envoyé des résumés des audiences pour lui dire comment ça se passait et lui souligner les points forts de la journée. Les bilans avaient pratiquement tous été négatifs jusqu'à ce que commence la phase défense. À partir de là, les points forts avaient tous été pour moi. Le texto que je lui avais envoyé en franchissant la colline en taxi lui disait les points que j'avais marqués en interrogeant Valenzuela et Fulgoni à la barre.

Mais, comme d'habitude, je n'avais reçu aucune réponse, même seulement pour me dire qu'elle avait bien eu mes messages. Je reposai mon portable sur la table de nuit et me rallongeai. Kendall me glissa son bras sous la poitrine.

— Qui c'était? me demanda-t-elle.

— Cisco. Il a trouvé de bons trucs cette nuit.

— Un bon point pour lui.

— Non, pour moi.

Elle me serra le bras et je sentis combien elle était forte après toutes ces années de yoga.

— Rendors-toi tout de suite, me dit-elle.

— Je ne pense pas pouvoir, lui répondis-je.

Mais j'essayai. Je fermai les yeux et tentai de ne pas replonger dans le rêve dont je venais de sortir. J'essayai de penser à ma fille en train de chevaucher un étalon noir avec un éclair entre les naseaux. Dans ma vision elle ne portait pas de casque et ses cheveux flottaient derrière elle tandis qu'elle traversait au galop un terrain de hautes herbes sans clôture. Juste au moment de me rendormir, je me rendis compte que la fille que je voyais était la mienne un an plus tôt, à une époque où nous nous parlions encore régulièrement et nous voyions le week-end. La dernière pensée qui me vint avant que je ne succombe à l'épuisement et au sommeil fut de me demander si elle serait à jamais figée à cet âge dans mes rêves. Ou si je vivrais avec elle d'autres expériences à partir desquelles bâtir d'autres rêves.

Deux heures plus tard mon portable bourdonnait à nouveau. Kendall grogna tandis que je l'attrapais vite sur la table de nuit et répondais sans regarder l'écran.

— Quoi encore? lançai-je.

— « Quoi encore »? Pour qui vous prenez-vous pour traiter mon fils comme ça en plein prétoire?

Ce n'était pas Cisco. C'était Sly Fulgoni Senior.

— Sly? Attendez… ne quittez pas.

Je me levai et sortis de la chambre. Je ne voulais pas déranger Kendall plus que je ne l'avais déjà fait. Je m'assis au comptoir de la cuisine et parlai à voix basse.

— Sly, lui dis-je, j'ai fait ce que je devais faire pour mon client et ce n'est pas le moment de parler de ça. De fait, le fiston n'a eu que ce qui lui pendait au nez, et il est trop tard et je suis trop fatigué pour parler de ça.

Il y eut un long silence.

— M'avez-vous mis sur la liste? me demanda-t-il enfin.

C'était pour ça qu'il m'appelait, en fait. Pour lui. Il voulait se mettre un peu en vacances de la prison fédérale et, pour ça, il exigeait que son nom figure sur la nouvelle liste de témoins. Il voulait prendre le car pour descendre de Victorville et passer un ou deux jours à la prison du comté de Los Angeles, rien que pour changer de rythme et de paysage. Qu'on n'ait pas besoin de son témoignage dans l'affaire La Cosse lui importait peu. Il voulait que je lui bricole une raison de l'inclure dans la liste afin d'être transféré à L.A. Si j'y arrivais, je pouvais toujours dire au juge que j'avais changé d'idée

394

et de stratégie et n'avais plus besoin de lui. On le ren-
verrait à Victorville après son petit congé.

— Oui, répondis-je, vous êtes sur la liste. Mais elle
n'a pas encore été acceptée. La question sera débattue
tout à l'heure et ça ne plaide pas en votre faveur de me
réveiller comme ça. J'ai besoin de dormir, Sly, pour
être au mieux de ma forme et l'emporter.

— O.K., c'est compris. Allez faire dodo pour être
frais demain, Haller. J'attends de vos nouvelles et vaudrait mieux pas que vous m'entubiez là-dessus. Mon fils
sait pas où il va. Il a reçu une bonne leçon aujourd'hui.
Mais moi, des leçons, j'en ai pas besoin. Faites ce qu'il
faut pour que je descende à L.A.

— Je ferai de mon mieux. Bonne nuit.

Je raccrochai avant qu'il ait le temps de répondre et
regagnai la chambre. J'allais m'excuser de cette deuxième intrusion auprès de Kendall, mais elle s'était
déjà rendormie.

Je regrettai d'être incapable d'en faire autant aussi
facilement. Mais ce deuxième appel avait brisé – et
irrémédiablement – mon cycle de sommeil et je passai
le reste de la nuit à ne pas tenir en place dans le lit. Je
ne trouvai le moyen de m'endormir qu'une heure avant
de devoir me réveiller pour la journée.

Ce matin-là, j'appelai un taxi pour que Kendall puisse
rester dormir chez elle. Heureusement que j'avais
commencé à laisser des habits chez elle. J'enfilai un
costume qui, sans être des plus frais, était au moins différent de celui que je portais la veille. Puis je me glissai
hors de chez elle sans la réveiller. Lorna m'attendait
déjà dans la Lexus lorsque le taxi s'arrêta devant chez
moi, peu après 8 heures. Les hommes de Moya étaient

là eux aussi et, assis dans leur voiture, attendaient de nous escorter en centre-ville. Je pris deux minutes pour passer prendre ma mallette chez moi, redescendis les marches et sautai dans la voiture.

— Allons-y ! m'écriai-je.

Lorna déboîtant brutalement du trottoir, je vis qu'elle n'avait toujours pas renoncé à sa colère contre moi.

— Eh mais, me lança-t-elle, c'est pas moi qui me suis pointée avec dix minutes de retard ! Moi, j'étais à l'heure, et j'ai dû rester assise sur mon cul à attendre… sans même parler de devoir poireauter avec ces deux brutes des cartels qui foutent la chair de poule à tout le monde.

— O.K., O.K., dis-je. On laisse tomber, d'accord ? J'ai eu une nuit agitée.

— T'en as de la chance, dis donc !

— C'est pas ce que je voulais dire. Y a Cisco qui m'a réveillé et après, ç'a été Sly Senior qui m'a fait suer et… j'ai dû dormir à peu près trois heures. Cisco a-t-il téléchargé la vidéo sur ton iPad pour que j'y jette un œil ?

— Oui, il est derrière, dans le sac.

Je tendis le bras entre les deux sièges et vis son sac à main posé par terre. De la taille d'un cabas à provisions, il pesait une tonne.

— Mais qu'est-ce que t'as mis dans ce truc ?

— Tout, me répondit-elle.

Je ne lui demandai pas d'autres explications. Je réussis à faire passer le sac à l'avant, l'ouvris et trouvai l'iPad. Je reposai le sac par terre entre mes pieds de peur de me froisser un muscle en essayant de le remettre derrière.

— Ça devrait déjà être à l'écran et prêt à défiler, reprit-elle. Appuie juste sur *Play*.

J'ouvris l'étui de l'iPad, allumai l'appareil et vis le plan fixe d'une porte dont je savais que c'était celle de l'entrée de chez Stratton Sterghos. La vue avait été prise par en dessous et la qualité n'était pas des meilleures, la seule source de lumière étant celle d'une lampe de perron à côté de la porte. Je me dis que les copains de Cisco avaient dû se servir d'une caméra miniature dissimulée dans une plante en pot ou un autre ornement. L'angle étant légèrement oblique, tout individu approchant de la porte et y frappant serait de profil.

J'appuyai sur *Play* et attendis quelques secondes que quelque chose veuille bien se déplacer ou se produire à l'écran. Enfin un homme monta les marches, hésita et jeta un coup d'œil derrière lui. Lankford. Puis il se retourna, frappa à la porte et, comme moi, attendit qu'on lui ouvre.

Rien ne se produisait. Je savais que personne ne viendrait lui ouvrir, mais la tension n'en était pas moins intense.

— Par où veux-tu que je passe aujourd'hui? me demanda Lorna.

— Attends juste une minute, lui répondis-je. Laisse-moi regarder ce truc.

La vidéo avait été prise sans le son. Lankford qui frappe à nouveau et plus fort. Puis il regarde en arrière et fait un signe de la tête. Apparemment vers quelqu'un hors champ. Il se retourne encore et frappe une fois de plus et avec encore plus de force.

Personne ne lui ouvre. Mais un deuxième individu monte les marches et se place à la droite de Lankford afin de pouvoir jeter un coup d'œil par la fenêtre à côté de la porte. Pour ce faire, il met les mains en coupe au-dessus de ses yeux et s'appuie à la vitre. On ne voit pas son visage jusqu'à ce qu'il se penche en arrière, se tourne vers Lankford et lui dise quelque chose. C'était James Marco.

Je figeai l'image de façon à pouvoir les regarder tous les deux. Ce plan, je le savais, déclencherait un énorme changement de perspective dans l'affaire. Il était certes parfaitement raisonnable et acceptable que Lankford se pointe chez quelqu'un figurant sur la liste des témoins de la défense dans une affaire où il était requis par le Bureau du district attorney. Mais qu'il se retrouve devant cette porte avec l'agent de la DEA James Marco changeait tout de fond en comble. J'avais là, sous les yeux, la preuve numérique reliant Marco à Lankford et à tout ce qui tournait autour du meurtre de Gloria Dayton. Je sentis qu'on s'acheminait vers le doute raisonnable, voire plus.

— Où est Cisco? demandai-je à Lorna sans détacher les yeux de l'écran.

— Il est rentré à la maison. Il m'a donné ça et est allé se coucher. Il m'a dit qu'il serait au tribunal avant 10 heures.

J'acquiesçai. Il méritait bien de se lever tard.

— Il a fait du bon boulot!

— Tu as tout regardé? Il a dit qu'il fallait regarder jusqu'au bout.

J'appuyai à nouveau sur *Play*. Lankford et Marco se lassent d'attendre qu'on leur ouvre et quittent le perron. J'attendis. Rien ne se produisait. Rien ne bougeait sur ce perron.

— Bon, mais qu'est-ce que je regar…

Puis je vis. Une ombre, à peine, à l'autre bout du perron, mais que je voyais bien. Un homme, ou peut-être bien les deux, longeait le côté de la maison.

Puis on passait à un autre plan – celui pris par une caméra orientée vers l'arrière de la maison. Je remarquai que la bande chrono démarrait dix secondes plus tôt. Je regardai et attendis, puis je vis deux silhouettes sortir des deux jardins de chaque côté de la maison et se retrouver devant la porte de derrière. À la lumière de la lampe installée au-dessus de la porte, je n'eus aucun mal à voir leurs visages. Encore une fois c'était Lankford et Marco. Lankford frappe à la porte, Marco, lui, n'attend pas qu'on lui ouvre. Il s'agenouille et commence à travailler la serrure : il est clair qu'il essaie de la crocheter.

— C'est génial ! m'écriai-je. Je n'arrive pas à croire qu'on a ce truc.

— C'est quoi, exactement ? me demanda Lorna. Cisco n'a pas voulu me le dire. Il m'a dit que c'était top secret et que ça changeait tout.

— C'est… oui, ça change tout. Je te raconte dans une minute. Mais ce n'est pas top secret.

Je regardai le reste de la vidéo. Marco qui réussit à ouvrir la porte, regarde Lankford par-dessus son épaule et hoche la tête. Puis il disparaît à l'intérieur pendant que Lankford attend dehors et, le dos à la porte, fait le guet.

De là, la vidéo passait à l'intérieur de la maison, les vues étant prises par une caméra de surveillance installée en hauteur dans la cuisine. Objectif *fish-eye*, très probablement logé dans un détecteur de fumée. Marco qui arrive de la porte de derrière, passe sous la caméra pour gagner un couloir, mais fait demi-tour et revient dans la cuisine. Il traverse la pièce, va jusqu'au frigo, ouvre le congélateur et y passe la main. Il tâte les différentes boîtes d'aliments congelés et porte son choix sur un paquet contenant des pizzas à pâte à pain française. Parce que je vis seul, j'en connais la marque. Il ouvre soigneusement le carton sans en déchirer le couvercle. Puis il en sort une des pizzas enveloppées dans du plastique, se la coince sous le bras, glisse une main dans la poche de son blouson d'aviateur en cuir noir et en tire quelque chose. Sa main bouge trop vite pour que je puisse identifier ce qu'il tient mais, quoi qu'il en soit, il enfonce l'objet dans le carton à pizza et remet la pizza par-dessus. Après quoi il repose le tout dans le congélateur sous des tas d'autres paquets et repart vers la porte à l'arrière de la maison.

La vidéo repassant à nouveau dehors, je vois Marco ressortir de chez Sterghos et fermer la porte à clé. Il n'a même pas passé une minute à l'intérieur. Il adresse un signe de tête à Lankford et les deux hommes se séparent, chacun longeant à nouveau un des deux côtés de la maison, mais en sens inverse. Et la vidéo se termine.

Je levai la tête pour voir où nous étions. Lorna s'apprêtait à quitter Sunset Boulevard pour prendre la 101. Je regardai tout en bas de la bretelle d'accès et vis que l'autoroute ressemblait, comme tous les matins, à un vrai parking. Je sentis le premier pincement d'angoisse qui me serre immanquablement la poitrine lorsque je crains d'arriver en retard au tribunal.

— Pourquoi t'as pris par là ? lui demandai-je.

— Parce que quand je t'ai demandé par où passer, tu m'as dit de la fermer. T'essaies tellement d'itinéraires différents tous les matins que je n'ai pas pu deviner celui que tu voulais.

— Earl, lui, s'enorgueillissait d'éviter les embouteillages. Il essayait toujours des itinéraires différents.

— Peut-être, mais il n'est plus là.

— Je sais.

Je laissai tomber et essayai de réfléchir à ce que je venais de voir à l'écran. Je n'étais pas encore très sûr de savoir comment m'en servir, mais je n'avais aucun doute sur sa valeur au prétoire : c'était de l'or en barre. Nous avions sur film un agent dévoyé des services antidrogue et son complice en train de planquer de la drogue dans la maison de Stratton Sterghos afin de l'éliminer ou de le contrôler comme témoin. Cela dépassait, et de loin, toutes mes espérances.

J'y allai d'un petit sifflement en refermant l'iPad et le glissai dans le sac de Lorna.

— Bon alors, est-ce que tu peux me dire de quoi il s'agit et pourquoi ça t'excite au point de te mettre à siffler ?

Je hochai la tête.

— Bon, tu te rappelles qu'hier nous avons amendé notre liste de témoins ?

— Oui, oui, et le juge veut en parler aujourd'hui.

— Voilà. Eh bien sache que ça faisait partie d'un plan.

— Quoi ? Une combine à la Legal Siegel ?

— C'est ça. Sauf que cette combine, elle est de moi. Et qu'on l'a baptisée « Marco Polo ». Cette nouvelle liste a plein de noms supplémentaires et tu as entendu Forsythe s'en plaindre.

— Oui.

— Parfait. Un de ces noms est celui de Stratton Sterghos. La liste a été conçue pour faire croire qu'on essayait de le noyer dans la masse, comme si, disons, on espérait qu'il passe inaperçu parmi les autres. Il est pile au milieu de tous les noms des locataires de l'immeuble de Gloria. En fait, on voulait que l'accusation s'imagine qu'on manigançait un coup et se mette donc à chercher le nom qu'on a caché au vu et au su de tout le monde.

— Celui de Stratton Sterghos.

— Exactement.

— Bon alors, qui c'est, ce Stratton Sterghos ?

— Ce n'est pas vraiment qui il est qui compte. C'est l'endroit où il habite. La vidéo montre sa maison à Glendale. Et sa maison se trouve juste en face de celle où, il y a dix ans de ça, deux dealers ont été assassinés.

— Et… qu'est-ce que ç'a à voir avec Gloria Dayton ?

— Directement, rien du tout. Mais nous essayons d'établir un lien entre Lankford, soit l'enquêteur du district attorney qui suivait Gloria avant son assassinat, et Marco, l'agent de la DEA pour qui elle faisait l'indic. Pour que notre théorie puisse fonctionner, il fallait que nous arrivions à établir un lien entre eux deux à un moment ou à un autre. C'est à ça que s'employait Cisco et nous pensions l'avoir repéré dans ce double meurtre non résolu. À l'époque, l'enquêteur en chef était l'inspecteur des Vols et Homicides Lee Lankford. Et les deux victimes avaient des liens avec le cartel de Sinaloa, soit le groupe même auquel est lié Hector Moya. Comme nous savions que Marco en pinçait raide pour Moya à ce moment-là, il était raisonnable de se dire que lui et son unité, à savoir l'Interagency

Cartel Enforcement Team, l'ICE-T en abrégé, n'ignoraient rien des deux gars qui s'étaient fait buter dans cette maison, voire qu'ils y avaient œuvré.

— Bon, d'accord…

Sa façon à elle de dire qu'elle ne comprenait toujours pas.

— Nous pensions que le lien, c'était ce double meurtre, mais quand Cisco a obtenu une copie des rapports d'enquête de Lankford à l'époque, on s'est aperçu que ni Marco ni l'ICE-T n'y étaient même seulement mentionnés. Voilà pourquoi nous avons monté un coup avec la liste des témoins dans l'espoir de les faire sortir du bois si jamais il y avait le moindre lien entre eux.

Puis je lui montrai son sac, où je venais de ranger l'iPad.

— Et maintenant, enchaînai-je, cette vidéo prouve qu'il y a bien un lien entre Lankford et Marco, et c'est avec ça que je vais tout chambouler dans ce procès. Ça change effectivement tout. La seule décision qu'il me reste à prendre est celle de savoir à quel moment tout balancer.

— Mais… c'était quoi, ce coup ? En quoi cela concerne-t-il Sterghos ?

— Ça ne le concerne pas. Il se trouve seulement qu'il habite en face de la maison où ces deux dealers se sont fait tuer. Nous savions que nous pouvions nous servir de lui pour débusquer Lankford et Marco.

— Je suis vraiment navrée. Ne te mets pas en colère, mais je ne comprends toujours pas.

— Je ne suis pas en colère. Écoute. Aujourd'hui Lankford travaille pour le district attorney. Il a réussi à faire en sorte de bosser sur l'affaire La Cosse de façon à pouvoir tout surveiller parce que, ne l'oublie pas, c'est lui qui suivait Gloria la nuit où elle a été tuée. Et maintenant, son boulot est de travailler avec Forsythe et de l'aider à être prêt à répondre à toutes les manœuvres de la défense, quelles qu'elles soient. Dès que la séance a été levée hier, tu peux me croire que Forsythe et lui se sont mis à éplucher cette liste en essayant de deviner ce que j'avais derrière la tête. Comme disons… qui avait de l'importance dans cette liste et qui j'allais vraiment appeler à la barre.

— Et c'est là qu'ils découvrent le nom de Stratton Sterghos.

— Exactement. Ils le découvrent et ça ne leur dit absolument rien. Alors Lankford se met au boulot. C'est un enquêteur. Il a un ordinateur et, à portée de clic, accès à des tas de bases de données des forces de l'ordre. Il s'aperçoit donc très vite que Stratton Sterghos habite Salem Street à Glendale, et ça lui en flanque un grand coup sur le crâne parce qu'il y a dix ans de ça, c'est lui qui enquêtait sur le double meurtre des dealers.

— Double meurtre qu'il n'a jamais élucidé.

— Voilà. Et donc, de son propre chef ou sur ordre de Forsythe, il décide de s'occuper de Sterghos et de voir en quoi il est lié à l'affaire Gloria Dayton. Et c'est exactement ça que Cisco et moi pensions qu'il allait se passer. Nous pensions aussi… disons plutôt espérions… que si ce double meurtre était le lien entre lui et Marco, Lankford risquait fort d'appeler son pote de la DEA et de lui dire : « Faut que je vérifie un peu ce mec-là. T'es d'accord pour assurer mes arrières si jamais on devait avoir un problème ? »

— Et c'est là que vous installez les caméras. Maintenant je comprends. Mais… qu'est-ce qui est arrivé à Sterghos ?

— Il y a une semaine, on est allés frapper à sa porte et on lui a dit qu'on voulait lui louer sa maison quinze jours pour tourner un film.

— Tu veux dire… comme si vous cherchiez des lieux de tournage ?

— Voilà.

Je souris parce que, en fait, la ruse à laquelle nous avions eu recours n'en était pas une. Un film, nous en avions bien tourné un. Sauf que la première n'aurait rien d'une cérémonie « tapis rouge » dans Hollywood Boulevard. Elle aurait lieu en centre-ville, à la Chambre 120 du Criminal Courts Building de Temple Street.

— Sterghos a donc pris notre argent pour se payer un petit congé et aller voir sa fille en Floride avec sa femme, enchaînai-je. Nous avons installé les caméras dans sa maison et tout autour, et nous avons glissé le nom de Stratton Sterghos dans la liste en guise de grenade sous-marine. Et maintenant, on a ça, précisai-je en lui montrant son sac par terre entre mes pieds.

— À regarder la vidéo, on voit bien que Marco reste en arrière, repris-je. C'est Lankford qui va frapper tout seul à la porte. Si Sterghos avait été chez lui et lui avait ouvert, il aurait tout de suite attaqué avec son interrogatoire parfaitement légal. Du genre : « Je travaille pour la DEA, votre nom est sur la liste des témoins, que savez-vous de cette affaire ? » etc. Marco serait resté en retrait, mais fin prêt au cas où Lankford aurait décidé qu'en fait ils avaient un problème avec Sterghos.

— Fin prêt à quoi faire ? voulut savoir Lorna.

— Tout ce qui pourrait être nécessaire. Pense à Gloria. À Earl. Ce mec ne s'arrête devant rien. Pense à ce qu'on a sur cette vidéo. Sterghos n'est pas chez lui, Marco entre par effraction et lui colle de la drogue dans son congélateur. Pour pouvoir revenir l'arrêter si besoin. Ça l'empêche de témoigner ou lui bousille toute crédibilité si jamais il le fait.

— Absolument incroyable !

— Mais ça vaut de l'or au prétoire. Il faut juste réfléchir à quel moment lâcher la grenade.

À peine si j'arrivais à tenir en place en pensant à toutes les possibilités que nous offrait la vidéo.

— Et tu n'as pas à la donner à la police ? me demanda-t-elle.

— Non. C'est notre vidéo. À mon avis, ce serait bien de s'en servir pour qu'ils se contredisent, histoire de voir si on ne pourrait pas en retourner un contre l'autre. Le plus faible. Rien ne marche mieux avec les jurés que de voir un initié se dégonfler. C'est encore mieux que la vidéo. Et que l'ADN, bordel !

— Et Sterghos ? Qu'est-ce que tu vas faire pour le protéger ? C'est toi qui l'as entraîné là-dedans et lui, il ne…

— T'inquiète pas pour lui. Pour commencer, je suis sûr que Cisco s'est occupé de la drogue que Marco a cachée. Ensuite, on a la vidéo. Personne ne va s'en prendre à lui. Il est en train de se dorer la pilule sur une plage quelque part en Floride, avec 4 000 dollars de bonheur en plus.

— 4 000 dollars ! D'où ils sortent ?

— De ma poche.

— Mickey, vaudrait mieux que tu ne les aies pas pris dans la cagnotte pour la fac d'Hayley. Y aurait pas mieux pour que ça aille encore plus mal entre vous.

— Je te dis que je n'ai rien fait de pareil.

Elle ne répondit pas, mais ne parut nullement apaisée – sans doute parce qu'elle voyait bien que je mentais. Cela étant, j'avais quand même plus d'un an devant moi avant d'avoir besoin de cet argent pour payer les frais d'études de ma fille en fac.

Je consultai ma montre et regardai la rivière d'acier qui se traînait devant moi.

— Essaie de voir si tu pourrais pas déboîter sur la droite et sortir à Alvarado, lui ordonnai-je. On n'arrivera jamais à temps à cette vitesse.

— Comme tu voudras.

L'agacement était revenu dans sa voix. Elle était toujours fumasse que je sois arrivé dix minutes en retard. Ou alors que je sois venu d'où j'étais venu pour arriver dix minutes en retard. Ou alors... elle en était encore à notre échange musclé de la veille, tout cela n'ayant d'ailleurs aucune importance. Earl me manquait. Jamais il n'avait un mot plus haut que l'autre quand il me parlait. Jamais il ne se perdait et ne serait resté à rien faire au milieu d'une autoroute bloquée quand je devais être au tribunal à une heure précise.

— Et si Marco Polo ne marchait pas ? me demanda soudain Lorna.

— Comment ça ?

— Et s'ils ne se focalisaient pas sur Stratton Sterghos ? Qu'est-ce qui se passerait ?

Je réfléchis un instant.

— On a d'autres stratégies, finis-je par répondre. Et pour l'instant, je ne me débrouille pas si mal à l'audience. Une seule journée de défense et j'en suis déjà à écorner le dossier du district attorney. Même sans ça, on est bons. (Je donnai un petit coup de pied à son sac.) Et maintenant... tout va changer.

— C'est à espérer, dit-elle.

Chapitre 34

Dieu sait comment, j'arrivai à la Chambre 120 à 8 h 59. Forsythe était déjà à sa place, Lankford consciencieusement assis derrière lui, contre la barrière. À la table de la défense, il n'y avait que Jennifer Aronson. On n'avait pas eu besoin d'amener La Cosse de la cellule de détention du tribunal : les jurés n'entreraient au prétoire que lorsque la question de la nouvelle liste de témoins aurait été réglée par le juge.

J'échangeai quelques regards avec Lankford avant de tirer ma chaise et de m'asseoir.

— Je pensais que vous n'arriveriez jamais, me chuchota Jennifer, paniquée.

— Vous vous en seriez très bien sortie, lui renvoyai-je. Mais bon, écoutez… La situation a beaucoup évolué depuis hier soir. C'est moi qui dois plaider. Je suis désolé, mais il n'y a plus assez de temps pour que je vous explique notre changement de stratégie. Il s'est passé des trucs.

— Quels trucs ?

Avant que je puisse lui répondre, la greffière remarqua que tous les avocats étaient présents et nous informa que le juge voulait discuter de la nouvelle liste en son cabinet. Nous nous levâmes, elle nous ouvrit à moitié la porte de son espace, ce dernier permettant d'accéder au couloir derrière le prétoire.

Le juge Leggoe s'attendait à deux avocats. Elle vit Jennifer et me dit de tirer une chaise de la table de réunion jusque devant son bureau. Nous nous installâmes en face d'elle, Jennifer entre Forsythe et moi. J'avais très expertement pris la chaise de droite de façon que Leggoe me voie à sa gauche.

— Je me suis dit qu'il valait mieux que cette audience ait lieu en mon cabinet de façon à pouvoir parler un peu plus librement, dit-elle. Rosa ? Vous pouvez noter.

Elle s'adressait à la greffière qui avait pris place derrière elle, son sténographe devant elle. Je remarquai que Leggoe ne l'avait autorisée à travailler qu'après nous avoir informés de son désir de tenir les médias à l'écart de ce que nous allions faire.

J'aurais pu m'opposer à cette audience en son cabinet, mais je ne pensais pas que cela nous apporte grand-chose et savais que cela ne me mettrait certainement pas dans ses petits papiers. Je m'inclinai donc pour ne pas créer d'incident alors même que, je le sentais, Jennifer me dévisageait en attendant que j'élève une objection. Pour la défense, il est en général meilleur de le faire au prétoire. Cela empêche le public de soupçonner que des marchés ont été conclus dans son dos et que des éléments d'information lui sont cachés.

Le juge nomma tous les présents à haute voix pour les minutes et attaqua :

— Maître Forsythe, dit-elle, j'imagine que vous avez eu le temps d'étudier cette nouvelle liste amendée. Pourquoi ne pas commencer avec vous ?

— Merci, madame le juge. Mon enquêteur et moi-même avons eu à peine le temps de l'étudier. Et, madame le juge, parler de liste « amendée » n'est guère approprié. Ajouter trente-trois noms à une liste, ce n'est pas vraiment « l'amender ». C'est la refonder, et de manière déraisonnable. On ne peut pas s'attendre à ce que le ministère public…

— Madame le juge, lançai-je alors. Je me dois d'interrompre maître Forsythe dans l'instant pour lui proposer un compromis qui permettra de déblayer beaucoup le terrain et, qui sait, pourrait même lui faire plaisir.

De la poche intérieure de ma veste, je sortis un exemplaire de la liste que j'avais retravaillée un peu plus tôt, après que Lorna avait quitté la 101 à la sortie Alvarado et commencé à se rapprocher nettement plus vite du tribunal. Nous avions cessé de parler de ce qui s'était passé la veille au soir à Glendale et je m'étais mis au travail afin de préparer ce que j'allais présenter au juge.

— Faites donc, maître Haller, dit Leggoe. Que nous proposez-vous ?

— J'ai ici un exemplaire de la liste amendée, dont j'ai ôté tous les noms pour lesquels nous devrions pouvoir arriver à un compromis.

Je lui tendis la feuille. Je n'en avais pas d'autre exemplaire à passer à Forsythe. Il ne fallut que cinq secondes à Leggoe pour la lire et hausser les sourcils de surprise.

— Mais maître Haller… vous les avez tous éliminés à l'exception de un, deux… quatre noms. Comment se fait-il que vous puissiez rayer aussi facilement et promptement vingt-neuf noms qui vous semblaient si importants hier ?

Je hochai la tête comme si j'étais d'accord avec elle et que ce que je faisais était totalement absurde.

— Tout ce que je peux vous dire, madame le juge, c'est qu'au cours des dernières vingt-quatre heures, la défense a opté pour un changement de direction proprement titanesque dans la manière dont elle va défendre son client, M. La Cosse.

Je regardai Jennifer. Elle était au courant de la stratégie Marco Polo, mais n'avait aucune idée de ce qui s'était produit la veille au soir à Glendale. Elle réagit malgré tout comme il le fallait et hocha la tête pour bien montrer qu'elle était complètement d'accord avec moi.

— Oui, madame le juge, dit-elle. Nous pensons pouvoir nous contenter de ces quatre noms à ajouter à notre première liste.

Leggoe fronça les sourcils d'un air soupçonneux et tendit le document à Forsythe en travers de son bureau. Il l'examina rapidement en se concentrant manifestement sur les noms que je voulais garder plutôt que sur ceux que j'étais prêt à bazarder. En un rien de temps, il plissa le front et hocha la tête. Je ne m'attendais pas à ce qu'il cède sans combat.

— Madame le juge, dit-il, si la défense nous avait fait cette offre hier, j'aurais pu épargner une nuit de travail à mon enquêteur et économiser le surcoût de ses efforts aux contribuables de ce comté. Cela mis à part, le ministère public apprécie que la défense soit prête à réduire le nombre de ses témoins additionnels. Le ministère public ayant néanmoins encore quelques problèmes avec les noms qu'elle nous propose, je me vois dans l'obligation de m'élever contre ces derniers amendements.

Leggoe fronça les sourcils et jeta un coup d'œil à sa montre. Elle avait probablement cru pouvoir régler le problème rapidement et faire asseoir les jurés dans leur box avant 9 h 30. Pas de pot.

— Bien, dit-elle. Examinons donc ces noms. Vite… nous avons des jurés qui attendent. Formulez vos objections.

Forsythe jeta un œil à la liste et choisit son premier combat en indiquant le nom du témoin avec son doigt.

— La défense a mis mon propre enquêteur sur sa liste et l'accusation s'y oppose formellement. Il ne s'agit là que d'une manœuvre destinée à le faire appeler à la barre pour essayer de comprendre notre stratégie.

Je feignis de rire et hochai la tête.

— Madame le juge, la défense stipule qu'elle ne posera aucune question à l'enquêteur Lankford sur les prétendues stratégies de maître Forsythe. Je tiens également à faire remarquer que nous sommes entrés dans la phase de la défense et que celle de l'accusation est terminée. Quelle que soit la stratégie de l'accusation, elle est très clairement portée aux minutes et nous semble à tout le moins évidente. Je dois aussi ajouter que M. Lankford est l'un des enquêteurs principaux dans cette affaire et que la défense a le droit de l'interroger de la manière la plus vigoureuse sur la manière dont l'accusation a recueilli et analysé les éléments de preuve et les déclarations de ses témoins. M. Lankford est un témoin de première importance et je ne connais aucun précédent qui interdirait à la défense de l'appeler à la barre.

Leggoe cessa de me regarder et se tourna vers Forsythe.

— Objection suivante, maître Forsythe.

En ne statuant pas sur la base d'un examen témoin par témoin, Leggoe laissait entendre qu'elle le ferait probablement sur l'ensemble des quatre noms en donnant quelque chose et à la défense et à l'accusation dans son arrêt. Elle allait essayer de couper le bébé en deux à la manière de Salomon. Je l'avais anticipé en rayant mes noms un peu plus tôt. Lankford était le seul témoin qui m'importait. Le nom de Stratton Sterghos ne figurait dans ma nouvelle liste que pour déclencher sa réaction et cette réaction, je l'avais en mille dans la vidéo. Je n'avais jamais eu l'intention d'appeler Sterghos à la barre et pouvais donc le laisser tomber. Les deux autres noms étaient ceux de Sly Fulgoni Senior et d'un ancien voisin de Gloria Dayton. Eux aussi, je pouvais m'en passer, même si Sly Senior risquait d'être plutôt en colère de se voir privé de vacances.

— Merci, madame le juge, dit Forsythe. Le ministère public s'oppose à l'inclusion de Stratton Sterghos dans la liste. Malgré tous les efforts que nous avons déployés hier soir, nous n'avons trouvé absolument aucun lien entre lui et l'affaire La Cosse. Il habite à Glendale, soit très loin des événements qui nous occupent. D'après ce qu'on me dit, ce serait un obstétricien à la retraite qui serait actuellement en vacances et qu'on ne pourrait contacter. Nous n'avons pas été en mesure de lui parler et nous voyons donc entravés dans la compréhension de ce à quoi maître Haller espère arriver en le faisant appeler à la barre.

J'attaquai avant même que le juge ait le temps de se tourner vers moi pour me demander de réagir.

— Comme vous le savez, madame le juge, la défense repose sur la théorie d'un tiers coupable dans ce qui est à l'origine du meurtre de Gloria Dayton. Il en a déjà été largement argué lorsque nous avons défendu l'inclusion de l'agent James Marco, de Trina Rafferty et d'Hector Moya dans notre première liste de témoins. Nous pensons que Stratton Sterghos pourrait nous fournir un témoignage susceptible de relier l'assassinat de Dayton à un double homicide perpétré en face de chez lui il y a dix ans de cela.

— Quoi ?! s'écria Forsythe. Vous plaisantez ! Madame le juge, vous ne pouvez pas permettre que cette folle tentative de pêche au renseignement vienne déshonorer ce procès. Par manque de qualificatif juridique, je dirais simplement que c'est cinglé. Un double meurtre perpétré il y a dix ans serait donc lié à l'assassinat d'une prostituée aujourd'hui ? Allons, madame le juge, ne transformons pas notre salle d'audience en piste de cirque car c'est très exactement ce qui se passera s'il est...

— Votre position est claire, maître Forsythe, dit le juge en l'interrompant. Avez-vous d'autres objections à formuler contre d'autres noms de la liste ?

— Oui, madame le juge, je m'élève contre l'idée de faire venir Sylvester Fulgoni Senior du pénitencier de Victorville. Toute sa contribution aux débats ne serait que purs ouï-dire.

— Je dois reconnaître que je suis d'accord, dit Leggoe. Autre chose, maître Haller ?

— J'aimerais que notre dernière réponse échoie à ma collègue, maître Aronson.

Je lui adressai un signe de tête et vis que ma proposition la prenait de court. Mais je savais qu'elle s'en sortirait.

— Madame le juge Leggoe, dit-elle, avec tout le respect qui est dû à la cour aussi bien qu'à maître Forsythe, c'est dans tout le pays que des cours d'appel répètent à l'envi que les efforts destinés à empêcher la défense de travailler – ce qui, angles d'attaque et prises solides, lui permet de jouer la théorie du tiers coupable – sont dangereux et sources d'annulation. Et dans cette affaire, c'est cette théorie même que la défense présente à la cour, et ce serait une erreur que celle-ci l'en empêche. Ainsi vous est-il soumis, madame le juge.

Jennifer avait habilement glissé les mots « annulation » et « erreur » dans son argumentation et, aussi bien l'un que l'autre, ils obligeaient le juge à y réfléchir à deux fois. Leggoe nous remercia tous les trois d'un signe de tête et croisa les mains sur son bureau. S'il lui fallut même seulement une minute pour prendre sa décision, cette minute fut des plus courtes.

— Je vais donc rejeter l'objection tendant à interdire d'appeler l'enquêteur Lankford à la barre. Il témoignera. En ce qui concerne Stratton Sterghos, pour l'instant, je suis d'accord avec maître Forsythe. Il est donc rayé de la liste. Cela étant, je suis prête à reprendre la discussion si la défense nous rouvre cette piste de manière crédible. Les deux derniers noms sont eux aussi rayés de la liste jusqu'à ce que maître Haller soit de nouveau à même de nous prouver qu'il faudrait les y remettre.

En apparence, je fronçai les sourcils. Mais cet arrêt était parfait. Sly Fulgoni Senior n'aurait pas son petit congé, mais j'avais, moi, exactement ce que je voulais : Lankford. Et que Leggoe ait laissé la possibilité de ramener Sterghos à la barre était un bonus. Forsythe et, par extension, Lankford et Marco, devaient maintenant garder à l'esprit qu'il n'était pas loin et attendait peut-être même, qui sait, le moment de prendre part au procès et de tout y mettre sens dessus dessous. Cela pouvait au minimum les tenir occupés pendant que moi, je travaillerais d'autres angles d'approche bien réels et nettement plus destructeurs pour leur stratégie.

— Autre chose ? demanda le juge. Nous avons une audience à ouvrir.

Il n'y avait plus rien. Nous fûmes excusés et regagnâmes le prétoire. Chemin faisant, Forsythe s'approcha de moi ainsi que je m'y attendais.

— Haller, me lança-t-il, je ne sais pas où vous allez avec tout ça, mais sachez que si vous traînez des gens respectables dans la boue, il y aura des conséquences.

J'en déduisis qu'on ne jouait plus à fleurets mouchetés. Forsythe ne se donnait plus l'air d'être au-dessus de la mêlée. Il était en plein dedans. C'était la première fois que, à m'en souvenir, il ne m'appelait que par mon nom de famille, signe que nous n'allions certainement plus faire dans la collégialité.

Ça ne me gênait pas. J'avais l'habitude.

— Des menaces ? lui renvoyai-je.

— Non. Seulement la réalité de là où nous en sommes.

— Vous pouvez dire à Lankford que je ne prends jamais bien les menaces. Il devrait le savoir vu ce qui s'est passé la dernière fois que nos chemins se sont croisés.

— Ce n'est pas de lui que ça vient. C'est de moi.

Je le regardai.

— Ah, dis-je. Il faudrait donc que je plie bagage, que je demande à mon client de plaider coupable de toutes les charges retenues contre lui et de supplier la cour d'avoir pitié ? C'est ça que vous pensez ? Eh bien, ça ne se produira pas, Forsythe, et si vous croyez me faire peur, c'est que vous ne vous êtes pas suffisamment renseigné sur mon compte auprès de vos collègues avant qu'on ne prenne ce chemin.

Il accéléra le pas et était déjà loin devant moi au moment de pousser la porte pour entrer dans le prétoire. Nous n'avions plus rien à nous dire.

Je jetai un coup d'œil dans la salle et découvris Lorna assise seule au premier rang des spectateurs. Je savais que Kendall ne viendrait pas à cause d'au moins un des témoins que je prévoyais d'appeler à la barre. Il était 9 h 55 à la pendule accrochée à la porte du fond. Je m'approchai de la barrière pour parler à Lorna.

— As-tu vu Cisco ? lui demandai-je.

— Oui. Il est dehors dans le couloir, avec le témoin.

Je me retournai vers la place du juge. Leggoe n'était toujours pas là et l'on n'avait pas encore amené La Cosse de la cellule de détention. Je savais qu'avec Jennifer à la table de la défense, tout pouvait commencer sans moi. Je regardai Lorna.

— Tu veux bien venir me chercher dans le couloir dès que Leggoe se pointera ?

— Bien sûr.

Je franchis la porte et gagnai vite le couloir. Cisco y était assis à côté de Trina Rafferty. Elle s'était habillée de façon nettement plus conservatrice que la dernière fois. L'ourlet de sa robe lui descendait même plus bas que le genou et elle avait suivi mes conseils en mettant

un pull-over pour avoir chaud dans la salle d'audience :
Leggoe avait l'habitude d'y maintenir la température
au plus bas afin que les jurés restent en éveil et bien
alertes.

Côté tenue, Trina Trixxx n'allait donc pas poser de
problème. Mais je vis poindre le début des ennuis lorsqu'elle refusa ostensiblement de me regarder en face
lorsque je m'approchai d'elle pour lui parler.

— Merci d'être venue, lui dis-je.

— J'avais dit que je viendrais. Je suis venue.

— Eh bien, je vais essayer de vous rendre ça aussi
facile que possible. Je ne sais pas tout ce que l'accusation peut avoir contre vous, mais moi, je ferai vite.

Pas de réponse, et elle ne me regarda même pas. Je
me tournai vers Cisco et haussai les sourcils. Il y avait
donc un problème ? Il haussa les épaules comme s'il
n'en savait rien.

— Trina, repris-je. J'espère que vous ne m'en voudrez pas, mais je vais vous voler Cisco un instant pour
discuter de questions privées. Ce ne sera pas long.

Cisco m'accompagna jusqu'à l'alcôve des ascenseurs. De cet endroit, nous pourrions garder un œil sur
Trina en parlant.

— Bon alors, qu'est-ce qu'elle a ? lui demandai-je.

— Je ne sais pas. Elle a l'air d'avoir la trouille de
quelque chose, mais elle ne dit pas quoi. Pourtant, je le
lui ai demandé.

— Génial ! Manquait plus que ça. Sais-tu si elle a
parlé avec quelqu'un hier soir ? Quelqu'un d'en face ?

— Si elle l'a fait, elle ne le dit pas. Il se pourrait
qu'elle soit juste inquiète de se retrouver dans un tribunal.

Par-dessus son épaule, je vis Lorna me faire signe à la porte du prétoire. Leggoe avait regagné sa place.

— Bon, peu importe ce que c'est, vaudrait mieux qu'elle se reprenne, et vite. Elle passe dans cinq minutes. Faut que j'y aille.

J'allais le contourner lorsque quelque chose me revint en mémoire. Je fis marche arrière.

— Superbe boulot hier soir, lui dis-je.

— Merci. Tu as regardé la vidéo, dis?

— Oui, en venant. Combien ont-ils planqué de drogue dans le carton à pizza?

— Environ 85 grammes d'héroïne *black tar*.

Je sifflai comme il en avait l'habitude.

— Tu les as sortis du carton?

— Oui, mais qu'est-ce que j'en fais? Si je la file aux Indiens, ils vont la vendre ou la consommer.

— Alors ne la leur donne pas.

— D'accord, mais j'aime pas trop l'avoir avec moi.

Cela posait problème, mais une chose était sûre : on ne pouvait pas s'en débarrasser. Je risquais d'en avoir besoin pour présenter la vidéo qui allait avec.

— O.K., c'est moi qui la prends. Apporte-la à la maison ce soir et je la mettrai dans mon coffre.

— T'es sûr de vouloir prendre un risque pareil?

— Tout ça sera fini dans quelques jours. Oui, je prends le risque.

Je lui donnai une tape sur l'épaule, le quittai et me dirigeai vers la porte du prétoire.

— Hé! cria-t-il dans mon dos.

Je me retournai et le rejoignis.

— As-tu remarqué comment se conduit Lankford dans la vidéo?

420

— Oui. C'est comme s'il obéissait aux ordres de Marco.

— Exactement. Le chien alpha, c'est Marco.

— Voilà.

Chapitre 35

La stratégie de la défense était simple : ouvrir un chemin qui conduirait les jurés à James Marco et à l'irrévocable conclusion qu'il n'était qu'un voyou, qu'un agent de la lutte antidrogue entièrement corrompu et prêt à tuer pour ne pas être découvert. Trina Rafferty étant l'une des étapes sur le chemin, ce mardi-là, je l'appelai à la barre en tant que premier témoin. Elle était liée à Gloria Dayton et, l'une comme l'autre, elles étaient passées sous l'influence et le contrôle de Marco.

Malgré sa tenue conventionnelle, elle dégageait une indéniable vulgarité. Cheveux blond filasse, yeux creux, nez percé et bracelets tatoués autour des poignets, tout cela se retrouvait chez nombre de femmes respectables, mais l'ensemble, sans parler de son maintien, ne laissa aucun doute sur ce qu'elle était lorsqu'elle gagna la barre. Elle en était encore à jurer de dire la vérité lorsque je me rappelai qu'à une époque Kendall, Trina et Gloria se remplaçaient tout le temps pour tel ou tel autre boulot parce qu'elles se ressemblaient beaucoup. Plus maintenant. Il n'y avait même plus l'ombre d'une ressemblance entre elle et Kendall. En regardant Trina, je sus que j'avais sous les yeux ce qui aurait pu arriver à Kendall.

Dès qu'elle eut prêté serment, je ne perdis pas de temps pour confirmer ce qui paraissait évident aux jurés.

— Trina, vous avez aussi un nom professionnel, n'est-ce pas ? lui demandai-je.

— Oui.

— Pouvez-vous en faire part aux jurés ?

— Trina Trixxx, avec trois *x*, répondit-elle en souriant avec coquetterie.

— Et quelle est la profession qui vous le fait utiliser ?

— Escort.

— Vous voulez dire que vous avez des relations sexuelles avec des gens moyennant finances, c'est ça ?

— Oui, c'est ça.

— Et depuis combien de temps est-ce votre profession ?

— Depuis bientôt quinze ans, par intermittence.

— Connaissiez-vous une autre escort du nom de Gloria Dayton qui, elle, travaillait sous des noms tels que Glory Days et Giselle Dallinger ?

— J'ai connu Glory Days, oui.

— À quelle époque ?

— J'ai dû faire sa connaissance il y a dix ans. On bossait pour la même boîte.

— Et aviez-vous aussi une sorte d'arrangement entre vous ?

— On pouvait se remplacer, si c'est ça que vous voulez dire. On était trois et on se relayait. Quand il y en avait une d'occupée avec un client ou si elle avait un emploi du temps chargé et qu'un appel arrivait pour elle, l'une de nous deux la remplaçait. Et des fois, quand un client voulait deux filles, ou même trois, on travaillait toutes ensemble.

J'acquiesçai d'un signe de tête et marquai une pause. Cette dernière information n'avait encore jamais fait surface et me dérangeait dans la mesure où la troisième fille dont elle n'avait pas encore parlé n'était autre que Kendall Roberts.

— Maître Haller, me lança Leggoe, on pourrait accélérer un peu ?

— Oui, madame le juge. Euh... Madame Rafferty, avez-vous eu des contacts avec la communauté des forces de l'ordre pendant cette période ?

Elle fit semblant de ne pas comprendre la question.

— Ben oui, dit-elle. Je me suis fait serrer deux ou trois fois. C'est ça, trois fois, en fait.

— Vous êtes-vous jamais fait arrêter par la DEA ?

— Non, dit-elle en hochant la tête, seulement par le LAPD et le shérif.

— Avez-vous jamais été détenue par la DEA et, plus précisément, par un agent du nom de James Marco ?

Du coin de l'œil, je vis Forsythe se pencher en avant. Il le faisait toujours avant d'élever une objection. Mais pour une raison ou pour une autre il n'en fit rien. Je me tournai vers lui en m'attendant à ce qu'il attaque et vis Lankford tendre la main par-dessus la barrière et lui effleurer le dos. J'y vis l'ordre que l'enquêteur qu'il était donnait à Forsythe de ne pas bouger.

— Je ne pense pas, répondit Trina.

Pas très sûr de ce que je venais d'entendre, je me tournai vers elle.

— Je vous demande pardon... Pouvez-vous répéter votre réponse ?

— Je vous ai dit non.

424

— Vous nous dites donc que vous ne connaissez pas d'agent de la DEA du nom de James Marco ?

— C'est ça. Je ne le connais pas.

— Vous ne l'avez jamais rencontré ?

— Pas que je sache… à moins qu'il ait été en plongée ou autre et se soit fait appeler autrement.

Je me retournai et lançai un coup d'œil à Cisco assis au premier rang. Il était clair – et Dieu sait comment – que Marco était entré en contact avec Trina Rafferty, et je voulais savoir comment il s'y était pris. Mais plus pressant encore était ce que j'allais devoir faire tout de suite. Je pouvais me retourner contre mon témoin, mais les jurés risquaient de ne pas apprécier.

Je décidai que je n'avais guère le choix.

— Trina, lui lançai-je, ne m'avez-vous pas dit avant de témoigner ici même aujourd'hui que vous étiez un indicateur confidentiel au service de la DEA et de l'agent Marco ?

— Eh mais, je vous ai dit des tas de trucs parce que vous me payez mon loyer. Je vous ai raconté tout ce que vous vouliez entendre.

— Non, ça n'est pas…

Je m'arrêtai net et tentai de rester calme. Marco et Lankford l'avaient non seulement contactée, mais ils l'avaient encore retournée et transformée en arme de destruction massive. Si je ne réparais pas immédiatement les dégâts, elle pouvait faire exploser toute ma défense.

— Quand avez-vous parlé avec l'agent Marco pour la dernière fois ? lui demandai-je.

— Vu que je le connais pas, je ne lui ai pas parlé.

— Vous êtes donc en train de dire aux jurés que vous ne savez absolument pas qui est l'agent Marco ?

— Je suis désolée, mais c'est bien ça. J'avais besoin d'un endroit où loger et de quoi manger. J'ai très bien pu vous dire des trucs pour que vous m'en donniez en retour.

Ça m'était déjà arrivé qu'un témoin change de camp de cette façon. Mais jamais de manière aussi dramatique et en infligeant autant de dégâts à mon affaire. Je jetai un coup d'œil à mon client assis à la table de la défense. Il avait l'air abasourdi. Je regardai Jennifer derrière lui, elle avait, elle, l'air gênée – gênée pour moi.

Je me retournai et regardai Leggoe qui semblait également perplexe. Alors je fis la seule chose à faire dans cette situation.

— Madame le juge, lançai-je, je n'ai plus de questions à poser au témoin.

Et je regagnai lentement la table de la défense en croisant Forsythe qui s'avançait vers le lutrin pour aggraver les dégâts. En empruntant l'espèce d'étroit chenal entre la table de l'accusation maintenant vide et les chaises installées le long de la barrière de séparation avec le public, je fus obligé de passer devant Lankford et l'entendis se fendre d'une espèce de grognement :

— Mmm mmm mmmmmm.

Il n'y avait que moi qui pouvais l'entendre. Je m'arrêtai, reculai d'un pas et me penchai vers lui.

— Qu'est-ce que tu dis ? lui demandai-je en chuchotant.

— Je te dis de continuer comme ça, Haller, me renvoya-t-il dans un murmure.

Forsythe commença son interrogatoire en contre en demandant à Trina Rafferty si elle et lui s'étaient jamais rencontrés. J'arrivai à mon siège et m'assis. Le seul avantage qu'il y avait à voir Forsythe se précipiter ainsi était que cela m'épargnait de devoir dire tout de suite à mon client jusqu'à quel point la situation venait de mal tourner. Le fiasco Rafferty était un double revers à notre défense. Sans même qu'il faille forcer la dose – ce que Forsythe s'apprêtait à faire –, je venais de perdre une pièce maîtresse de témoignage reliant Marco à Gloria Dayton. En plus d'ajouter l'insulte au préjudice, Rafferty faisait plus que laisser entendre que, parjure caractérisé, je subornais des témoins en leur payant leur loyer pour qu'ils mentent.

Forsythe semblait croire qu'à me détruire il allait emporter l'affaire. Tout son interrogatoire en contre se concentra sur le fait que j'aurais soufflé à Trina ce qu'elle devait dire dans son témoignage en échange de son appartement à quelques rues à peine du Police Administration Building. Ce fut dans le zèle qu'il mettait à m'abattre que je vis la possibilité de sauver la situation. Si j'arrivais à montrer que Trina avait menti, j'avais une assez bonne chance de miner – au moins aux yeux des jurés – les accusations qu'elle proférait à mon encontre.

Forsythe écourtant son interrogatoire en contre lorsque je commençai à m'élever contre presque toutes ses questions au motif qu'il les avait déjà posées et qu'il y avait été répondu, l'affaire se termina au bout d'un quart d'heure. On ne saurait s'acharner trop longtemps sur un cheval mort. Forsythe finit par renoncer et se rassit.

Lentement je me levai pour le contrer et gagnai le pupitre tel le condamné qui s'avance vers la potence.

— Madame Rafferty, lançai-je à Trina, vous venez de donner l'adresse de l'appartement que je vous paierais. Quand y avez-vous emménagé ?

— En décembre, juste avant Noël.

— Vous rappelez-vous le jour où vous avez fait ma connaissance ?

— C'était après. Je crois que c'était en mars ou en avril.

— Alors comment pouvez-vous croire que je vous payais cet appartement alors même que je n'ai fait votre connaissance que trois ou quatre mois après que vous y avez emménagé ?

— C'est parce que vous rencontriez l'autre avocat et que c'est lui qui m'y avait fait emménager.

— Et de quel avocat s'agirait-il ?

— De Sly. De maître Fulgoni.

— Vous voulez dire Sylvester Fulgoni Junior ?

— Oui.

— Êtes-vous donc en train de dire que Sylvester Fulgoni Junior et moi-même représenterions M. La Cosse ici présent ? lui demandai-je en montrant mon client et mettant un rien d'étonnement dans ma voix.

— Enfin... non, dit-elle.

— Et donc, qui représentait Sylvester Fulgoni Junior lorsqu'il vous aurait fait emménager dans cet appartement ?

— Hector Moya.

— Et pourquoi maître Fulgoni vous aurait-il fait emménager dans un appartement ?

Forsythe éleva une objection au motif que ni Fulgoni ni l'affaire Moya ne concernaient le procès en cours. J'argumentai naturellement l'opinion contraire en invoquant à nouveau la théorie du tiers coupable que je soutenais. Leggoe rejetant l'objection de Forsythe, je reposai ma question.

— Pour la même chose, me répondit Trina. Il voulait que je dise que Gloria Dayton m'avait dit que l'agent Marco lui avait demandé de planquer une arme dans la chambre d'hôtel d'Hector.

— Et vous nous dites que rien de tel ne se serait produit ? Que maître Fulgoni aurait tout inventé ?

— Exactement.

— Mais n'avez-vous pas déclaré il y a à peine quelques minutes que vous n'aviez jamais entendu parler de l'agent Marco ? Alors même que maintenant, vous nous dites que maître Fulgoni vous soufflait ce que vous deviez dire à son sujet dans votre témoignage ?

— Je n'ai jamais dit que je n'avais jamais entendu parler de lui. J'ai seulement dit que je ne l'ai jamais rencontré et que je ne lui ai jamais servi d'indic. C'est quand même pas la même chose, vous savez ?

Justement repris par le témoin, j'acquiesçai d'un hochement de tête.

— Madame Rafferty, avez-vous durant ces dernières vingt-quatre heures reçu un coup de téléphone ou la visite d'un représentant des forces de l'ordre ?

— Non, pas que je sache.

— Quelqu'un a-t-il tenté de vous forcer à témoigner dans le sens que vous avez choisi aujourd'hui ?

— Non, je ne fais que dire la vérité.

Je lui avais sorti tout ce que je pouvais pour les jurés, même si ce n'était que sous la forme de dénégations. J'espérai qu'instinctivement ils comprendraient que c'était elle qui mentait et que quelqu'un l'y avait forcée. Je décidai qu'il était trop risqué de poursuivre dans cette voie et mis fin à mon interrogatoire.

En regagnant mon siège, je repassai devant Lankford et lui chuchotai :

— Où est passé ton chapeau, mec ?

Et je continuai de longer la barrière jusqu'à Cisco. Puis je me penchai pour lui murmurer aussi ceci :

— As-tu vu Whitten ?

— Toujours pas, répondit-il en hochant la tête. Que veux-tu que je fasse de Trina ?

Je me retournai vers l'avant de la salle. Forsythe ayant choisi de ne pas reprendre Trina en contre, Leggoe était en train de la remercier. C'était Cisco qui l'avait prise à son appartement ce matin-là et l'avait conduite au tribunal trois rues plus loin.

— Ramène-la chez elle. Essaie de voir si elle voudrait pas te dire quelque chose.

— Tu veux que je sois gentil ?

J'hésitai, mais seulement un instant. Je savais les menaces et les pressions dont les individus du genre Marco et Lankford étaient capables. Si les jurés s'en rendaient compte, la façon dont Trina avait changé de camp à la barre pouvait davantage me servir que si elle avait dit la vérité en témoignant.

— Oui, sois gentil avec elle.

Par-dessus l'épaule de Cisco, je vis l'inspecteur Whitten entrer dans le prétoire et s'installer au fond de la salle. Il était pile à l'heure.

Chapitre 36

En sa qualité d'enquêteur principal sur le meurtre de Gloria Dayton, l'inspecteur Mark Whitten avait suivi l'essentiel du procès, souvent en s'asseyant à côté de Lankford le long de la barrière. Cela dit, je n'avais pas remarqué qu'au fil de la procédure ces deux-là se soient beaucoup conduits comme des collègues procureurs. Whitten donnait l'impression de garder son quant à soi, de se montrer quasiment hautain avec Forsythe, Lankford et tous les gens ayant un lien avec le procès. Pendant les pauses, je l'avais vu repartir tout seul au PAB. Un jour, je l'avais même vu manger seul Chez Pete.

Je l'appelai à la barre en tant que deuxième témoin. Il avait déjà témoigné un jour et demi durant lors de la phase de l'accusation. Forsythe s'en était essentiellement servi pour faire accepter des pièces à conviction telles que l'enregistrement vidéo de l'interrogatoire de La Cosse. D'une certaine manière, c'était lui qui disait la version de l'accusation et, en tant que tel, son témoignage avait été, et de loin, le plus long du procès.

À ce moment-là, j'avais limité mon interrogatoire en contre à l'examen de certains aspects de la vidéo et n'avais fait que répéter nombre de questions que je lui avais posées lorsque, à la conférence de mise en forme, j'avais essayé, mais en vain, d'empêcher qu'elle soit admise à l'audience. Je voulais que les jurés l'entendent nier que La Cosse était déjà suspecté lorsque son collègue et lui avaient frappé à sa porte. Je savais que personne ne le croirait et espérais que cela sème le doute sur l'enquête officielle et que cette méfiance s'épanouisse dans la phase de la défense.

Je m'étais réservé le droit de le rappeler en tant que témoin et l'heure était venue de le faire. Je n'avais pas besoin d'obtenir grand-chose de lui, mais ce à quoi je tendais était d'une importance vitale. Ce serait la pierre angulaire de toute la partie défense de l'équation. Âgé d'une quarantaine d'années, dont vingt données à la police, Whitten était un témoin expérimenté. Il se comportait avec calme, parlait d'un ton neutre et était passé maître dans l'art de ne pas montrer l'hostilité que nourrissent presque tous les flics à l'endroit des avocats de la défense. Cela étant, il le révélait lorsque les jurés ne se trouvaient pas dans la salle.

Après quelques questions préliminaires destinées à rappeler aux jurés le rôle qu'il avait dans l'affaire, je m'aventurais dans les régions que j'avais besoin d'explorer. Le travail de la défense consiste à fonder les preuves à conviction et les angles d'attaque qu'on entend mettre en œuvre. Et c'était très exactement pour ça que j'avais besoin de Whitten.

— Inspecteur, lui lançai-je, lors de votre témoignage la semaine dernière, vous vous êtes longuement étendu sur l'examen de la scène de crime et de ce qui y a été découvert, n'est-ce pas ?

— C'est ce que j'ai fait, en effet.

— Et vous aviez la liste de tout ce qui y avait été trouvé, exact ?

— Oui.

— Et il s'agissait vraiment des effets et des biens de la victime ?

— Oui.

— Pouvez-vous vous référer à cette liste aujourd'hui ?

Sur permission du juge, Lankford lui apporta ce qu'on appelle le « livre du meurtre ». S'il avait été appelé à la barre par l'accusation, Whitten s'y serait présenté avec sous le bras cet énorme dossier qui contient tous les rapports d'enquête. Ne pas l'avoir avec lui lorsque je l'appelai me laissa plus qu'entrevoir l'hostilité qu'il était si habile à dissimuler.

En me référant à une copie de la liste que j'avais reçue dans la phase d'échange des pièces entre les parties, je poursuivis.

— Bien. À consulter cette liste, je m'aperçois qu'il n'y figure pas de portable. Est-ce bien le cas ?

— Nous n'avons pas trouvé de téléphone portable sur les lieux du crime, c'est exact.

— O.K. M. La Cosse vous a bien expliqué, n'est-ce pas, qu'il s'était entretenu par téléphone avec la victime un peu plus tôt ce soir-là et que c'est à cause de cette conversation qu'il s'est ensuite rendu à son domicile ?

— Oui, c'est ce qu'il nous a dit.

— Mais vous n'avez pas trouvé de portable dans l'appartement, c'est ça ?

— C'est ça.

— Avez-vous, vous ou votre collègue, essayé de trouver une explication à cette incohérence ?

— Nous nous sommes dit que l'assassin lui avait pris ses téléphones afin de ne pas révéler par où il s'était enfui.

— Vous parlez de téléphones au pluriel. Il y en avait donc plus d'un ?

— Oui, nous avons établi que la victime et l'inculpé se servaient de divers jetables pour leurs affaires. Et que la victime avait un portable pour son usage personnel.

— Pouvez-vous expliquer aux jurés ce qu'est un « jetable » ?

— Ce sont des téléphones bon marché avec un nombre limité de minutes d'appel. Lorsque ces minutes sont écoulées, on jette le portable. Dans certains cas, on peut recharger des minutes moyennant finances.

— Ces jetables sont utilisés parce que les enquêteurs ont du mal à y retrouver les conversations lorsque l'appareil a été jeté et qu'on ne sait pas trop par où commencer à chercher.

— Exactement.

— Et c'est ainsi que communiquaient M. La Cosse et Mme Dayton pour leurs affaires, exact ?

— Oui.

— Mais vous n'avez retrouvé aucun de ces téléphones chez la victime après son assassinat, exact ?

— Oui.

— Vous avez mentionné que la victime avait aussi un portable pour son usage personnel. Qu'entendez-vous par là ?

— Il s'agit d'un iPhone qui lui appartenait et dont elle se servait pour des appels n'ayant rien à voir avec son travail d'escort.

434

— Et cet appareil avait lui aussi disparu après son assassinat ?

— C'est ça. Nous ne l'avons jamais retrouvé.

— Et vous pensez que c'est l'individu qui l'a tuée qui s'en est emparé ?

— Oui.

— Sur quoi fondez-vous cette idée ?

— À notre avis, cela indiquait que l'assassin la connaissait, que lui et elle avaient peut-être communiqué par portable ou que les nom et numéro de son meurtrier se trouvaient dans la liste de ses contacts. Le tueur se serait donc emparé de tous ces téléphones pour ne pas être repéré et suivi par ce moyen-là.

— Et ces appareils n'ont jamais été retrouvés ?

— Non, jamais.

— Cela vous a-t-il amenés à vous adresser à l'opérateur pour lui ordonner de vous confier la liste des appels passés avec ces appareils ?

— Nous l'avons fait pour l'iPhone parce que nous avions retrouvé des factures dans l'appartement et en connaissions donc le numéro. Pour les jetables, il n'y avait aucun moyen de remettre la main sur ces archives dans la mesure où nous n'avions ni les appareils ni leurs numéros. Nous n'avions aucun point de départ.

Je hochai la tête comme si j'entendais parler de tout cela pour la première fois et commençais à mieux comprendre les difficultés qu'avait rencontrées Whitten dans l'élucidation de l'affaire.

— Bien, mais revenons à l'iPhone. Vous avez ordonné qu'on vous passe les relevés et en aviez déjà un certain nombre que vous aviez retrouvés. Vous les avez donc examinés afin d'y découvrir des indices, n'est-ce pas ?

— Oui.

— Y avez-vous trouvé des appels en provenance de, ou passés à, M. La Cosse ?

— Non, nous n'en avons pas trouvé.

— Avez-vous trouvé des appels importants ou significatifs dans ces relevés ?

— Non, nous n'en avons pas trouvé.

Je marquai une pause et fis la grimace en baissant le nez sur mes notes. Je voulais que les jurés se disent que cette dernière réponse de l'inspecteur me troublait.

— Bien. Ces relevés que vous aviez exigé de voir détaillaient tous les appels passés et reçus à l'aide de cet iPhone, exact ?

— Exact.

— Y compris les appels locaux ?

— Oui, eux aussi, nous les avons eus.

— Et vous les avez étudiés.

— Oui.

— En avez-vous trouvé, entrants ou sortants, d'importants pour votre enquête ?

Forsythe élevant une objection au motif que je n'arrêtais pas de répéter mes questions, Leggoe m'ordonna d'accélérer. Je demandai alors à Whitten d'extraire du livre du meurtre les trois pages comprenant la liste des appels passés avec l'iPhone de Gloria.

— Les initiales portées dans le coin inférieur gauche de la première page du document sont bien les vôtres, n'est-ce pas ?

— Oui.

— À cet endroit vous avez aussi inscrit la date du 26 novembre, exact ?

— Oui.

— Pourquoi ça ?

— Ça doit être la date à laquelle j'ai reçu ce document de l'opérateur téléphonique.

— Soit quatorze jours après l'assassinat. Pourquoi cela vous a-t-il pris si longtemps ?

— J'ai dû obtenir un mandat de perquisition pour l'avoir. Cela a pris un certain temps et l'opérateur a, lui aussi, mis du temps pour collationner les appels.

— Ce qui fait que lorsque vous en avez obtenu la liste, Andre La Cosse avait déjà été arrêté et inculpé pour l'assassinat, c'est bien ça ?

— C'est bien ça.

— Vous pensiez donc avoir l'assassin sous les verrous, exact ?

— Exact.

— Alors à quoi pouvait donc bien vous servir ce document ?

— L'enquête ne s'arrête jamais avec l'arrestation d'un suspect. Dans le cas présent, toutes sortes de pistes avaient été suivies et nous cherchions encore à en ouvrir d'intéressantes. Dont celle de cette liste d'appels.

— Bien, mais y avez-vous trouvé un seul numéro à relier à M. La Cosse ?

— Non.

— Aucun ?

— Non, aucun.

— Un seul des numéros portés dans cette liste… et il doit y en avoir environ deux cents… s'est-il donc révélé être de la moindre importance dans votre enquête ?

— Non, maître, aucun.

— À propos… dans quel ordre ces numéros sont-ils rangés ?

— Par fréquence des appels. Tous étant répertoriés par ordre de fréquence décroissante, les numéros qu'elle appelait le plus souvent figurent en haut de la première page.

Je passai à la dernière et demandai à Whitten d'en faire autant.

— Et donc ici, à la dernière page, se trouvent les appels qu'elle n'a passés qu'une fois, c'est ça ?

— C'est ça.

— Sur une période de… ?

— Le mandat de perquisition nous autorisait à remonter six mois en arrière.

Je hochai la tête.

— Inspecteur, permettez donc que j'attire votre attention sur le troisième numéro de la dernière page. Pouvez-vous le lire aux jurés ?

J'entendis des bruits de papier qu'on froisse lorsque, décidant que je faisais peut-être plus que faire perdre son temps à la cour, Forsythe tourna les pages de son exemplaire du document.

— Indicatif 213 numéro 621-7100, dit Whitten.

— Et quand ce numéro a-t-il été composé sur l'iPhone de Gloria Dayton ?

— À 18 h 47, le 5 novembre, répondit-il en fronçant les sourcils.

Forsythe comprit alors où je voulais en venir et éleva aussitôt une objection.

— Pertinence, madame le juge ! lança-t-il d'un ton plein d'urgence. Nous avons accordé beaucoup

438

de latitude à la défense, mais quand tout cela va-t-il prendre fin ? Éplucher dans le détail des appels de trois minutes ? On ne serait pas un peu loin du sujet ? Tout cela n'a rien à voir avec l'affaire qui nous occupe ou les charges qui pèsent sur le client de la défense.

Je souris et hochai la tête.

— Madame le juge, maître Forsythe sait très exactement où tout cela nous mène et il n'a aucune envie que les jurés le découvrent parce qu'il voit bien que le château de cartes de l'accusation est plus que menacé.

Avec les doigts, Leggoe fit le geste de relier tout cela ensemble.

— Le lien, maître Haller. Vite !

— Tout de suite, madame le juge.

Je consultai à nouveau mes notes, retrouvai mes marques et enchaînai. L'objection de Forsythe n'avait qu'un seul but : essayer de me casser mon élan. Il savait bien qu'elle n'avait en elle-même aucune valeur.

— Et donc, inspecteur Whitten, cet appel a été passé à 18 h 47 le soir du 5 novembre, soit sept jours avant l'assassinat de Mme Dayton, c'est bien ça ?

— Oui.

— Combien de temps a duré cet appel ?

Il vérifia sur la feuille.

— Deux minutes et cinquante-sept secondes.

— Merci. Avez-vous vérifié ce numéro lorsque vous avez reçu cette liste ? L'avez-vous appelé ?

— Je ne me rappelle pas l'avoir fait. Le contraire non plus d'ailleurs.

— Avez-vous un portable, inspecteur ?

— Oui, mais pas sur moi.

Je glissai ma main dans ma poche, en sortis le mien et demandai à Leggoe la permission de le passer à Whitten.

Forsythe éleva une objection, qualifia ce que je m'apprêtais à faire de « pitrerie » et m'accusa de jouer les intéressants.

Je lui renvoyai que ce que j'allais faire n'était qu'une démonstration, et pas très éloignée de celle qu'il avait lui-même faite la semaine précédente lorsqu'il avait demandé au légiste adjoint d'appeler Lankford à la barre afin de montrer comment l'os hyoïde de la victime avait été écrasé lors de son étranglement. J'ajoutai qu'il n'y avait rien de plus simple et de plus rapide que de demander à l'inspecteur de passer cet appel et d'ainsi établir qui Gloria Dayton avait cherché à joindre à 18 h 47 le 5 novembre.

Leggoe m'en donna l'autorisation. Je m'approchai de Whitten, lui tendis mon portable après l'avoir mis sur haut-parleur et lui demandai d'appeler le 213-621-7100. Il s'exécuta et posa l'appareil sur le rebord du box.

Au bout d'une seule sonnerie, une voix de femme se fit entendre :

— DEA, division de Los Angeles, en quoi puis-je vous être utile ?

Je hochai la tête, m'avançai et repris le portable.

— Désolé, je me suis trompé de numéro, dis-je avant de raccrocher.

Et je regagnai le pupitre, tout au plaisir du pur silence qui s'était abattu après que cette femme avait dit : « DEA ». Je jetai un rapide coup d'œil à Mallory Gladwell, mon témoin alpha, et vis sur son visage une expression qui me mit du baume au cœur. Sa bouche s'était légèrement ouverte sur ce que je pris pour le début d'un « Oh mon Dieu ! ».

Puis je me retournai vers Whitten et sortis une photo que je tenais prête sous mon bloc-notes. Je demandai ensuite la permission de m'approcher du témoin et de lui montrer la première preuve à conviction de la défense.

Leggoe me l'accordant, je tendis à Whitten le tirage 18 x 24 que Valenzuela avait effectué de la photo qu'il avait prise de Gloria en lui remettant en mains propres sa citation à comparaître dans l'affaire Moya.

— Inspecteur, lançai-je, vous avez entre les mains une photo enregistrée comme preuve à conviction n° 1 de la défense. Elle représente la victime de l'affaire qui nous occupe au moment où il lui a été remis en mains propres une citation à comparaître dans la plainte au civil intitulée *Moya contre Rollins*. Puis-je attirer votre attention sur le tampon, attestant la date et l'heure, apposé sur le document et vous demander de lire ces indications aux jurés ?

— On y lit 18 h 06, 5 novembre 2012.

— Merci, inspecteur. Est-il donc juste de déduire de cette photographie et du relevé des appels passés par la victime qu'exactement quarante et une minutes après avoir reçu en mains propres cette citation à comparaître dans l'affaire Moya, Gloria Dayton a appelé la division de Los Angeles de la DEA à l'aide de son portable personnel ?

Whitten hésita en cherchant un moyen de sortir de l'impasse.

— Il m'est impossible de savoir si elle a effectivement passé cet appel, dit-il enfin. Elle aurait très bien pu prêter son appareil à quelqu'un d'autre.

J'adore quand les flics se décomposent à la barre. Quand ils font manifestement tout pour ne pas donner la réponse évidente et se discréditent en le faisant.

— Vous penseriez donc que quarante et une minutes après avoir reçu cette citation à comparaître dans une affaire impliquant un dealer en prison, quelqu'un d'autre qu'elle se serait servi de son iPhone pour appeler la DEA ?

— Non, ce n'est pas ce que je dis. En fait, je n'ai pas d'opinion sur la question. Je dis seulement que personne ne sait qui était en possession de ce portable à ce moment-là. Voilà pourquoi je ne peux pas déclarer ici avec certitude que c'est bien elle qui a passé cet appel.

Je hochai la tête en faisant semblant d'être frustré. La vérité était que cette réponse de Whitten me ravissait.

— Bien, bien, inspecteur, dis-je, passons à autre chose. Avez-vous jamais enquêté sur cet appel ou sur les liens entre Gloria Dayton et la DEA ?

— Non, je ne l'ai pas fait.

— Avez-vous jamais essayé de savoir si elle aurait servi d'indic à la DEA ?

— Non, jamais.

Je voyais bien qu'il était au bord de l'explosion. Il ne recevait aucune protection d'un Forsythe qui, à court d'objections ayant la moindre valeur, se tassait sur son siège en attendant que cessent les dégâts.

— Pourquoi donc, inspecteur? Cela n'aurait donc pas compté au nombre des « pistes intéressantes » que vous « cherchiez toujours à ouvrir »?

— D'abord, à ce moment-là, j'ignorais tout de cette citation à comparaître. Ensuite, ce n'est pas le numéro d'accueil de la DEA qu'appellent les indicateurs. Ce serait comme d'y entrer par la grande porte avec une pancarte *indic* dans le dos. Je n'avais aucune raison de m'interroger sur un court appel à la DEA.

— Alors là, je suis perplexe, inspecteur. Vous seriez donc en train de me dire que vous saviez ce qu'était ce numéro et que cela ne vous a pas mis la puce à l'oreille? Ou alors, serait-ce plutôt, ainsi que vous venez de le déclarer il y a quelques instants, que vous ne vous rappeliez même plus ni ce numéro ni cet appel? Que faut-il choisir?

— Vous transformez tout ce que je dis.

— Je ne crois pas, inspecteur, mais permettez que je formule ma question autrement. Saviez-vous avant de venir témoigner ici aujourd'hui qu'un appel avait été passé à la DEA à l'aide du portable de la victime une semaine avant sa mort? Oui ou non, inspecteur?

— Non.

— Parfait. On peut donc raisonnablement dire que cet appel, vous l'avez loupé.

— Ce n'est pas ce que je dirais. Mais vous pouvez, vous, dire tout ce que vous voulez.

Je me retournai et jetai un coup d'œil à la pendule. Midi moins le quart. J'avais envie d'emmener Whitten dans une autre direction, mais je voulais aussi que les jurés gardent l'appel téléphonique de Gloria en tête afin d'y méditer en allant déjeuner. Je savais que si je suggérais à Leggoe de faire démarrer la pause tout de suite, je terminerais avec mon client dans sa cellule de détention.

Je me tournai à nouveau vers Whitten : j'avais besoin de faire encore durer le plaisir un quart d'heure au minimum. Je consultai mes notes.

— Maître Haller, me pressa Leggoe. Avez-vous d'autres questions à poser au témoin ?

— Euh… oui, madame le juge. Pas mal, en fait.

— Alors je vous suggère de vous y mettre.

— Oui, madame le juge. Euh… inspecteur Whitten, vous venez de déclarer ne pas savoir que Gloria Dayton avait été citée à comparaître dans une affaire concernant Hector Moya. Vous rappelez-vous quand vous l'avez découvert ?

— Un peu plus tôt cette année. C'est apparu lors de l'échange des pièces entre les parties.

— En d'autres termes, vous avez appris l'existence de cette citation à comparaître parce que c'est la défense qui vous en a informé, exact ?

— Oui.

— Qu'avez-vous fait de cette information une fois que la défense vous l'a fournie ?

— Je l'ai vérifiée comme je vérifie toutes les pistes qui nous arrivent.

— Et qu'en avez-vous conclu après l'avoir vérifiée ?

— Que cela n'avait aucune incidence sur l'affaire. Que ce n'était qu'une coïncidence.

— « Que ce n'était qu'une coïncidence », répétai-je. Trouvez-vous toujours que ce n'est qu'une coïncidence maintenant que vous savez que c'est le portable personnel de Gloria Dayton qui a été utilisé pour appeler la

DEA de Los Angeles moins d'une heure après qu'elle avait été citée à comparaître dans une affaire où on l'accusait d'avoir caché une arme dans la chambre d'une cible de cette même DEA ?

Forsythe invoqua tellement de raisons pour élever son objection que Leggoe n'eut que l'embarras du choix. Elle accepta l'objection et m'ordonna de formuler autrement ma question si je voulais la poser. Je la simplifiai.

— Inspecteur, lançai-je, si vous aviez su, le jour où Gloria Dayton a été assassinée, qu'une semaine auparavant elle avait appelé la DEA, cela aurait-il assez piqué votre curiosité pour que vous tentiez de savoir pourquoi ?

Encore une fois, Forsythe se dressa avant même que je puisse finir ma question et éleva aussitôt son objection.

— Ne peut que donner lieu à spéculations, dit-il.

— Objection retenue, trancha Leggoe sans même me donner la chance d'argumenter.

Mais cela ne me gêna pas. Je n'avais plus besoin des réponses de Whitten. J'aimai assez la façon dont ma question flotta dans l'air tel un nuage au-dessus du box des jurés.

Sentant que c'était le bon moment de le faire, Leggoe lança la pause déjeuner.

Je regagnai la table de la défense et me tins à côté de mon client tandis que les jurés quittaient leur box en file indienne. Je me dis que j'avais bien récupéré après le fiasco Trina Trixxx et que j'avais à nouveau repris le contrôle. Je jetai un coup d'œil à l'assistance et ne vis que les hommes de Moya assis sur les bancs.

Cisco n'était apparemment pas revenu après avoir raccompagné Trina Rafferty chez elle. Et Lorna était invisible.

Personne ne m'avait regardé faire. Personne qui compte à mes yeux.

Chapitre 37

Plaider devant des jurés me donne toujours faim. Il y a dans l'énergie qu'il me faut toujours dépenser pour constamment me méfier des manœuvres de l'accusation – sans pour autant cesser de m'inquiéter des miennes – quelque chose qui, très régulièrement, et juste après que le juge a pris sa place, monte en moi et ne cesse de grandir pendant toute l'audience du matin. Lorsque arrive la pause déjeuner, ce n'est généralement pas à une petite soupe-salade que je pense. J'ai en général envie d'un solide repas qui m'aidera à tenir toute l'après-midi.

Je passai quelques appels et Jennifer, Lorna, Cisco et moi fûmes d'accord pour nous retrouver au Traxx de la gare d'Union Station et que je puisse laisser mon appétit prendre le dessus. On y servait un hamburger génial. Viande rouge, frites et Ketchup, Cisco et moi nous empiffrâmes de l'essentiel tandis que, à force de se berner, ces dames se satisfaisaient de salades niçoises et autres thés glacés.

Il n'y eut guère de bavardages. Juste une petite discussion sur Trina Rafferty. Cisco se contenta de rappeler que quelque chose, ou quelqu'un, lui avait foutu une trouille carabinée et qu'elle refusait de parler, même en privé. Pour l'essentiel néanmoins, je restai dans mon univers. Tel le boxeur dans son coin entre les rounds, je ne pensai ni aux reprises précédentes ni aux coups de poing que j'avais ratés. Je ne pensai qu'à me relever à la sonnerie suivante et au knock-out que j'allais asséner à l'accusation.

— Est-ce qu'il leur arrive de manger ? lança Jennifer.

Cette question chamboulant Dieu sait comment mes pensées, je la regardai de l'autre côté de la table et me demandai ce que j'avais loupé et de quoi elle parlait.

— Qui ça ? lui lançai-je.

— Ces mecs là-bas, répondit-elle en me montrant le grand hall de la gare d'un signe de tête.

Je me retournai et regardai l'énorme aire d'attente par l'entrée du restaurant. Les hommes de Moya s'y trouvaient, assis au premier rang d'un alignement de fauteuils en cuir bien rembourrés.

— S'ils le font, je ne l'ai jamais vu, répondis-je. Vous voulez leur envoyer une salade ?

— Ils n'ont pas l'air d'être du genre à manger de la salade, fit remarquer Lorna.

— Ce sont des carnivores, précisa Cisco.

Je fis signe à notre serveuse.

— Non, Mickey, non ! s'écria Jennifer.

— Détendez-vous.

J'informai la serveuse que nous étions prêts à payer l'addition. L'heure avait sonné de retourner au tribunal.

*

L'audience de l'après-midi commença comme prévu, juste à 13 heures. Whitten revint à la barre, l'air un peu moins net que dans la matinée. Du coup, je me demandai s'il ne s'était pas redonné des forces pour ce qui l'attendait avec un ou deux petits cocktails au martini. Et si tous ces grands airs qu'il affichait ne lui servaient qu'à masquer un penchant pour la bouteille?

Mon plan était de le manœuvrer pour préparer l'arrivée de mon témoin suivant. Ma défense reposait sur toute une chaîne de témoins reliés entre eux, le dernier à la barre ouvrant la voie au suivant. C'était maintenant à Whitten de le faire pour un certain Victor Hensley, chef de la sécurité à l'hôtel Beverly Wilshire.

— Rebonjour, inspecteur Whitten, lui lançai-je joyeusement comme si je n'étais pas l'avocat même qui l'avait mis à mal quelques heures plus tôt. Concentrons donc notre attention sur Gloria Dayton, la victime de cet horrible crime. Avez-vous, vous et votre collègue, retracé ses allées et venues jusqu'à son assassinat dans le cours de votre enquête?

Il fit tout un plat d'ajuster le micro pour gagner du temps et pouvoir réfléchir à la manière de répondre à ma question. Cela me réjouit beaucoup. Cela voulait dire qu'il se méfiait et cherchait le piège qui pouvait se cacher dans ma question des plus simples.

— Oui, dit-il enfin. Nous avons dressé une chronologie de ses faits et gestes. Et plus nous approchions de l'heure de son assassinat, plus les détails nous intéressaient.

J'acquiesçai d'un signe de tête.

— Bien. Vous vous êtes donc intéressés à son dernier boulot d'escort, celui qui l'a fait sortir de chez elle ce soir-là?

— Oui.

— Et vous vous êtes entretenus avec l'homme qui la conduisait régulièrement à ses rendez-vous, exact ?

— John Baldwin, oui. Nous lui avons parlé.

— Et le dernier boulot de Gloria Dayton était bien prévu au Beverly Wilshire, n'est-ce pas ?

Forsythe éleva une objection au motif que je reprenais une chronologie que Whitten avait déjà établie lors de son interrogatoire dans la phase de l'accusation. Leggoe l'appuya et me demanda d'ouvrir de nouvelles perspectives ou de passer à autre chose.

— O.K., inspecteur, comme vous en avez déjà témoigné, il y a eu ce soir-là un désaccord entre la victime et l'accusé, c'est bien ça ?

— Je vous laisse la paternité de ce terme.

— Vous parleriez de quoi, vous ?

— C'est bien du moment avant qu'il la tue que vous parlez ?

Je regardai le juge et écartai grand les bras en faisant semblant d'être stupéfait de cette question.

— Madame le juge, je…

— Inspecteur Whitten, l'avertit Leggoe, je vous saurais gré d'éviter ce genre de déclarations préjudiciables à l'accusé. C'est aux jurés de décider de sa culpabilité ou de son innocence.

— Je vous prie de m'excuser, madame le juge, dit Whitten.

Je reposai ma question.

— Oui, ils ont eu un désaccord.

— Et ce désaccord tournait autour d'une question d'argent, n'est-ce pas ?

— Oui. La Cosse voulait sa part de ce qu'avait payé un client et Gloria Dayton soutenait qu'en fait il n'y avait pas eu de client, qu'il n'y avait eu personne dans la chambre où il l'avait envoyée.

Je montrai le sol du doigt comme si c'était l'instant même qu'il venait de décrire.

— Avez-vous, vous et votre collègue, enquêté sur ce désaccord afin de déterminer qui avait raison et qui avait tort ?

— Si vous voulez savoir par là si nous avons vérifié si, oui ou non, la victime cachait des choses à La Cosse, la réponse est oui : nous avons vérifié. Et déterminé que la chambre d'hôtel où La Cosse l'avait envoyée était inoccupée et que le nom qu'il avait donné à Gloria Dayton était celui du client qui l'avait occupée avant, mais qu'il en était parti. Il n'y avait personne dans cette chambre quand elle s'y est rendue. Il l'a tuée pour avoir gardé de l'argent qu'elle n'avait jamais eu.

Je demandai à Leggoe de rayer cette dernière phrase de Whitten des minutes au motif qu'elle était préjudiciable à mon client et ne répondait pas à ma question. Elle acquiesça et, si tant est que ça en vaille la peine, demanda aux jurés de ne pas en tenir compte. Je passai à autre chose et bombardai Whitten de nouvelles questions.

— Avez-vous cherché à savoir si le Beverly Wilshire avait des caméras de surveillance *in situ*, inspecteur Whitten ?

— Oui, et il y en a.

— Avez-vous examiné les vidéos de la nuit en question ?

— Nous nous sommes présentés au bureau de la sécurité de l'hôtel et oui, nous avons examiné leurs vidéos.

— Et qu'avez-vous glané de ces examens, inspecteur Whitten ?

— Qu'il n'y avait pas de caméras de surveillance aux étages des clients. Mais à nous en tenir à ce que nous avons effectivement vu dans les vidéos prises dans l'entrée et dans les ascenseurs, nous avons conclu qu'il n'y avait personne dans la chambre où Gloria Dayton avait été envoyée. Elle avait même vérifié à l'accueil, où on le lui avait confirmé. Ça se voit sur la vidéo.

— Pourquoi le ministère public n'a-t-il pas présenté cette vidéo aux jurés lors de la phase accusation de ce procès ?

Forsythe éleva une objection au motif qu'en plus d'être polémique, la question n'avait rien à voir avec le sujet. Leggoe fut d'accord et accepta l'objection mais, encore une fois, la question avait nettement plus d'importance que la réponse. Qu'elle ait ou pas un rapport avec le meurtre, je voulais que les jurés regrettent de n'avoir pas pu voir la vidéo.

Je poursuivis.

— Inspecteur, comment expliquez-vous la contradiction entre un Andre La Cosse arrangeant le rendez-vous au Beverly Wilshire et une Gloria Dayton s'y rendant et trouvant la chambre inoccupée ?

— Je ne me l'explique pas.

— Et ça ne vous dérange pas ?

— Bien sûr que ça me dérange, mais toutes les questions ne trouvent pas toujours de réponses.

— D'accord, mais… dites-nous donc ce qui, à votre avis, pourrait expliquer cette confusion apparente de mon client.

Forsythe éleva encore une objection au motif que la réponse ne pouvait être que pure spéculation. Cette fois, Leggoe s'y opposa et affirma vouloir entendre la réponse de l'inspecteur.

— Je n'ai pas vraiment de réponse, dit celui-ci.

Je consultai mes notes pour voir si j'avais oublié quelque chose, puis jetai un coup d'œil à la table de la défense afin de m'assurer que Jennifer n'avait rien à me rappeler. A priori, il n'y avait pas de problèmes. Je remerciai le témoin et informai le juge que je n'avais plus de questions à poser.

Forsythe gagna le pupitre pour voir s'il y avait moyen de panser les plaies que j'avais ouvertes dans le dossier de l'accusation au cours de la matinée. Il aurait mieux fait de s'en dispenser, tout finissant par donner l'impression, à mon avis du moins, qu'il s'inquiétait plus du langage à tenir que de ce qu'il disait. Il révéla que Whitten avait été un agent en plongée de la lutte antidrogue plus tôt dans sa carrière. Et qu'en tant que tel il avait encore des sources confidentielles qui lui donnaient des tuyaux. Aucun de ces indics, s'empressa-t-il de préciser, ne le contactait jamais en passant par le standard de son service. Ç'aurait été aussi inhabituel que dangereux. Tous avaient des numéros privés où appeler pour établir le contact.

Tout cela était parfait, mais n'éclairait en rien ce qui était arrivé à Gloria Dayton et cela m'offrit un beau marchepied lorsque vint mon tour de réinterroger Whitten en contre. Je ne me donnai même pas la peine d'apporter mon bloc-notes à la barre.

— Inspecteur Whitten, combien de temps s'est-il écoulé depuis l'époque où vous étiez officier en plongée des Stups ?

— J'ai fait ça deux ans… en 2000 et 2001.

— Bien, et avez-vous toujours le numéro de portable de cette époque ?

— Non, maintenant je travaille aux Homicides.

— Et vous avez un nouveau numéro.

— Oui.

— Bien. Imaginons qu'un de vos informateurs de 2001 veuille vous appeler aujourd'hui parce qu'il détient des renseignements dont vous avez besoin. Que se passerait-il ?

— Eh bien, je dirais à cette personne de contacter un enquêteur actuel des Stups.

— Vous ne comprenez pas le sens de ma question. Comment cette source d'autrefois s'y prendrait-elle pour vous joindre étant donné que l'ancien moyen de le faire n'existe plus ?

— Il y en a des tas d'autres.

— Comme d'appeler le standard de votre commissariat et de demander après vous ?

— Je ne vois guère un informateur sérieux faire ce genre de chose.

Il comprenait parfaitement ce que je voulais et refusait obstinément de me le donner. Mais cela n'avait pas d'importance. J'étais sûr que les jurés avaient compris. Après toutes ces années, Gloria Dayton n'avait eu qu'un moyen de contacter l'agent Marco : appeler le standard de la DEA.

Je renonçai et me rassis. Whitten fut remercié et j'appelai mon témoin suivant, Victor Hensley.

Un vrai cheval de Troie, ce témoin. C'était le seizième de la première liste que la défense avait soumise avant le début du procès. Comme l'exigeait le protocole,

454

chacun des noms portés sur cette liste était suivi d'un bref commentaire disant à qui l'on avait affaire et à quel genre de témoignage il fallait s'attendre de sa part. Cette note avait pour but d'aider la partie adverse à décider du genre d'attention et du temps qu'il faudrait mettre pour l'accepter et se préparer à ce qu'il ou elle allait dire. Cela étant, en mettant Hensley dans la liste, je n'avais pas voulu que l'accusation se doute de mes véritables intentions – à savoir me servir de lui pour introduire les vidéos de surveillance de l'hôtel comme pièces à conviction de la défense. Je m'étais donc contenté de mentionner son métier et l'avais simplement qualifié de témoin d'appui à la défense. Mon espoir était que Forsythe et son enquêteur Lankford ne voient en lui qu'un témoin qui ne ferait que confirmer que personne n'avait pris la chambre où s'était rendue Gloria Dayton le soir de sa mort.

Il se trouvait qu'au cours d'un coup de fil de vérification, Hensley avait révélé à Cisco que jusqu'à l'ouverture du procès il n'avait reçu qu'une brève visite de Lankford à l'hôtel et n'avait même jamais parlé à Forsythe. Tout cela était de bon augure pour moi. Lorsqu'il arriva à la barre avec un beau dossier en cuir contenant ses notes, je compris que j'avais de bonnes chances de non seulement conserver l'élan que j'avais pris dans la matinée, mais de le renforcer.

Proche de la soixantaine, Hensley avait tout du flic. Lorsqu'il eut prêté serment, je mentionnai brièvement son passé d'ancien inspecteur de la police de Beverly Hills qui avait pris sa retraite et travaillait maintenant à la sécurité du Beverly Wilshire. Puis je lui demandai si l'équipe de la sécurité avait mené sa propre enquête sur le rôle de l'hôtel dans les heures qui avaient précédé le meurtre de Gloria Dayton.

— Oui, nous l'avons fait, répondit-il. Dès que nous avons compris que l'hôtel avait eu un rôle tangentiel dans la situation, nous avons cherché à savoir.

— Avez-vous, vous-même, pris part à cette enquête ?

— Oui. C'est même moi qui l'ai dirigée.

Après quoi, je le fis répondre à toute une série de questions montrant comment il avait travaillé avec des inspecteurs du LAPD et pu confirmer que Gloria Dayton était bien passée à l'hôtel ce soir-là et qu'elle avait frappé à la porte d'un client. Il confirma également que la chambre à laquelle elle avait frappé était vide et qu'aucun client de l'hôtel ne s'y trouvait.

Mon cheval de Troie maintenant dans la place, je me mis au travail.

— Bien. Dès le début, l'accusé a affirmé à la police qu'un client potentiel avait appelé du Beverly Wilshire et dit qu'il se trouvait dans cette chambre. Est-ce possible ?

— Non, il n'est pas possible qu'un client se soit trouvé dans cette chambre.

— Quelqu'un aurait-il quand même pu s'y faufiler Dieu sait comment et passer ce coup de fil ?

— Tout est possible. Mais il aurait fallu que ce quelqu'un ait une clé.

— C'est d'une clé électronique que vous parlez.

— Oui.

— Avez-vous vérifié si quelqu'un avait occupé cette chambre la nuit d'avant ?

— Oui, nous avons vérifié et oui, quelqu'un avait bien occupé la chambre la nuit précédente. Celle de samedi. Nous avions eu un mariage et ce sont les mariés qui l'ont occupée.

— À quelle heure doit-on rendre la chambre au Beverly Wilshire ?

— À midi. Mais ils avaient demandé de pouvoir le faire plus tard parce qu'ils devaient prendre un avion pour Hawaï tard dans la soirée. Comme c'étaient de jeunes mariés, nous avons été heureux d'accepter. D'après nos registres, ils sont partis à 16 h 25, ce qui veut probablement dire qu'ils ont quitté la chambre aux environs de 16 h 15. Voilà le terrain que nous avons couvert dans notre enquête.

— La chambre a donc été occupée jusqu'aux environs de 16 h 15, et n'a pas été réservée pour la nuit de dimanche.

— C'est exact. À cause de l'heure tardive à laquelle ils l'ont quittée, nous n'avons pas pu la remettre sur la liste des chambres disponibles dans la mesure où le personnel de chambre n'aurait pu la préparer que vraiment tard.

— Et si quelqu'un avait eu accès à cette chambre, Dieu seul sait comment d'ailleurs, il aurait pu se servir du téléphone pour passer un appel à l'extérieur, c'est ça ?

— C'est ça.

— Cela dit, un appel passé de l'extérieur de l'hôtel aurait-il pu arriver à la chambre si l'appelant l'avait demandé ?

— Notre règlement nous interdit de transférer un appel de l'extérieur à moins que l'appelant ne nous donne le nom du client. On ne peut tout simplement pas nous appeler et nous demander de transférer l'appel à la chambre 1210, par exemple. Il faut connaître le nom du client, lequel client doit avoir signé notre registre. Non, l'appel n'aurait pas été passé.

J'opinai du chef d'un air pensif avant de poursuivre.

— Comment s'appelaient les jeunes mariés qui occupaient la suite la nuit précédente ?

— Daniel et… (Il ouvrit son porte-documents jaune et consulta les notes de son enquête.) Laura Price. Mais ils avaient rendu les clés et volaient vers Hawaï quand tous ces événements se sont produits.

— Plus tôt dans ce procès, l'accusation a montré une vidéo de l'interrogatoire de l'accusé Andre La Cosse par la police. L'avez-vous vue ?

— Non, je ne l'ai pas vue.

J'obtins la permission du juge de projeter à nouveau un bout de cet interrogatoire sur l'écran en hauteur. Dans la séquence, Andre La Cosse disait à l'inspecteur Whitten avoir reçu un appel masqué d'un certain Daniel Price vers 16 h 30, l'après-midi du meurtre. Par mesure de sécurité, il précisait avoir alors demandé un numéro où rappeler, le correspondant le lui donnant ainsi qu'un numéro de chambre au Beverly Wilshire. La Cosse ajoutait avoir rappelé l'hôtel et demandé qu'on lui passe la chambre de Daniel Price, ce qui avait été fait. Le client et lui s'étaient ensuite arrangés pour qu'une escort appelée Giselle Dallinger arrive à la chambre à 20 heures.

J'arrêtai la vidéo et regardai Hensley.

— Monsieur Hensley, votre hôtel garde-t-il la trace des appels téléphoniques reçus en chambre ? demandai-je.

— Non, seulement celle des appels sortants parce qu'ils sont ajoutés à la facture du client.

J'acquiesçai.

— Comment expliqueriez-vous que M. La Cosse ait pu avoir et le nom exact et le numéro de chambre lorsqu'il a appelé l'hôtel ?

— Je ne peux pas me l'expliquer, dit-il en hochant la tête.

— Est-il possible qu'à cause de l'heure tardive laissée aux jeunes mariés pour rendre la chambre, le nom de Daniel Price ait encore figuré sur la liste des clients à laquelle se réfère le standardiste de l'hôtel ?

— C'est possible, oui. Mais ce nom aurait été rayé de la liste dès qu'ils seraient partis.

— L'opération se fait-elle à la main ou automatiquement par ordinateur ?

— À la main. C'est à la réception qu'il est effacé dès que le client rend ses clés.

— Ce qui fait que si la personne chargée de ce travail à la réception était occupée à autre chose ou avait affaire à d'autres clients, cette opération aurait pu être effectuée plus tard, exact ?

— Ç'aurait pu se produire, oui.

— « Ç'aurait pu se produire », répétai-je. C'est bien à partir de 15 h 30 que l'on peut prendre possession de sa chambre au Beverly Wilshire ?

— C'est ça.

— Y a-t-il généralement beaucoup de monde à la réception à ce moment-là ?

— Cela dépend du jour de la semaine, et le dimanche, c'est plutôt calme. Mais vous avez raison, il aurait pu y avoir du monde à la réception.

Je ne savais pas en quoi tout cela pouvait me profiter, mais je sentis que les jurés risquaient de commencer à s'ennuyer. L'heure était venue d'ouvrir la porte dans le ventre du cheval de Troie. De sortir de sa cachette et de passer à l'attaque.

— Monsieur Hensley, repris-je, accélérons un peu. Vous avez déclaré un peu plus tôt que l'enquête menée par l'hôtel avait confirmé que la victime, Gloria Dayton, était arrivée à l'hôtel le soir du 11 novembre dernier. Comment êtes-vous arrivé à cette confirmation ?

— Nous avons regardé les vidéos des caméras de surveillance et l'avons vite repérée.

— Et grâce à diverses caméras, vous avez été en mesure de la suivre dans tout l'hôtel, exact ?

— Exact.

— Avez-vous avec vous une copie de la vidéo prise par les caméras ?

— Oui.

Il sortit un CD d'un des compartiments de son porte-documents en cuir et le tint en hauteur un instant.

— Avez-vous donné une copie de cette vidéo aux inspecteurs du LAPD attachés à cette affaire ?

— Ils sont venus tout au début de l'enquête et ont regardé les rushs… c'est-à-dire avant que nous les rassemblions en une seule vidéo montrant la femme qui les intéressait en train de se déplacer dans l'hôtel. Plus tard, nous avons tout mis sur un seul CD, mais personne n'est passé le prendre jusqu'à il y a deux ou trois mois.

— Parlez-vous de l'inspecteur Whitten ou de son collègue ?

— Non, c'est M. Lankford de la DEA qui est passé. Son service se préparait pour le procès et il est venu prendre ce que nous avions.

J'eus envie de me retourner vers Forsythe et d'essayer de lire sur son visage s'il avait déjà vu cette vidéo... parce que ça, c'était sûr, elle n'avait jamais figuré parmi les éléments de preuve à échanger avec la partie adverse.

Mais je n'en fis rien : je tenais absolument à ne rien révéler. Pas tout de suite, en tout cas.

— Voyez-vous M. Lankford aujourd'hui dans cette enceinte ? demandai-je à Hensley.

— Oui.

Je demandai alors à Leggoe d'ordonner à Lankford de se lever et Hensley l'identifia. Lankford me regarda de ses yeux gris au regard aussi froid que l'aube en janvier. Dès qu'il se fut rassis, je me tournai vers le juge et lui demandai si les avocats pouvaient venir la voir. Leggoe nous fit signe d'approcher : elle savait exactement ce dont je voulais parler.

— Inutile de me le dire, maître Haller. Vous n'avez pas été averti de l'existence de cette vidéo.

— C'est exact, madame le juge. Le témoin déclare que le ministère public a cette vidéo en sa possession depuis deux mois et je n'en ai pas eu la moindre séquence lors de l'échange des pièces à conviction. Il s'agit là d'une violation caractérisée...

— Madame le juge, s'interposa Forsythe. Ces vidéos, je ne les ai même pas vues moi-même...

— Peut-être, mais votre enquêteur est passé les prendre, lui renvoya Leggoe d'un ton si incrédule qu'à mon avis elle allait se ranger de mon côté dans cette affaire.

— Madame le juge, bredouilla Forsythe, je ne m'explique pas cette situation. Si vous souhaitez interroger mon enquêteur en votre cabinet, je suis sûr qu'il aura une explication. Au bout du compte, toutes les parties sont d'accord pour dire que la victime est passée à cet hôtel dans les heures qui ont précédé sa mort. Étant donné que nous ne le contestons pas, l'infraction est mineure. Il n'y a ni tort ni coup bas, madame le juge. Je suggère que nous passions à autre chose.

Je hochai la tête d'un air las.

— Madame le juge, il n'y a pas d'autre moyen de s'assurer qu'il n'y a ni tort ni coup bas que celui de projeter la vidéo.

Leggoe hocha la tête : elle était d'accord.

— De combien de temps avez-vous besoin, maître Haller ?

— Je ne sais pas. Il ne doit pas y avoir grand-chose à analyser. Une heure ?

— Très bien. Une heure. Vous pouvez utiliser la salle de réunion au bout du couloir. Mon assistant a la clé. Messieurs, vous pouvez disposer.

En regagnant la table de la défense, je me tournai vers la barrière et vis Lankford me fusiller du regard.

Chapitre 38

Je réempruntai l'iPad de Lorna après que le juge eut levé l'audience pour une heure. Étant donné que j'avais déjà analysé ces vidéos en long, en large et en travers, le but véritable que j'avais poursuivi en me plaignant de la violation du règlement commise par la partie adverse était de masquer celle dont je m'étais moi-même rendu coupable en ne les passant pas à Forsythe lors de l'échange obligatoire des pièces entre les parties. Toujours est-il que je n'avais pas besoin d'une heure pour les étudier à nouveau. Je la passai donc à examiner encore une fois celle de la maison de Stratton Sterghos et à réfléchir à la meilleure manière de m'en servir pour abattre Marco et Lankford et pousser ainsi à un verdict de non-coupable pour Andre La Cosse. Cette vidéo était bien la véritable grenade sous-marine que j'espérais. Elle attendait juste sous la surface que le bateau de l'accusation passe au-dessus. Dès que je ferais exploser la charge, Forsythe coulerait avec lui.

Mon plan était de faire durer jusqu'à ce que retentisse la sonnerie du vendredi et que je puisse ainsi conclure juste avant que les jurés ne soient renvoyés chez eux pour le week-end. Cela leur donnerait deux jours pleins pour étudier la question avant que nous ne passions aux dernières plaidoiries. Cela voulait dire que j'allais très probablement devoir introduire la vidéo de Sterghos dans la matinée de vendredi. J'avais tout ce qu'il me fallait de témoins à appeler à la barre jusqu'à ce moment-là.

À 15 h 25, on frappa une seule fois à la porte et le garde de Leggoe y passa la tête. D'après son badge, il s'appelait Hernandez.

— On vous attend, dit-il.

La télécommande de la vidéo et la flèche laser m'attendaient à ma place lorsque j'arrivai à la table de la défense.

Et mon client aussi. Je me rendis compte que la spirale descendante qui l'emportait se mesurait maintenant en heures plutôt qu'en jours. De fait, il avait beaucoup dépéri dans l'heure que je venais, moi, de passer à la salle de réunion et lui, dans la cellule de détention du tribunal.

Je lui serrai le bras. Il était aussi maigre qu'un manche à balai sous sa manche de chemise.

— On avance bien, Andre, lui dis-je. Tenez bon.

— Avez-vous décidé si je devais témoigner à la barre ?

C'était un sujet dont nous débattions constamment depuis le début du procès. Il voulait témoigner pour clamer son innocence au monde entier. Il pensait, et ce n'était pas sans fondement, que les coupables se taisent alors que les innocents parlent. Et témoignent.

Le problème était que sans être un assassin, Andre se livrait à des entreprises criminelles. Sans même devoir ajouter que son délabrement physique n'était pas fait pour lui gagner la sympathie des jurés. Bref, je ne voulais pas qu'il témoigne et ne pensais pas qu'il avait besoin de le faire. Au contraire de mes premières impressions, j'en étais venu à penser que notre meilleure chance d'obtenir un verdict favorable était encore de le garder assis sur son siège.

— Pas encore, lui répondis-je. J'espère que votre innocence sera tellement évidente que ça ne changerait rien.

Déçu par ma réponse, il acquiesça d'un signe de tête. Je m'aperçus qu'il avait tellement maigri depuis le début de la sélection des jurés quinze jours plus tôt que j'allais devoir lui trouver un costume qui lui aille mieux. Même s'il ne nous restait plus que quatre ou cinq jours de procès, je me dis que c'était ce qu'il fallait faire.

Je le notai dans mon bloc-notes, arrachai la page et la passai à Lorna par-dessus la barrière juste au moment où le juge sortait de son cabinet pour regagner sa place.

Victor Hensley étant rappelé à la barre, Leggoe m'autorisa à reprendre mon poste devant le box des jurés pour leur montrer la vidéo de la sécurité du Beverly Wilshire et interroger mon témoin.

Avec lui, je commençai par établir la date et l'heure de la confection du document que nous allions visionner et lui demandai de nous expliquer comment il l'avait monté à partir des enregistrements de plusieurs caméras de surveillance de façon à pouvoir suivre les déplacements de Gloria Dayton dans l'hôtel. Je lui fis aussi préciser qu'il n'y avait pas de caméras dans les étages réservés aux clients pour éviter les problèmes d'ingérence dans leur vie privée. La direction de l'hôtel semblait penser qu'il n'était pas bon pour les affaires de filmer qui entrait dans telle ou telle chambre à telle ou telle heure.

Je lui tendis la flèche lumineuse de façon qu'il puisse garder le point rouge sur Gloria au fur et à mesure qu'elle avançait et que lui parlait. Je me rendis alors compte que cette vidéo donnait pour la première fois aux jurés un aperçu de Gloria en train de marcher. Dans la phase de l'accusation, ils n'avaient vu d'elle que des images de son autopsie, des photos de l'identité judiciaire et des clichés sortis de ses sites Giselle Dallinger. Cette vidéo, elle, la montrait bien en vie et lorsque je me tournai vers eux, je vis qu'ils étaient complètement fascinés par ce qu'ils découvraient.

C'était ce que je voulais : la batterie de questions que j'allais poser à Hensley allait les emmener dans une autre direction. Je m'emparai de la télécommande et repris la flèche lumineuse, reculai un peu, enclenchai la vidéo et figeai l'image au moment où Gloria traversait l'entrée et passait devant l'homme au chapeau.

— Bien. Monsieur Hensley, pouvez-vous regarder l'écran et me dire s'il y a des membres de votre équipe de sécurité dans l'entrée ?

Il me répondit que l'homme debout dans l'alcôve des ascenseurs en faisait effectivement partie.

— Quelqu'un d'autre que vous verriez ?

— Non, je ne crois pas.

— Et cet homme… là ? lui demandai-je en arrêtant le point rouge sur l'individu au chapeau qui, assis sur le canapé, regardait son portable.

— C'est-à-dire qu'on ne voit pas sa figure dans ce plan. Si vous pouviez avancer la vidéo jusqu'à ce qu'on la voie…

J'appuyai sur *Play* et la vidéo redémarra. J'avais attiré tous les regards sur l'homme au chapeau, mais celui-ci ne bougeant pas la tête, son visage resta invisible. Le plan suivant montra Gloria en train de gagner l'alcôve des ascenseurs et de monter dans une cabine. S'ensuivirent plusieurs secondes d'écran noir, puis la vidéo la montra en train de réintégrer la cabine au huitième étage pour redescendre à la réception.

Lorsque la vidéo repassa brutalement au moment où elle retraversait le hall pour sortir de l'hôtel, j'enclenchai le ralenti avec la télécommande et repositionnai le point rouge sur l'homme au chapeau afin de réorienter l'attention des jurés. Et ne soufflai mot tandis que tout le monde restait les yeux fixés sur l'écran. Je continuai de diriger le point rouge sur l'homme au chapeau alors qu'il se levait et se mettait à suivre Gloria. Alors, je figeai l'image juste avant qu'il ne disparaisse de l'écran.

— Cet homme travaille-t-il pour l'hôtel ? demandai-je à Hensley.

— Je n'ai jamais réussi à voir son visage, mais non, je ne pense pas, répondit-il.

— Comment pouvez-vous dire qu'il ne fait pas partie de votre équipe puisque vous n'avez jamais vu son visage ?

— Parce qu'il faudrait que ce soit un flottant, et que des flottants, nous n'en avons pas.

— Pouvez-vous expliquer aux jurés ce que vous entendez par ce terme de « flottant » ?

— Notre système de sécurité est à base de postes fixes. Nous plaçons nos employés à des endroits déterminés… comme l'homme posté dans l'alcôve des ascenseurs.

Nous sommes donc postés à certains endroits et parfaitement reconnaissables. Nous portons des badges avec notre nom et des blazers verts. Nous n'avons pas de flottants… des gars qui se baladent ici et là comme ils veulent.

Je commençai à faire les cent pas devant le box des jurés en me dirigeant vers la barre, puis en repartant vers eux. Enfin, le dos tourné à Hensley et les yeux rivés sur Lankford assis contre la barrière, je posai la question suivante :

— Et question sécurité privée, monsieur Hensley ? Cet homme aurait-il pu assurer la sécurité d'un client de l'hôtel ?

— C'est possible. Mais d'habitude, les gardes privés nous avertissent de leur présence.

— Je vois. Et donc, que faisait cet homme à cet endroit, à votre avis ?

Forsythe éleva une objection au motif que j'obligeais le témoin à se lancer dans des spéculations.

— Madame le juge, M. Hensley ici présent a été vingt ans officier de police avant d'assurer la sécurité de cet hôtel depuis dix ans. Il s'est trouvé dans ce hall un nombre incalculable de fois et y a réglé un nombre tout aussi incalculable de problèmes. Il me semble quand même qu'il est plus que qualifié pour donner un avis sur ce qu'il voit dans cette vidéo.

— Objection refusée, dit-elle.

De la tête, je fis signe à Hensley de répondre à la question.

— Je suis prêt à parier qu'il la suivait, lâcha-t-il.

Je marquai une pause afin que mon silence souligne l'importance de sa réponse.

468

— Qu'est-ce qui vous le fait croire, monsieur Hensley ?

— Eh bien mais… il semble bien qu'il l'attendait avant même qu'elle arrive. Et après, quand elle redescend, il la suit dehors. Ça se voit lorsqu'elle fait brusquement demi-tour pour revenir à la réception. Il est pris au dépourvu et doit changer de direction. Et ensuite, il la suit quand elle s'en va.

— Revoyons ça de plus près, dis-je.

Je repassai toute la séquence à vitesse normale en gardant le point rouge de la flèche sur le chapeau.

— D'autres remarques sur cette vidéo, monsieur Hensley ? lui demandai-je.

— Eh bien, pour commencer, il savait pour nos caméras. On ne voit jamais sa figure à cause de son chapeau et il sait exactement où s'asseoir et comment le garder sur la tête pour qu'on ne voie pas son visage. C'est l'homme mystère par excellence.

J'eus le plus grand mal à ne pas sourire. Honnête et disant l'évidence, Hensley était le témoin idéal. Mais traiter l'homme au chapeau d'« homme mystère » dépassait toutes mes espérances. C'était absolument parfait.

— Résumons-nous, monsieur Hensley. Ce que vous venez de nous dire ici aujourd'hui, c'est que Gloria Dayton est venue à l'hôtel le soir du 11 novembre et qu'elle est montée au huitième étage, où elle aurait frappé à la porte d'une chambre inoccupée. C'est bien ça ?

— Oui, c'est bien ça.

— Et qu'ensuite elle a repris l'ascenseur pour descendre et que lorsqu'elle a quitté l'hôtel, elle a été suivie par un « homme mystère » qui ne fait pas partie du personnel de l'hôtel, c'est ça ?

— Oui, encore une fois, c'est ça.

— Et qu'un peu plus de deux heures plus tard elle mourait.

Forsythe éleva une objection poussive au motif que je posais une question hors du champ de connaissances et d'expertise d'Hensley.

Leggoe l'accepta, mais cela n'avait aucune importance.

— Je n'ai plus de questions à poser au témoin, conclus-je.

Forsythe se leva pour interroger Hensley en contre, mais me surprit :

— Madame le juge, dit-il, le ministère public n'a pas de questions à poser au témoin pour l'instant.

Il avait dû décider que la meilleure façon de se sortir de la débâcle de l'« homme mystère » était de n'y prêter aucune attention, de faire comme si tout cela n'était pas crédible et n'avait aucune importance, et de se retirer avec Lankford afin d'élaborer une réponse en contre.

Mon problème était que je n'avais aucune envie d'appeler un autre témoin à la barre, mais qu'il n'était toujours que 16 h 10 et donc probablement encore trop tôt pour que Leggoe mette fin à l'audience.

Je gagnai la table de la défense et me penchai par-dessus la barrière pour appeler Cisco.

— Dis-moi un peu, lui murmurai-je.

— Quoi ?

— Fais semblant de me parler de notre prochain témoin et hoche la tête.

— Oui, bon, tout ça, c'est très bien, mais nous n'avons pas d'autre témoin à moins que tu m'obliges à aller chercher Budwin Dell à l'hôtel où nous l'avons collé.

Et de parfaitement jouer la comédie en hochant la tête et en ajoutant :

— Sauf que maintenant il est déjà 16 h 10 et qu'on ne pourra pas revenir avant 17 heures.

— Bien.

Je hochai la tête à mon tour et regagnai la table de la défense.

— Maître Haller, vous pouvez appeler votre témoin suivant, me lança Leggoe.

— C'est que... madame le juge, je euh... je ne l'ai pas exactement sous la main. Je pensais que maître Forsythe aurait au moins des questions en contre à poser à M. Hensley et que tout cela nous conduirait jusqu'à 16 h 30 ou 17 heures.

Elle fronça les sourcils.

— Je n'aime pas arrêter trop tôt. Et je vous l'ai dit dès le début du procès. Je vous ai dit : veillez à ce que vos témoins soient prêts.

— Je comprends bien, madame le juge. Un témoin, j'en ai bien un, mais il est dans un hôtel à une vingtaine de minutes d'ici. Si vous le souhaitez, je peux demander à mon enquêteur de...

— Ne soyez pas ridicule. Nous ne pourrions pas commencer avant 17 heures ou presque. Et monsieur Lankford ? Il figure bien dans votre liste, non ?

— Je ne suis pas prêt pour L. Lankford aujourd'hui, madame le juge. Ne pourrions-nous pas arrêter pour la journée et rattraper le temps perdu en raccourcissant nos pauses pendant les deux ou trois jours suivants ?

471

— Et ainsi pénaliser les jurés à cause de votre manque de préparation ? Non, maître, il n'en est pas question.

— Je suis navré, madame le juge.

— Très bien, je vais donc ajourner l'audience. Nous nous retrouverons demain matin à 9 heures. Je vous suggère d'être prêt à démarrer tout de suite, maître Haller.

— Oui, madame le juge.

Nous nous levâmes tandis que les jurés quittaient la salle, et Andre eut besoin de m'attraper le bras pour se relever.

— Ça va ? lui demandai-je.

— Oui. Vous avez fait du bon boulot aujourd'hui, Mickey. Vraiment bon.

— J'espère.

Les gardes vinrent le chercher. Ils allaient le ramener à la cellule de détention du tribunal, où il laisserait son costume trop grand pour renfiler sa combinaison orange. Après quoi, il serait mis dans un car et réexpédié à Men's Central. S'il y avait le moindre retard dans ce transfert, il raterait le dîner et devrait se coucher le ventre creux.

— Plus que quelques jours, Andre, lui dis-je.

— Je sais. Je m'accroche.

J'acquiesçai d'un signe de tête, et ils l'emmenèrent. Je les regardai lui faire franchir la porte en acier.

— Si c'est pas touchant !

Je me retournai. Lankford. Il était venu à la table de la défense. Je regardai Forsythe par-dessus son épaule. Penché au-dessus de sa table, il essayait de faire entrer un beau paquet de dossiers dans son petit attaché-case. Il ne nous prêtait aucune attention, ni à Lankford ni à moi. Derrière lui, la salle d'audience s'était vidée. Lorna était partie chercher la voiture. Un des hommes de Moya l'avait suivie pendant que l'autre se rendait dans le couloir pour m'y attendre.

— Ça l'est, Lankford, ça l'est, lui renvoyai-je. Et tu sais pourquoi ? Parce qu'il est innocent et que des innocents, on n'en voit pas beaucoup dans ces parages. (Je levai la main comme pour dire « mais-de-qui-se-moque-t-on ? ») Mais ça, bien sûr, tu le sais mieux que presque tout le monde ici, n'est-ce pas ? Enfin je veux dire… le fait que lui soit innocent.

Il hocha la tête comme s'il ne comprenait pas.

— Parce que tu crois vraiment que tu vas le sortir de là avec le coup de l'« homme mystère » ?

Je souris et me mis à ranger mes propres notes et dossiers dans ma mallette.

— Non, en fait, nous, on appelle ça la « défense du mec au chapeau ». Et ça, c'est du lourd, tu peux me croire.

Il ne trouva rien à me répondre et je marquai une pause pour le regarder.

— Un, E, R, 6, 7, 6.

— C'est quoi, ça ? Le numéro de téléphone de ta mère ?

— Non, Lankford, c'est celui de ta plaque minéralogique.

Je vis son regard se troubler une fraction de seconde. Il venait de comprendre, ou alors il avait peur. Je continuai d'improviser, mais en suivant d'instinct un sentier qui m'emmenait vers une destination inconnue.

— La ville est pleine de caméras, repris-je. Tu aurais dû larguer la plaque d'immatriculation avant de te mettre à la suivre. Le témoin que le juge voulait entendre aujourd'hui? Il va nous apporter une vidéo de l'extérieur de l'hôtel, et le mec au chapeau, il dira que c'est toi.

Il n'y avait plus rien de fugace qui passait dans ses yeux. Il n'y avait plus que le regard vicieux de l'animal aux abois.

— Et alors, tu vas devoir expliquer aux jurés pourquoi tu suivais Gloria Dayton avant qu'elle soit assassinée et qu'on t'ait, toi, mis sur l'affaire.

Soudain il se rua sur moi et m'attrapa par la cravate pour m'écarter brutalement de la table. Mais ma cravate lui restant dans la main, il perdit l'équilibre et partit en arrière.

— Hé mais! Y a un problème?

Forsythe. Il venait de remarquer ce qui se passait. Lankford se ressaisit et je me tournai vers Forsythe.

— Non, aucun.

Et je repris calmement ma cravate des mains de Lankford. Il tournait le dos à Forsythe et me fixa de ses yeux noirs comme des billes de marbre. Je reclipai ma cravate et me penchai vers lui.

— Lankford, lui murmurai-je, je m'avance beaucoup, mais je ne crois pas que tu sois un tueur. À mon avis, tu t'es embarqué dans un truc qui te dépasse et tu t'es fait coincer. Manœuvrer. Tu l'as trouvée pour quelqu'un et ce quelqu'un a fait le reste. Peut-être savais-tu ce qui allait arriver, mais peut-être pas. Quoi qu'il en soit, tu vas pas laisser condamner un innocent pour ça, dis?

— Va te faire voir, Haller. Ton client est une ordure. Ils le sont tous.

Forsythe nous rejoignit.

— Messieurs, je m'en vais, dit-il. Et je vous le demande encore une fois : y a-t-il un problème ? Faut-il que je reste ici à jouer les baby-sitters ?

Ni l'un ni l'autre nous ne cessâmes de nous dévisager pour le regarder. Ce fut moi qui répondis.

— Non, ça va. J'expliquais seulement à… l'enquêteur Lankford la raison pour laquelle je porte des cravates amovibles.

— Fascinant. Allez, bonsoir.

— Bonsoir.

Forsythe franchit le portail et descendit l'allée centrale de la salle d'audience vide. Je repris à l'endroit où je m'étais arrêté avant qu'il ne m'interrompe.

— Tu as moins de vingt-quatre heures pour décider comment tu vas jouer le coup. Demain, c'est ton copain Marco qui va tomber. Tu peux tomber avec lui ou te montrer intelligent et te sortir de là en un seul morceau. Parce qu'il y a un moyen, tu sais ?

Il hocha lentement la tête.

— Tu ne sais même pas de quoi tu parles, Haller ! Tu ne le sais jamais, d'ailleurs. Tu ne sais absolument pas à qui tu as affaire. En fait, tu ne sais rien de rien, connard.

Je hochai la tête comme si je sentais qu'on m'avait proprement réprimandé.

— Alors, faut croire qu'on se retrouvera demain.

Et je lui donnai une petite tape sur le bras comme si je disais au revoir à un bon copain.

— Ne me touche pas, bordel ! s'écria-t-il.

Chapitre 39

Ce soir-là, sur ordre de Lorna, Cisco apporta au loft du vin et des pizzas à emporter achetées dans Mozza Boulevard pour notre réunion générale post-audience. Elle avait déclaré que cela s'imposait parce que c'était la première fois, depuis quinze jours de procès et plus de sept mois de préparation, qu'on pouvait se dire qu'il y avait quelque chose à fêter.

Il était inattendu de célébrer quelque chose en plein milieu d'un procès, mais ma plus grosse surprise fut de découvrir Legal Siegel assis dans un fauteuil roulant au bout de la table. Il avait posé une bouteille d'oxygène sur son fauteuil et mâchait joyeusement un bout de pizza.

— Qui t'a libéré ? lui demandai-je.

— Ta nénette, me répondit-il en montrant Jennifer avec sa pizza. C'est elle qui m'a sauvé de ces gens. Et pile à l'heure, en plus.

Et de me porter un toast avec sa part de pizza en la tenant bien haut avec ses deux mains blanches et osseuses.

J'acquiesçai d'un signe de tête et regardai tout le monde. Il faut croire que ma répugnance à fêter quoi que ce soit se lisait sur mon visage.

— Oh allez, nous avons enfin eu une bonne journée, insista Lorna en me tendant un verre de rouge. Profites-en.

Du doigt, je montrai le tableau blanc où notre stratégie de défense était décrite dans ses grandes lignes. Mais je pris le verre et une part de pizza à la saucisse, et souris à tous en gagnant un siège à côté de Legal Siegel. Lorsque tout le monde eut pris place, Lorna faisant porter un toast en mon honneur, à mon plus grand embarras je levai mon verre. Puis je lui volai l'instant et ajoutai mon propre toast.

— Aux dieux du verdict ! m'écriai-je. Puissent-ils faire rapidement relâcher Andre La Cosse.

L'instant s'assombrit aussitôt, mais c'était inévitable. Obtenir un verdict de non-coupable était plus qu'incertain. Même quand on sait au plus profond de son cœur qu'on est assis à côté d'un innocent à la table de la défense, on ne peut oublier qu'un tel verdict n'est prononcé qu'avec les plus grandes réticences dans un système dont le seul propos est de s'occuper des coupables. Quelle que soit l'issue du procès, j'allais devoir me satisfaire de savoir que j'avais fait tout ce que je pouvais pour Andre La Cosse.

Alors je m'éclaircis la gorge, levai à nouveau mon verre et y allai d'un deuxième toast.

— À Gloria Dayton et Earl Briggs ! m'écriai-je. Puisse justice leur être rendue grâce à notre travail !

Tout le monde s'y joignit, un moment de silence impromptu s'ensuivant. À croire qu'on nous rappelait à tous que dans cette affaire les victimes étaient nombreuses.

Je rompis le charme en ramenant tout le monde à la tâche qui nous occupait.

— Avant que nous ne soyons tous trop saouls, parlons un peu de demain, lançai-je.

Et je repris tous les points et montrai chacun du doigt en donnant mes ordres et en posant mes questions.

— Lorna, j'aimerais partir un peu plus tôt, lui dis-je. Peux-tu passer me prendre à 7 h 45 ?

— Eh mais, j'y serai, moi… si toi, tu y es.

On me rappelait sans trop prendre de gants que j'étais arrivé tard ce matin-là.

— Jennifer, vous pouvez être de tribunal avec moi demain, ou vous avez d'autres choses à faire dans votre emploi du temps ?

— Je serai ici le matin. L'après-midi, j'ai une audience de refinancement de prêt.

Encore une affaire de saisie immobilière – les seules qui nous rapportaient quelque chose.

— Bon. Cisco… où en est-on côté témoins ?

— Eh bien, on a Budwin planqué au Checkers. Tu me dis juste s'il faut l'amener au tribunal. Tu as mon gars du concessionnaire Ferrari en stand-by et tout prêt à authentifier. Et y a la grosse question : Marco. Il va se montrer, oui ou non ?

Je hochai la tête.

— Vu qu'il a jusqu'à 10 heures, vaudrait mieux que j'aie quelqu'un de prêt à la barre à 9 heures quand le juge arrivera. Bref, tu commences par m'amener Budwin.

— Ça marche.

— Quand Moya doit-il arriver ?

— Ils ne veulent pas divulguer l'heure pour des raisons de sécurité. Mais ils vont le faire venir de Victorville demain. Je ne pense pas qu'on puisse compter le voir au tribunal avant jeudi.

— Ça ira.

Je hochai la tête. Tout semblait en place. J'aurais préféré garder le trafiquant d'armes Budwin Dell jusqu'à
ce que je sache si Marco viendrait témoigner ou pas,
mais je n'avais pas le choix. Un procès est toujours un
travail en cours et ne se déroule presque jamais de la
façon initialement planifiée ou envisagée.

— Et si on mettait Lankford à la barre avant Marco ?
demanda Jennifer en jetant un œil à l'ordre de passage
des témoins que j'avais inscrit sur un côté du tableau
blanc. Ça marcherait ?

— Il faut que j'y réfléchisse, répondis-je. Ça pourrait.

— Il n'y a pas de « possible » et autres « ça pourrait » qui tiennent dans un procès, lança Legal Siegel.
Il faut être sûr.

Je posai ma main sur son bras et le remerciai de son
conseil d'un hochement de tête.

— Il a raison. Legal a toujours raison, dis-je.

Tout le monde rit, y compris Legal. Les questions
de boulot réglées pour le moment, nous recommen-
çâmes à manger. Je pris une deuxième part de pizza
et le vin commençant bientôt à faire son œuvre chez
tout un chacun dans la salle, les rires et les plaisanteries repartirent. Tout donnait l'impression d'aller pour
le mieux dans le meilleur des mondes du cabinet Haller
and Associates. Personne ne semblait remarquer qu'en
fait je ne touchais pas à mon vin.

Puis mon portable se mit à bourdonner. Je le sortis
de ma poche et vérifiai l'identité de mon correspondant
avant de répondre : je ne voulais pas gâcher cet instant.

Normalement, je ne prends jamais d'appel de cette prison après les heures de travail. Les trois quarts du temps, je me retrouve avec le PCV d'un type qui a eu mon nom et mon numéro par quelqu'un d'autre. Et neuf fois sur dix, ce type me dit avoir de quoi se payer un avocat jusqu'à ce que je découvre qu'il mentait sur ça et le reste. Cette fois cependant, je savais qu'il y avait de fortes chances pour que l'appel vienne d'Andre La Cosse. Il avait pris l'habitude de me téléphoner de la prison après l'audience pour discuter de ce qui s'était passé ce jour-là et de ce à quoi il fallait s'attendre pour le lendemain. Je me levai et contournai la table pour pouvoir repasser dans le loft et entendre ce qu'il me disait.

— Allô ?

— Je cherche à joindre Michael Haller.

Ce n'était pas Andre et l'appel n'était pas en PCV. Instinctivement, je fermai la porte de la salle de réunion pour m'isoler encore plus du bruit.

— Lui-même. Qui est à l'appareil ?

— Sergent Rowley, prison de Men's Central. Je vous appelle pour vous informer qu'il y a eu un incident avec votre client Andre La Cosse, répondit-il en écorchant son nom.

— Que voulez-vous dire ? Quel incident ?

Je commençai à faire les cent pas dans la pièce vide en m'éloignant encore plus de la salle de réunion.

— Ce détenu a été agressé en début de soirée au centre des transports du Criminal Courts Building. Un autre détenu fait l'objet d'une enquête.

— « Agressé » ? Qu'entendez-vous par là ? C'est grave ?

— Il a été poignardé à de multiples reprises.

Je fermai les yeux.

— Il est mort ? Andre est mort ?

— Non, monsieur, il est dans un état critique et a été transporté au centre médical de County/USC, pavillon des détenus. Nous n'avons pas d'autres détails sur son état pour l'instant.

Je rouvris les yeux, me retournai et, sans même m'en rendre compte, levai la main gauche en un geste d'impuissance. Une douleur aiguë me traversant le coude et me rappelant ma blessure, je laissai retomber mon bras le long du corps.

— Comment cela a-t-il pu se produire ? Qu'est-ce que ce centre des transports du CCB exactement ?

— Le CT se trouve dans les sous-sols du tribunal et c'est là que les prisonniers sont remis dans les cars qui les ramènent dans nos divers centres de détention. Votre client devait être ramené à Men's Central lorsque l'agression s'est produite.

— Mais… ces prisonniers ne sont pas enchaînés ? Comment se peut-il…

— Monsieur, nous enquêtons sur cet incident en ce moment même et je ne peux pas vous…

— Qui est chargé de l'enquête ? J'exige d'avoir son numéro.

— Je ne suis pas libre de vous donner ce renseignement. Je ne vous appelle que par pure courtoisie afin de vous informer qu'il y a eu un incident et que votre client a été transféré à l'hôpital de County/USC. Votre nom est le seul que nous ayons pour lui à Men's Central.

— Il va s'en sortir ?

— Je ne détiens pas ce renseignement.

— Mais merde quoi ! Vous ne savez donc rien ! m'écriai-je.

Je raccrochai avant d'entendre sa réponse et regagnai la salle de réunion. Lorna, Cisco et Jennifer se tenaient debout derrière la vitre et me regardaient. Ils avaient compris qu'il se passait quelque chose.

— Bon, lançai-je en entrant. Andre a été poignardé dans les bâtiments du tribunal avant qu'on l'ait remis dans le car. Il est à County/USC.

— Ah mon Dieu ! s'écria Jennifer en portant les mains à son visage.

Assise à côté d'Andre pendant plusieurs jours d'audience, elle lui avait souvent chuchoté à l'oreille pour lui expliquer ce que je faisais en interrogeant mes témoins. J'étais moi-même trop occupé pour le faire. Elle était ainsi devenue celle qui lui tenait le plus la main et cela les avait beaucoup rapprochés.

— Comment ? lança Cisco. Et qui ?

— Je ne sais pas. Ils disent enquêter sur un autre détenu. Bon, voilà ce que moi, je veux faire. Je vais aller à l'hôpital voir dans quel état il est et si je peux lui rendre visite. Ils ont refusé de me donner le nom du suspect. Je veux savoir qui c'est et les liens qu'il pourrait avoir avec Marco et Lankford.

— Tu crois qu'ils sont derrière ça ? me demanda Lorna.

— Tout est possible. J'ai parlé avec Lankford après l'audience d'aujourd'hui. J'ai essayé de l'ébranler, mais rien à faire. Peut-être était-il au courant de ce qui allait se passer.

— Je croyais que vous aviez les gens de Moya pour le protéger, dit Jennifer.

— À la prison, oui, lui répondis-je. Mais il n'y avait aucun moyen de le protéger dans les cars et au tribunal. Ce n'est pas comme si je pouvais lui trouver un garde du corps.

— Que voulez-vous que je fasse ?

— Première chose, je veux que vous rameniez Legal. Et après, je veux que vous élaboriez un document pour nous opposer à tout arrêt de la procédure.

Elle parut sortir de l'émotion du moment et se concentrer pour la première fois sur ce que je venais de dire.

— Vous pensez…

— On m'a informé qu'il était dans un état critique et je ne sais pas si ça signifie qu'il va mourir ou en réchapper. Quoi qu'il en soit, je doute qu'il puisse retourner au tribunal dans un avenir proche. Dans ce genre de situation, on court droit à l'arrêt de la procédure avec reprise du procès lorsque l'accusé a recouvré la santé. Si Leggoe n'arrive pas à cette conclusion toute seule, c'est Forsythe qui en formulera la requête parce qu'il a bien vu que sa stratégie commençait à prendre l'eau. Il faut enrayer ça. Nous sommes sur le point de l'emporter. Faisons en sorte qu'il n'y ait pas suspension du procès.

Elle sortit un bloc-notes et un stylo de son sac posé par terre.

— Cela signifie donc que nous voulons poursuivre avec Andre *in absentia* ? Je ne suis pas certaine que ça marche.

— On n'arrête pas les poursuites lorsque l'accusé réussit à prendre la fuite pendant le procès. Pourquoi ça ne marcherait pas pour nous? Il y a forcément un précédent. S'il n'y en a pas, à nous d'en créer un.

Elle fit non de la tête.

— Dans ces cas d'évasion, l'accusé renonce à son droit d'être présent par l'acte même de sa fuite. Notre cas est différent.

Peu intéressé par cette discussion de droit, Cisco passa dans le loft pour pouvoir sortir son téléphone et le mettre à contribution.

— Non, c'est différent, mais c'est la même chose, renvoyai-je à Jennifer. Pour finir ce sera laissé à l'entière discrétion du juge.

— Un vrai chapiteau de cirque, cette discrétion du juge, nom de Dieu! fit remarquer Legal.

J'opinai et le montrai à tous du doigt.

— Il a raison. À nous d'y trouver une place.

— Eh bien, je dirais que le minimum serait d'obtenir d'Andre une renonciation au droit de faire face à ceux qui l'accusent, reprit Jennifer. Et ça, le juge ne voudra même pas en entendre parler si Andre ne nous signe pas cette pièce, et comme nous ne savons pas s'il est en état de le faire, voire de comprendre quoi que ce soit à tout cela…

— Sortez votre ordinateur et rédigeons ce document tout de suite.

Il y avait une imprimante sur le comptoir, juste sous notre tableau blanc. Nous nous étions arrangés pour avoir de quoi imprimer au loft après que ma voiture avait été accidentée et l'imprimante que j'y gardais complètement détruite.

— Vous êtes sûr qu'il sera en mesure de signer en toute connaissance de cause? insista-t-elle.

— Ne vous inquiétez pas pour ça. Rédigez la pièce, je me charge de la lui faire signer.

*

Je passai six heures dans une salle d'attente réservée aux proches des détenus à l'étage pénitentiaire de County/USC. Les quatre premières heures, on ne cessa de me répéter que mon client était en salle d'opération. Puis on m'informa qu'il était en réanimation, mais que je ne pouvais pas le voir parce qu'il n'avait pas repris connaissance. De tout ce temps, je ne perdis pas une fois mon calme avec quiconque. Je ne me plaignis pas et ne hurlai pas.

Mais à bout de patience à 2 heures du matin, je commençai à exiger de voir mon client toutes les dix minutes. Et je sortis tout l'arsenal : je menaçai le personnel de procès et d'attirer l'attention des médias, et parlai même d'une intervention du FBI. Et n'arrivai à rien.

J'avais alors déjà reçu deux rapports de Cisco sur les recherches qu'il effectuait sur l'enquête en cours. Son premier coup de fil avait confirmé l'essentiel de ce que nous soupçonnions, à savoir que c'était un codétenu présent dans les bâtiments du tribunal pour son propre procès qui avait agressé Andre avec un morceau de métal en guise de lame. Bien qu'enchaîné à la taille comme tous les hommes attendant de monter dans les cars, le suspect se serait laissé tomber par terre et aurait ainsi réussi à faire glisser sa chaîne par-dessus ses pieds, ce qui l'avait suffisamment libéré pour qu'il se jette sur Andre et le poignarde sept fois à la poitrine et au ventre avant d'être enfin maîtrisé par les gardes.

Dans son deuxième appel, Cisco m'avait en plus donné le nom du suspect – Patrick Sewell – et précisé que, pour l'instant et ce, tant par l'examen des dossiers que par d'autres moyens, il ne lui avait trouvé aucun lien avec l'agent de la DEA James Marco ou l'enquêteur du district attorney Lee Lankford. Ce nom de Sewell me disant quelque chose, je finis par me rappeler que c'était l'accusé qui risquait la peine de mort dans l'affaire où mon demi-frère Harry Bosch était témoin. Harry m'avait aussi informé, je m'en souvins alors, que cet individu avait été amené du pénitencier de San Quentin où il purgeait une peine de perpétuité. J'en conclus que l'homme était le tueur idéal. Il n'avait rien à perdre.

Je demandai à Cisco de continuer à enquêter. S'il arrivait à me trouver un lien même infime entre Sewell et Marco ou Lankford, je pourrais faire tellement de bruit que le juge Leggoe réfléchirait à deux fois avant de suspendre le procès.

— Je m'en occupe, me répondit Cisco.

Je n'en attendais pas moins de lui.

À 3 h 30 du matin, je fus enfin autorisé à voir mon client. Je fus escorté par une infirmière et un gardien de prison jusque dans l'unité de soins intensifs de l'hôpital. Je dus revêtir une combinaison pour ne pas risquer d'infecter Andre et pus entrer dans une salle de réanimation où il était relié à toutes sortes de machines, tubes et poches en plastique accrochés en hauteur.

Je me mis au bout du lit et regardai l'infirmière vérifier ces machines et soulever sa couverture pour examiner les pansements qui lui enveloppaient tout le torse.

La partie supérieure de son corps étant faiblement sur-élevée, je remarquai que, juste à côté de sa main droite, se trouvait une télécommande destinée à régler l'incli-naison de son lit. Son poignet gauche, lui, était menotté à un épais anneau de fer passé dans le montant du lit. Que la vie du prisonnier ne tienne qu'à un fil n'empê-chait pas qu'on ait pris toutes les précautions pour qu'il ne puisse pas s'évader.

Andre avait les yeux enflés et à demi ouverts, mais il ne voyait rien.

— Alors, demandai-je à l'infirmière, il va s'en sor-tir ?

— Je ne suis pas censée vous dire quoi que ce soit, me répondit-elle.

— Mais vous pourriez.

— Les premières vingt-quatre heures nous le diront.

C'était déjà quelque chose.

— Merci.

Elle me tapota le bras et quitta la pièce en laissant le garde debout à l'entrée. Je gagnai la porte et me mis en devoir de la refermer.

— Vous pouvez pas faire ça, me lança-t-il.

— Bien sûr que si. Il s'agit d'un entretien privé entre un client et son avocat.

— Il n'est même pas conscient.

— Pour l'instant non, mais cela n'a aucune impor-tance. C'est mon client et la Constitution des États-Unis nous garantit le droit de conférer. Vous avez envie de vous retrouver dès demain devant un juge pour lui expliquer pourquoi vous avez refusé à cet homme… qui est maintenant la victime d'un crime odieux… son droit inaliénable à conférer avec son conseil ?

Au bureau du shérif, tous les officiers de police fraîchement certifiés sont automatiquement transférés au service des détentions les deux premières années de leur carrière. Celui que j'avais devant moi me donnait l'impression d'avoir à peine vingt-quatre ans, voire d'être encore en stage de formation. Je savais qu'il allait capituler, et il le fit.

— Bon, d'accord, dit-il. Vous avez dix minutes. Après, vous dégagez. Ordres du médecin.

— Pas de problème.

— Mais moi, je reste de l'autre côté de la porte, juste ici.

— Parfait. Je me sens déjà nettement plus en sécurité.

Et je fermai la porte.

Chapitre 40

Le lendemain matin à la première heure, le juge Leggoe convoqua les deux parties en son cabinet. Lankford fut invité à se joindre à Forsythe de façon à informer le juge de ce qu'on savait sur l'agression au poignard perpétrée contre La Cosse. Il l'attribua comme de bien entendu au type de violences qui opposent souvent des détenus entre eux.

— Il est très vraisemblable que ce soit vu comme un crime dû à la haine, dit-il. M. La Cosse est homosexuel et le suspect a déjà été condamné pour un premier meurtre et est actuellement jugé pour un deuxième.

Leggoe hocha la tête d'un air pensif. Je ne pouvais pas contrer les insinuations de Lankford dans la mesure où Cisco n'avait toujours pas trouvé le moindre lien entre ce Patrick Sewell qu'on soupçonnait d'avoir commis l'agression, et Marco et Lankford. Ma réponse fut au mieux des plus faibles.

— L'enquête est loin d'être terminée, dis-je. Je ne me lancerais pas dans des conclusions hâtives.

— Je suis sûr que ce ne sera pas le cas, me renvoya Lankford, mais sans le petit sourire critique qu'on lui voyait habituellement sur la figure.

J'y vis le premier indice que quelque chose était en train de changer en lui. Peut-être était-ce le lourd fardeau de ne pas se sentir hors de cause. Si, comme je le pensais, on avait agressé La Cosse pour essayer de mettre fin au procès en l'éliminant, l'échec était patent. Toute la question était maintenant de savoir jusqu'où allait cet échec.

— Madame le juge, dit Forsythe, à la lumière de ces derniers événements et du temps qu'il faudra certainement à la victime pour recouvrer la santé, le ministère public requiert un ajournement *sine die*. Je ne vois vraiment pas d'alternative. Nous ne pourrons garantir l'intégrité ni du procès ni des jurés si l'affaire devait continuer jusqu'à ce que l'accusé retrouve un état tel qu'il puisse revenir au tribunal… si même il le devait jamais.

Leggoe hocha de nouveau la tête et se tourna vers moi.

— Cela vous paraît-il sensé, maître Haller?

— Non, madame le juge, pas du tout. Mais j'aimerais que ce soit ma collègue, maître Aronson, qui réagisse à ce que vient de déclarer maître Forsythe. Elle y est mieux préparée que moi. J'ai passé toute la nuit à l'hôpital avec mon client.

Leggoe fit signe à Jennifer d'y aller, celle-ci se lançant alors dans une réfutation aussi belle que spontanée de la thèse de Forsythe. Une phrase en suivant une autre, je me sentis de plus en plus fier de l'avoir prise dans mon équipe. Il ne faisait aucun doute qu'un jour ou l'autre elle finirait par me dépasser. Mais pour l'instant, c'était pour moi qu'elle travaillait et je n'aurais pas pu faire mieux.

Son argumentation tenait en trois points très précis, le premier étant que prononcer l'ajournement serait préjudiciable à l'accusé. Elle invoqua les frais qu'il faudrait engager pour la défense et la poursuite de l'incarcération de La Cosse. Et encore son coût physique. Enfin, le simple fait qu'ayant déjà cerné l'essentiel de la stratégie de la défense, l'accusation aurait, avec un tel ajournement, la possibilité de se refaire et de mieux se préparer pour le deuxième procès.

— Madame le juge, conclut-elle, quoi qu'on puisse penser par ailleurs, ce ne serait pas juste. Ce serait préjudiciable à l'accusé.

À mon avis, sa démonstration était à elle seule suffisamment bonne pour l'emporter. Mais elle enfonça encore le clou avec ses deux points suivants. Elle invoqua ce que coûterait aux contribuables la tenue d'un nouveau procès. Et conclut que dans le cas présent, justice serait mieux rendue en laissant le procès aller à son terme.

Ces deux derniers points étaient particulièrement géniaux en ce qu'ils atteignaient Leggoe au cœur même. Le poste de juge étant une charge élective, aucun d'eux n'a envie d'être rappelé à l'ordre par un adversaire ou un journal pour gaspillage de l'argent public. Le « meilleur rendu de la justice » faisait, lui, référence à la discrétion du juge dans sa prise de décision. Le but poursuivi par Leggoe étant bien de rendre justice dans cette affaire, elle devait maintenant se demander si aller jusqu'au bout du procès sans interruption servait son propos ou pas.

— Maître Aronson, dit-elle après que Jennifer lui eut soumis sa requête, vos arguments sont sensés autant que persuasifs, mais votre client se trouve actuellement dans un lit d'hôpital au pavillon des soins intensifs. Je ne pense quand même pas que vous me suggériez de lui envoyer les jurés. À mes yeux, la cour est donc confrontée à un dilemme qui ne saurait trouver qu'une solution.

C'était la seule partie du plaidoyer de Jennifer que nous avions répétée. La meilleure façon que nous avions d'obtenir ce que nous voulions était d'amener le juge sur notre position et pas de l'emporter d'entrée de jeu.

— Non, madame le juge, lui répondit Jennifer. Nous pensons que vous devriez aller jusqu'au bout de l'affaire sans la présence de l'accusé et après avoir enjoint aux jurés de ne pas prendre en compte cette absence.

— Ce n'est pas possible ! s'écria Forsythe. Si nous obtenons une condamnation, elle sera cassée en moins de cinq minutes en appel. L'accusé a en effet le droit de regarder en face ceux qui l'accusent.

— Elle ne sera pas cassée si l'accusé accepte en toute connaissance de cause de renoncer à ce droit, lui renvoya Jennifer.

— Génial, ça ! lui rétorqua Forsythe d'un ton sarcastique. Sauf qu'aux dernières nouvelles, votre client est inconscient dans un lit d'hôpital et que nous, nous avons des jurés déjà assis dans leur box et prêts à démarrer.

Je glissai ma main dans la poche intérieure de ma veste, en sortis le formulaire de renoncement que j'avais emporté la veille au County/USC, et le tendit au juge par-dessus son bureau.

— Voici ce renoncement, madame le juge, dis-je à Leggoe.

— Minute, minute! reprit Forsythe, les premières notes de désespoir se faisant entendre dans sa voix. Comment est-ce possible? Cet homme est dans le coma. Je doute fort qu'il ait pu signer quoi que ce soit, et encore moins en toute connaissance de cause.

Leggoe lui tendit la pièce, Lankford se penchant pour regarder la signature.

— J'ai passé toute la nuit à l'hôpital, madame le juge, enchaînai-je. L'accusé n'arrêtait pas de perdre connaissance et de la retrouver, ce qui n'est pas du tout la même chose que d'être plongé dans le coma. Maître Forsythe agite des termes médicaux dont il ne connaît manifestement pas le sens. Cela mis à part, pendant ses instants de lucidité, mon client m'a exprimé son fort désir de voir le procès aller jusqu'à son terme en son absence. Il ne veut pas attendre. Il n'a aucune envie d'affronter cette épreuve à nouveau.

— Écoutez, madame le juge, dit Forsythe en hochant fortement la tête, je ne veux accuser personne, mais ce n'est pas possible. Il n'y a tout simplement aucun moyen de…

— Madame le juge, dis-je d'un ton égal comme s'il ne me gênait pas que Forsythe me traite de menteur, si cela peut vous aider à prendre votre décision, j'ai aussi ceci.

Je sortis mon portable et lançai l'application photo. Je zoomai sur le cliché que j'avais pris de la chambre d'hôpital de mon client. On y voyait Andre assis à angle droit sur son séant, une tablette amovible à hauteur du ventre. Dans sa main droite, il tenait un stylo avec lequel il signait la pièce. J'avais pris la photo d'en haut à droite par rapport à lui. L'inclinaison de l'appareil et le gonflement qu'il avait autour des yeux empêchait de voir si ceux-ci étaient ouverts ou fermés.

— Je me doutais bien que maître Forsythe élèverait une objection et c'est pour cela que j'ai vite pris cette photo. C'est quelque chose que j'ai appris en voyant opérer l'homme qui livre mes citations à comparaître en mains propres. Il y avait aussi un garde du nom d'Evanston sur les lieux. Si cela est nécessaire, nous pouvons le réveiller et l'amener ici afin qu'il authentifie la signature.

Leggoe me rendit, et de façon marquée, mon portable au lieu de laisser Forsythe examiner le cliché.

— Cette photo n'est pas nécessaire, maître Haller. Vous êtes officier de cette cour, je vous crois sur parole.

— Madame le juge ? lança Forsythe.

— Oui, maître.

— J'aimerais obtenir un bref délai afin de donner le temps au ministère public d'envisager et de formuler une réponse à la défense.

— Maître Forsythe, c'est vous qui avez formulé cette requête. Sans même parler du fait que c'est aussi vous qui venez de rappeler à la cour il y a à peine quelques instants qu'elle avait des jurés qui n'attendaient que le moment de reprendre l'audience.

— S'il en est ainsi, madame le juge, le ministère public demande à la cour de procéder à un examen médical complet de l'accusé afin de s'assurer que ce formulaire que maître Haller aurait prétendument en sa possession a été effectivement signé volontairement et en toute connaissance de cause par l'accusé.

Je devais écarter ça avant qu'une des tentatives désespérées dans lesquelles se lançait Forsythe pour arrêter le procès ne commence à porter ses fruits.

— Madame le juge, maître Forsythe est désespéré. Il est manifestement prêt à dire n'importe quoi pour mettre fin à ce procès. Vous devez donc vous demander pourquoi, et pour moi la réponse est claire : il sait qu'il est en train de couler. Nous sommes sur le point de prouver que M. La Cosse est innocent et tout le monde, jurés, public, maître Forsythe y compris, le sait. Voilà pourquoi il veut tout arrêter. Ce qu'il veut, c'est que la cour ordonne un nouveau procès. Allez-vous donc laisser faire ça, madame le juge ? Mon client est innocent et a été emprisonné, injurié et privé de tout, y compris maintenant peut-être même de sa vie. Pour que justice soit rendue, il faut que ce procès continue. Tout de suite. Dès aujourd'hui.

Forsythe s'apprêtait à aboyer encore un coup lorsque Leggoe leva la main pour l'arrêter. Elle était prête à rendre son arrêt, mais fut interrompue par le bourdonnement de son portable sur son bureau.

— C'est mon assistante, dit-elle.

Cela voulait dire qu'elle devait prendre l'appel. Je fis la grimace. Je pensais la tenir et me disais qu'elle allait rejeter la requête de Forsythe.

Elle prit son portable, écouta brièvement quelque chose, puis raccrocha.

— James Marco vient d'arriver au tribunal en compagnie d'un avocat de la DEA, dit-elle. Il est prêt à témoigner.

Elle nous laissa digérer la nouvelle quelques instants, puis reprit en ces termes :

— La requête du ministère public est rejetée. Maître Haller, soyez prêt à appeler votre témoin à la barre dans dix minutes.

— Madame le juge, s'écria Forsythe, j'élève l'objection la plus vigoureuse contre cet arrêt.

— « La plus vigoureuse », c'est noté, lui renvoya-t-elle sans douceur.

— Je demande que ce procès soit suspendu tant que le ministère public n'aura pas interjeté appel de cette décision.

— Maître Forsythe, vous avez tout loisir de faire appel au moment que vous voudrez, mais ce procès ne sera pas suspendu. Nous reprendrons l'audience dans dix minutes.

Elle lui laissa un instant pour répondre. Comme il n'en faisait rien, elle mit fin à l'audition.

— À mon avis, dit-elle, nous en avons donc terminé.

*

En revenant au prétoire, l'équipe de la défense prit grand soin de se tenir constamment cinq mètres derrière celle du ministère public.

— Vous avez fait fort, chuchotai-je en me penchant à l'oreille de Jennifer. On va le gagner, ce procès.

Elle sourit fièrement.

— Legal m'a donné un coup de main pour les points à développer quand je l'ai ramené hier soir. Il a toujours l'esprit aussi aiguisé qu'un rasoir.

— Ne m'en parlez pas. Il est toujours meilleur que quatre-vingt-dix pour cent des avocats présents dans cette enceinte.

Devant nous dans le couloir, je vis Lankford tenir la porte et nous y attendre après que Forsythe l'eut franchie. Nous ne nous lâchâmes pas des yeux. J'y vis

496

un geste. Une invite. D'une petite tape sur le coude, je fis signe à Jennifer de continuer sans moi et m'immobilisai en arrivant à la hauteur de Lankford. C'était un homme intelligent. Il savait que tous les efforts déployés pour m'arrêter et mettre fin au procès avaient échoué. Je lui laissai encore une chance parce que j'avais toujours besoin qu'un côté de la conspiration aille au tapis. Même si j'avais souvent croisé le fer avec Lankford, c'était James Marco que je voulais voir tomber encore plus bas.

— J'ai quelque chose à quoi tu devrais jeter un coup d'œil, lui dis-je.

— Pas intéressé, me rétorqua-t-il. Continue d'avancer, connard.

Mais ça manquait de conviction. Ça n'était, comme toujours, que sa façon de commencer une négociation.

— Peut-être, mais je pense que ça pourrait quand même beaucoup t'intéresser.

Il haussa les épaules. Il lui en fallait un peu plus pour arriver à une décision.

— Même que si ça ne t'intéresse pas toi, ça pourrait fasciner ton pote Marco.

Il hocha la tête.

Je franchis la porte, entrai dans la salle d'audience et vis Forsythe assis à la table de l'accusation. Il avait sorti son portable et passait un coup de fil. Je me dis que ce devait être à un superviseur ou à quelqu'un de la cour d'appel. Dans un cas comme dans l'autre, je m'en moquais assez.

Lankford me passa devant et gagna son siège le long de la barrière. Je rejoignis la table de la défense et m'emparai de l'iPad que j'avais emprunté à Lorna.

497

J'allumai l'écran, fis monter la vidéo de la maison de Sterghos, puis je m'approchai de la barrière, posai l'appareil sur le siège vide à côté de Lankford et levai le pied droit pour renouer le lacet de ma chaussure.

— Regarde ça jusqu'au bout, murmurai-je sans le regarder.

Puis je me redressai et regardai le prétoire bondé. La rumeur selon laquelle c'était à la Chambre 120 que tout se passait s'était déjà répandue dans le bâtiment. En plus des hommes de Moya assis à leur place habituelle, il y avait au moins six membres des médias aux deux premiers rangs, divers bonshommes en costume en qui je reconnus des collègues avocats et la plus grande concentration de fanatiques des procès que j'aie jamais vue depuis longtemps – le retraité, le sans-emploi et le solitaire qui viennent tous les jours faire un tour au tribunal pour y voir du drame humain, du pathos et de l'angoisse, tout le monde était là. Je ne savais pas trop si l'on était attiré par l'apparition de Marco ou par le fait que l'accusé avait été quasiment poignardé à mort la veille au soir dans les sous-sols du Criminal Court Building, mais le message était passé et l'on était venu en masse.

Je repérai Marco quatre rangées plus loin. Il était assis à côté d'un type en costume qui, j'imaginais, devait être son avocat. Marco ne s'était pas donné la peine de bien s'habiller pour l'occasion. Il avait revêtu une chemise de golf noire et encore une fois un jean, et avait bien rentré sa chemise dans son pantalon de façon qu'on ne puisse pas louper l'arme qu'il portait dans un holster sur la hanche droite. La dégaine du porte-flingue.

Je décidai que je me devais de faire quelque chose.

Je baissai les yeux et m'aperçus que Lankford avait déjà visionné la vidéo sans le son et l'avait reposée sur le siège vide. Assis à côté, il semblait avoir sombré dans une espèce de sidération – peut-être comprenait-il que sa vie allait changer de manière irréversible avant la fin de la journée. Je posai l'autre pied sur la chaise pour renouer le lacet de ma chaussure. Puis je me penchai à nouveau et, les yeux sur Marco assis au milieu du public, je murmurai à Lankford :

— C'est Marco que je veux, pas toi.

Chapitre 41

Comme promis, le juge regagna sa place et jeta un bref coup d'œil à l'assistance derrière la rambarde.

— Sommes-nous prêts à accueillir les jurés? demanda-t-elle.

— Madame le juge, lui lançai-je, avant de les appeler, je voudrais aborder un certain nombre de questions qui viennent de se poser.

— De quoi s'agit-il, maître Haller? me renvoya-t-elle d'une voix qui ne cachait pas son exaspération.

— Eh bien, l'agent Marco est ici, sans doute pour témoigner pour la défense. J'aimerais demander à la cour l'autorisation de le traiter en témoin hostile et que cette même cour ordonne à l'agent Marco d'ôter l'arme à feu qu'il porte ostensiblement à la ceinture.

— Chaque chose en son temps, maître Haller. Premier point, c'est vous qui avez demandé que l'agent Marco témoigne en faveur de la défense et, que je sache, il n'a pas encore répondu à la moindre question. Pour quelle raison seriez-vous autorisé à traiter votre propre témoin en témoin hostile?

Qualifier Marco de « témoin hostile » me donnerait plus de latitude dans mes questions. Je pourrais lui en poser de tendancieuses, dont la réponse ne nécessiterait qu'un oui ou un non.

— Madame le juge, l'agent Marco a fait tout ce qu'il a pu pour ne pas témoigner dans ce procès. Il a même amené son avocat avec lui aujourd'hui. En plus de quoi, la seule et unique fois que je l'ai rencontré, il m'a menacé. À mon avis, cela fait de lui un témoin hostile.

Forsythe se levant pour répondre, l'avocat de Marco en fit autant, mais Leggoe les arrêta d'un geste de la main.

— Requête refusée, maître Haller. Commencez à interroger le témoin et nous verrons comment ça se passe. Et maintenant, qu'est-ce qui vous gêne dans le fait que l'agent Marco porte une arme de poing ?

Je demandai à Leggoe d'obliger Marco à se lever de façon à ce qu'elle puisse voir son arme. Elle accepta et le lui ordonna.

— Madame le juge, dis-je alors, je pense que porter aussi ostensiblement son arme est menaçant et préjudiciable.

— Mais c'est un membre des forces de l'ordre, maître Haller ! me renvoya-t-elle. Et ce sera établi de façon formelle, je pense, lorsqu'il commencera à témoigner.

— Oui, madame le juge, mais il va passer devant les jurés pour gagner la barre et aura tout de Wyatt Earp. C'est dans l'enceinte d'un tribunal que nous nous trouvons, madame le juge, pas en plein Far West.

— Ça ne me convainc pas, maître Haller. Je vous refuse aussi cette requête.

J'avais espéré qu'elle lise entre les lignes et comprenne ce que je cherchais à faire. J'allais pousser Marco à bout et, selon les circonstances, irais peut-être même jusqu'à l'accuser de meurtre. Et à ce moment-là, on ne sait jamais comment réagissent les gens, membres des forces de l'ordre compris. J'aurais été nettement plus à l'aise en voyant que Marco n'était pas armé.

— Autre chose, maître Haller? Les jurés se sont déjà montrés plus que patients en nous attendant.

— Oui, madame le juge, encore une. Ce matin, je vais appeler l'agent Marco à la barre, et après lui, l'enquêteur Lankford. Je vous serais reconnaissant de bien vouloir ordonner à M. Lankford de rester dans cette salle de façon que je sois certain d'obtenir son témoignage.

— Je ne ferai rien de pareil. M. Lankford est censé se trouver là où il faudra quand il le faudra, mais il n'est pas question que je limite sa liberté de mouvement en attendant. Appelons les jurés.

Je me retournai vers Lankford après cet arrêt et vis ses yeux au regard de glace braqués sur moi.

Les jurés enfin installés, le juge mit cinq minutes à leur expliquer que l'accusé serait vraisemblablement absent jusqu'à la fin du procès. Elle précisa que cet état de choses était dû à une hospitalisation qui n'avait rien à voir avec le procès ou l'affaire en cours. Elle leur enjoignit enfin de ne pas laisser cette absence affecter en quelque manière que ce soit leurs délibérations ou opinions sur le procès.

Je pris alors ma place au lutrin et appelai James Marco à la barre. L'agent fédéral qu'il était se leva au milieu du public et s'avança avec une aisance et une confiance indéniables.

Après les questions préliminaires destinées à l'identifier en tant qu'agent de la DEA et membre de l'ICE-team, j'en vins rapidement au scénario que j'avais travaillé dans ma tête pendant la nuit agitée que j'avais passée.

— Agent Marco, dites aux jurés, je vous prie, comment vous en êtes venu à connaître la victime de cette affaire, Gloria Dayton ?

— Je ne l'ai jamais connue.

— Nous avons des témoignages selon lesquels elle vous aurait servi d'informatrice. Ça ne serait pas vrai ?

— Ça ne l'est pas.

— Vous a-t-elle appelé le 6 novembre pour vous informer qu'elle venait d'être citée à comparaître dans un recours en *habeas corpus* impliquant la personne d'Hector Arrande Moya ?

— Non.

— Connaissez-vous Hector Arrande Moya ?

— Oui, je le connais.

— Comment cela se fait-il ?

— C'est un trafiquant de drogue qui a été arrêté par le LAPD il y a environ huit ans. L'affaire a fini par être reprise par le parquet fédéral et a atterri dans mon giron. Je suis alors devenu l'agent détaché à cette affaire. Moya a été reconnu coupable de divers crimes par un tribunal fédéral et condamné à la perpétuité.

— Et au cours du travail d'enquête que vous avez effectué pour cette affaire, vous n'avez jamais entendu parler de Gloria Dayton ?

— Non.

Je m'arrêtai un instant et consultai mes notes. Jusque-là, Marco s'était montré parfaitement cordial dans ses réponses et donnait l'impression de ne pas être inquiet d'être obligé de témoigner. Ses dénégations n'avaient rien d'inattendu. Mon travail allait être d'ouvrir une brèche dans cette belle façade et de l'exploiter à fond.

— Bien, vous êtes maintenant sur une affaire fédérale impliquant Hector Moya, exact ?

— Je n'en connais pas les détails parce que ce sont les avocats qui s'en occupent.

— M. Moya a décidé de poursuivre le gouvernement fédéral en justice en alléguant un piège que vous lui auriez tendu lors de cette arrestation il y a huit ans, est-ce exact ?

— M. Moya est en prison et complètement désespéré. Si l'on peut poursuivre n'importe qui pour n'importe quel motif, il n'en reste pas moins que je n'étais pas là lors de son arrestation et ne travaillais pas sur cette affaire. Elle m'a échu plus tard et c'est tout ce que je sais là-dessus.

Je hochai la tête comme si sa réponse me ravissait.

— Bien, dis-je. Passons à autre chose. Et les autres acteurs dans cette affaire ? En connaissez-vous certains ?

— D'autres « acteurs » ? Je ne vois pas bien de qui vous voulez parler.

— Tenez, un exemple… Connaissez-vous le procureur Forsythe ? lui demandai-je en me tournant vers le procureur et en le montrant d'un geste.

— Non, je ne le connais pas.

— Et l'enquêteur principal dans cette affaire, l'inspecteur Whitten ? Aucune interaction avec lui par le passé ?

Forsythe éleva une objection au motif qu'on ne voyait pas bien où j'allais avec ces questions filandreuses. Je demandai l'indulgence de la cour et promis d'arriver rapidement au but. Leggoe me laissa poursuivre.

504

— Non, je ne connais pas non plus l'inspecteur Whitten, me répondit Marco.

— Et l'enquêteur du district attorney Lankford ? lui demandai-je en le lui montrant du doigt.

Assis et penché en avant, il fixait la nuque de Forsythe.

— Nous nous connaissons depuis environ dix ans.

— Comment cela se fait-il ?

— Il travaillait sur une affaire avec la police de Glendale et nos chemins se sont croisés.

— Quelle était cette affaire ?

— Il s'agissait d'un double meurtre dont les victimes étaient des trafiquants de drogue. Lankford avait hérité du dossier et m'a consulté deux, voire trois fois là-dessus.

— Pourquoi vous ?

— Parce que j'étais de la DEA, j'imagine. Les deux morts étaient des trafiquants. On avait trouvé de la drogue dans la maison où ils s'étaient fait tuer.

— Et que voulait savoir l'inspecteur Lankford ? Si vous saviez des choses sur les victimes ou qui pouvait les avoir tuées ?

— Oui, ce genre de choses.

— Avez-vous pu l'aider ?

— Pas vrai…

Forsythe éleva de nouveau une objection, pertinente cette fois.

— Nous jugeons une affaire de meurtre qui s'est produite il y a sept mois, dit-il. Maître Haller ne nous a montré aucun lien avec l'autre affaire, celle qui s'est déroulée il y a dix ans.

— J'y viens, madame le juge. Et maître Forsythe le sait bien.

— Avançons, maître Haller, me renvoya Leggoe.

Je hochai la tête en signe de remerciement.

— Agent Marco, venez-vous bien de dire que vous n'avez pas été en mesure d'aider l'inspecteur Lankford ?

— Je ne pense pas avoir pu l'aider, en effet. Pour ce que j'en sais, il n'y a eu aucun moyen de monter un dossier contre quiconque.

— Connaissiez-vous les victimes dans cette affaire ?

— Je savais de qui il s'agissait. Nous les avions au radar, mais elles ne faisaient l'objet d'aucune enquête ouverte.

— Et dans l'affaire qui nous occupe, agent Marco ? L'affaire Gloria Dayton. L'enquêteur Lankford vous a-t-il consulté pour ce dossier ?

— Non, il ne l'a pas fait.

— Et vous, l'avez-vous consulté ?

— Non, je ne l'ai pas consulté.

— Il n'y a donc eu aucune communication entre vous ?

— Aucune.

C'était la faille. Je compris que j'étais dans la place.

— Bon, et ce double meurtre d'il y a dix ans dont vous venez de nous parler, c'est bien celui qui s'est produit à Glendale, dans Salem Street ?

— Euh... oui, il me semble.

— Le nom de Stratton Sterghos vous dit-il quelque chose ?

Forsythe éleva une objection et demanda de conférer avec le juge. Leggoe nous fit signe d'approcher et, comme il fallait s'y attendre, le procureur se plaignit : j'aurais tenté une manœuvre de contournement pour faire venir Sterghos à la barre alors que le juge l'avait déjà rayé de la liste des témoins.

Je hochai la tête.

— Madame le juge, ce n'est pas du tout ce que j'essaie de faire maintenant et on peut donc verser aux minutes, ici et maintenant, que je n'appellerai pas le docteur Sterghos comme témoin à la barre. Tout ce que je veux faire, c'est établir si oui ou non le témoin Marco savait que j'avais inclus Sterghos dans cette liste. Il prétend n'avoir eu aucun contact avec quiconque dans cette affaire, mais je me propose de présenter la preuve du contraire.

Forsythe hocha la tête comme si mes bouffonneries l'épuisaient.

— Des preuves, il n'y en a pas, madame le juge. Ceci n'est qu'un autre de ses petits cirques. Maître Haller essaie de détourner le sens de l'affaire en s'attaquant à des moulins à vent.

Je souris et hochai à nouveau la tête. Puis je me tournai vers la salle et, par hasard, vis que Lankford se dirigeait vers la porte du fond en empruntant l'allée centrale.

— Où votre enquêteur s'en va-t-il ? demandai-je à Forsythe. Je dois l'appeler à la barre dans quelques minutes.

Ma question alerta Leggoe. Elle leva la tête et regarda derrière nous.

— Monsieur Lankford ! lança-t-elle.

Lankford s'arrêta à un mètre de la porte et se retourna.

— Où allez-vous donc ? répéta le juge. Vous allez être appelé à témoigner à la barre dans quelques instants.

Lankford tendit les mains en avant comme s'il ne savait pas trop quoi répondre.

— Euh, dit-il, aux toilettes.

— Revenez vite, s'il vous plaît. Nous allons avoir besoin de vous très rapidement et nous avons déjà perdu assez de temps comme ça ce matin. Je ne veux plus de retards.

Il acquiesça et sortit de la salle d'audience.

— Excusez-moi un instant, messieurs, reprit Leggoe.

Et elle fit rouler son fauteuil vers la gauche, se pencha par-dessus le rebord de son box pour parler à son assistant. Je l'entendis lui demander d'aller dire à l'un des gardes de s'assurer que Lankford revienne vite dans la salle.

Cela me réconforta.

Puis elle reprit sa place et se concentra de nouveau sur le sujet de la consultation. Elle m'avertit que sa patience était à bout et qu'il fallait absolument que je referme le filet qu'elle m'avait autorisé à jeter.

— Oui, madame le juge, lui dis-je, et je regagnai le lutrin.

— Agent Marco, repris-je, quelqu'un vous a-t-il informé que le nom de Stratton Sterghos était apparu dans la nouvelle liste des témoins cette semaine ?

Marco montra les premiers signes de malaise et hocha la tête d'un air las.

— Non. Je ne connais pas ce nom. Je n'ai jamais entendu parler de cet homme avant que vous ne le mentionniez à l'instant.

J'acquiesçai et notai ceci sur mon bloc-notes : *T'es cuit, enfoiré.*

— Pouvez-vous dire aux jurés où vous vous trouviez le soir du 11 novembre de l'année dernière ?

— Madame le juge ! s'écria Forsythe en se levant d'un bond.

— Restez assis, maître Forsythe.

Marco hocha la tête comme si de rien n'était.

— Je ne me souviens pas exactement de ce que je faisais il y a si longtemps.

— C'était un dimanche.

Il haussa les épaules.

— Alors il est probable que j'aie regardé *Sunday Night Football* à la télé. Cela me rendrait-il coupable de quelque chose ?

J'attendis, mais ce fut tout.

— À suivre l'usage général, c'est moi qui pose les questions, lui fis-je remarquer.

— Bien sûr. Posez donc !

— Et ce lundi ? Il y a deux nuits de ça ? Vous rappelez-vous où vous étiez ?

Il garda le silence un long moment. Il devait se rendre compte qu'il avançait en terrain miné. Dans le silence qui durait, j'entendis s'ouvrir la porte du fond, me retournai et vis Lankford revenir dans la salle, un des gardes du prétoire juste derrière lui.

— J'effectuais une surveillance, dit-il enfin.

Je repris mes questions.

— Qui surveilliez-vous donc ? lui demandai-je.

— C'est pour une affaire et il n'est pas question que j'en parle en public, répondit-il en hochant la tête.

— Cette surveillance s'est-elle effectuée à Glendale, dans Salem Street ?

Encore une fois il hocha la tête.

— Il n'est pas question que je parle d'une enquête en cours devant un quelconque tribunal.

Je le dévisageai longuement et me demandai jusqu'où je pouvais le pousser dans ses retranchements.

Pour finir, je décidai d'attendre et regardai Leggoe.

— Madame le juge, je n'ai plus de questions à poser au témoin pour l'instant, mais je demande à la cour de garder l'agent Marco comme témoin de façon que je puisse le rappeler à la barre plus tard dans la journée.

Elle fronça les sourcils.

— Maître Haller, dit-elle, pourquoi ne voulez-vous pas terminer votre interrogatoire maintenant ?

— Parce que j'ai besoin d'avoir le témoignage d'une autre personne ce matin et que c'est en me fondant sur ce qui m'y sera révélé que je formulerai les dernières questions à poser à l'agent Marco. Je tiens à remercier la cour de l'indulgence dont elle fait preuve en me permettant de présenter la défense comme je le fais.

Leggoe demanda à Forsythe si mon plan d'action lui posait problème.

— Madame le juge, dit-il, le ministère public commence à beaucoup se lasser de ces poussées de fantasmes du défenseur, mais encore une fois, oui, nous sommes prêts à laisser faire. Je sais que cela se terminera par un crash et je vous demande de m'excuser, mais je n'en détournerai pas les yeux.

Leggoe lui demanda encore s'il voulait profiter de l'occasion qui lui était offerte d'interroger Marco en contre avant qu'il ne quitte la barre. Elle s'ajoutait à celle qu'il aurait après que j'aurai réinterrogé l'agent de la DEA dans l'après-midi. Sans beaucoup y réfléchir, il choisit d'attendre le moment de l'interroger en contre sans interruption. Et par précaution, il se réserva le droit de rappeler Marco à la barre même si moi, je ne le faisais pas.

Leggoe informa Marco qu'il pouvait quitter la salle, mais lui enjoignit de revenir au tribunal à 13 heures. Puis elle m'ordonna d'appeler le témoin suivant.

— La défense appelle Lee Lankford, dis-je, et je me retournai pour le regarder.

Il se leva, lentement.

— Et madame le juge, ajoutai-je, nous allons avoir besoin de la télécommande pour montrer une vidéo.

Je m'étais assuré de la demander avant que Marco et son avocat ne quittent le prétoire. Je voulais qu'ils pensent à la vidéo que je me proposais de passer.

Chapitre 42

Lankford s'avança d'un pas régulier, mais lent, jusqu'à la barre, les yeux fixés sur un point du mur derrière elle. Je l'observai de près. Il avait l'air de quelqu'un qui réfléchit à diverses équations en son for intérieur, mais extérieurement, il semblait fonctionner sur pilote automatique. Je me dis que c'était bon signe, qu'il comprenait enfin qu'il n'aurait de salut que par moi, et décidai que je le saurais vite selon le chemin qu'il prendrait dans son témoignage.

En sa qualité d'enquêteur du district attorney assigné à l'affaire, il avait, comme il est de coutume, obtenu le droit exceptionnel de rester dans la salle d'audience alors même qu'il figurait sur la liste des témoins requis par la défense. Cela signifiait que, depuis leur sélection même, il avait habitué les jurés à sa présence en restant assis à la barrière derrière Forsythe. Cela étant, il ne leur avait jamais été présenté officiellement jusqu'à ce que je l'oblige à se lever et qu'il soit ainsi identifié lors du témoignage d'Hensley, la veille. Une question après l'autre, je lui demandai donc qui il était et ce qu'il faisait et rappelai son passé d'inspecteur des Homicides de Glendale, même si en fait ce renseignement avait déjà été révélé plus tôt par l'agent Marco.

Puis j'entrai dans le vif du sujet. J'avais le sentiment que toutes les ramifications de cette affaire m'avaient inéluctablement conduit à ce témoin. Tout allait se résumer à cet instant.

— Bien, dis-je. Parlons donc précisément de cette affaire. Comment cela s'est-il passé ? Avez-vous été assigné à l'enquête ou avez-vous demandé qu'on vous la confie ?

Il resta les yeux baissés. Tout dans sa posture et son attitude indiquait qu'il n'avait pas entendu la question. Le silence s'éternisant, je pensais que Leggoe était à deux doigts de le forcer à répondre lorsque enfin il parla.

— Normalement, dans les affaires de meurtres, nous sommes soumis à la rotation des effectifs.

J'acquiesçai et formulais déjà une demande de précision lorsqu'il poursuivit.

— Mais pour cette affaire, c'est moi qui ai personnellement demandé qu'on me l'assigne.

Je marquai une pause, attendis qu'il en dise plus, mais il garda le silence. Il n'empêche : dans cette réponse complète, je vis le signe que nous étions bien arrivés à un accord tacite un peu plus tôt.

— Pourquoi l'avez-vous demandée ?

— Parce que j'avais déjà été assigné à une affaire de meurtre où le procureur était Bill Forsythe et que nous avions très bien travaillé ensemble. Au moins est-ce la raison que j'ai donnée.

Et de me regarder droit dans les yeux en ajoutant cette dernière phrase. J'y vis une espèce de message. Il y avait presque de la supplication dans son regard.

— Êtes-vous en train de me dire que vous aviez un motif caché de demander qu'on vous confie cette enquête ?

— Oui. J'en avais un.

J'en sentis presque Forsythe se raidir à sa table près du lutrin.

— Quel était ce motif ?

— Je voulais m'occuper de l'affaire de façon à pouvoir en surveiller le déroulement de l'intérieur.

— Pourquoi ?

— Parce qu'on me l'avait demandé.

— « On », c'est-à-dire un superviseur ?

— Non, pas un superviseur.

— Qui alors ?

— James Marco.

Je ne pense pas avoir jamais fait l'expérience d'une telle clarté d'esprit dans les milliers et milliers d'heures que je passai dans divers prétoires. Mais dès que Lankford eut prononcé les mots « James Marco », je sus aussi que, s'il survivait à ses blessures, mon client serait libéré. Je baissai les yeux sur le haut de ma feuille de bloc-notes et pris un moment pour me calmer avant de reprendre mes questions.

C'est à ce moment-là que Forsythe se leva au ralenti comme si, pur réflexe, il savait qu'il fallait arrêter ça tout de suite, mais ne voyait pas bien comment s'y prendre. Il demanda à consulter le juge, qui nous fit signe d'avancer. Alors que nous nous retrouvions tous les deux devant elle, je songeai au pétrin dans lequel se trouvait Forsythe et, oui, j'eus même pitié de lui.

— Madame le juge, dit-il, j'aimerais obtenir une suspension d'audience d'un quart d'heure de façon à pouvoir conférer avec mon enquêteur.

— Voilà qui ne se produira pas, maître Forsythe, lui renvoya Leggoe. Il est en train de témoigner. Autre chose ?

— Je suis en train de me faire assommer, madame le juge. Je…

— Par maître Haller ou par votre propre enquêteur ? Il en resta figé.

— Reprenez vos places, messieurs. Et maître Haller, poursuivez votre interrogatoire.

Je regagnai le pupitre. Forsythe se rassit et se mit à regarder droit devant lui en se donnant des forces pour ce qui allait suivre.

— Vous affirmez donc que l'agent Marco vous aurait dit de surveiller cette affaire ? demandai-je à Lankford.

— Oui.

— Pourquoi donc ?

— Parce qu'il voulait savoir tout ce qu'on pourrait trouver dans l'enquête sur le meurtre de Gloria Dayton.

— Il la connaissait ?

— Il m'avait dit que c'était une de ses sources il y a longtemps.

Je cochai une case et rayai ainsi de ma liste un des points que j'avais voulu obtenir en faisant témoigner Lankford, puis je jetai un coup d'œil aux jurés. Douze sur douze, plus les deux remplaçants possibles, ils étaient tous complètement fascinés. Et moi aussi. J'avais préféré Lankford à Marco comme maillon le plus faible du complot. Il avait vu la vidéo de chez Sterghos et savait, bien évidemment, que l'homme au chapeau, c'était lui. Il savait aussi que la seule façon qu'il avait de s'en sortir serait de témoigner en évitant et de se parjurer et de s'incriminer lui-même. Ça n'allait pas être facile.

— Remontons un peu en arrière, repris-je. Vous savez ce que montre la vidéo prise avec les caméras de la sécurité de l'hôtel Beverly Wilshire, celle où l'on voit Gloria Dayton le soir où elle a été assassinée, n'est-ce pas ?

Il ferma un bon moment les yeux, puis les rouvrit.

— Oui, dit-il. Je le sais.

— C'est de la vidéo montrée pour la première fois aux jurés dans la journée d'hier que je parle.

— Oui, je sais.

— Quand l'avez-vous vue pour la première fois ?

— Il y a environ deux mois. Je ne me rappelle plus la date.

— Bien, et hier, dans son témoignage, Victor Hensley, un des superviseurs de la sécurité de l'hôtel, a dit penser que cette vidéo montrait clairement que Gloria Dayton avait été suivie quand elle a quitté l'hôtel. Avez-vous une opinion sur ce point ?

Forsythe éleva une objection au motif que la question était tendancieuse et au-delà des connaissances et expertise de Lankford. Le juge refusant de le suivre, je reposai la question au témoin.

— Pensez-vous que Gloria Dayton a été suivie le soir de sa mort ?

— Oui, je le pense.

— Et pourquoi ?

— Parce que c'est moi qui la suivais.

Ce qui suivit cette réponse compte au nombre des silences les plus assourdissants que j'aie jamais entendus dans un prétoire.

— Êtes-vous en train de nous dire que c'est vous qu'on voit dans cette vidéo… que l'homme au chapeau, c'est vous ?

— Oui, l'homme au chapeau, c'est moi.

516

Cette réponse me fit cocher une autre case dans ma liste et déclencha un autre silence de mort. Je me rendis compte que Lankford était peut-être en train d'exorciser ses démons en avouant, mais pour autant, il n'avait toujours rien admis de criminel. Il me regardait toujours d'un air suppliant. J'en vins alors à croire que lui et moi étions en train de passer un accord muet. Pour la vidéo, je m'en rendis compte. Il ne voulait pas qu'on la montre. Il voulait tout dire en témoin qui coopère, et surtout qu'on ne la lui enfonce pas dans la gorge en plein tribunal.

J'étais prêt à accepter le marché.

— Pourquoi suiviez-vous Gloria Dayton? lui demandai-je.

— Quelqu'un m'avait demandé de la retrouver et de découvrir où elle habitait.

— Qui? L'agent Marco?

— Oui.

— Vous avait-il dit pourquoi?

— Non. Pas à ce moment-là.

— Que vous avait-il dit?

Forsythe éleva de nouveau une objection au motif que je cherchais une réponse par ouï-dire. Leggoe décidant de m'y autoriser, je songeai à la remarque de Legal Siegel la veille au soir comme quoi la discrétion du juge était un « vrai chapiteau de cirque, nom de Dieu! ». Cela dit, il ne faisait aucun doute que ce chapiteau, j'y étais bien installé maintenant.

J'ordonnai à Lankford de répondre à ma question.

— Il m'a juste dit qu'il avait besoin de la trouver. Il m'a aussi dit qu'elle avait travaillé comme indic et avait quitté la ville il y avait bien longtemps, mais qu'elle était revenue et qu'elle devait se servir d'un autre nom parce qu'il n'arrivait pas à la joindre.

— Il vous a donc laissé la retrouver ?

— Oui.

— À quel moment ?

— En novembre dernier, une semaine avant qu'elle soit assassinée.

— Comment l'avez-vous retrouvée ?

— Rico m'a passé une photo qu'il avait d'elle.

— Qui est Rico ?

— Marco. C'est son surnom parce qu'il s'est spécialisé dans les affaires de racket.

— RICO, comme les initiales de la loi *Racketeer Influence and Corrupt Organisation*[1], c'est bien ça ?

— Oui.

— D'où sortait cette photo qu'il vous a passée ?

— Il me l'a envoyée par MMS. Il l'avait prise le soir même où il l'avait retournée. Le cliché était ancien… il devait remonter à huit ou neuf ans. Il venait de l'arrêter, mais avait accepté de ne pas la poursuivre si elle devenait son indic. Il avait pris sa photo pour son répertoire d'indics et l'avait gardée.

— Avez-vous toujours cette photo ?

— Non, je l'ai effacée.

— Quand ?

— Quand j'ai appris qu'elle avait été assassinée.

Je marquai une pause pour l'effet.

— Vous êtes-vous servi de cette photo pour la retrouver ?

---

1. Loi fédérale de 1970 donnant des pouvoirs étendus aux organismes chargés de la lutte contre le crime organisé.

— Oui. J'ai commencé à chercher sur les sites Web d'escorts de la région et j'ai fini par découvrir qu'elle se faisait appeler Giselle. Elle avait changé de coiffure, mais c'était bien elle.

— Qu'avez-vous fait ensuite ?

— L'accès à ces escorts à ce niveau est en général protégé. Elles ne vous donnent tout simplement pas leur adresse et numéro de portable. À la page de Giselle, il était mentionné un « Special Pretty Woman » au Beverly Wilshire. J'ai demandé à Rico… enfin, je veux dire Marco… de me donner accès à une chambre de l'hôtel en me servant d'un de ses pseudos d'agent EP.

— Vous voulez dire d'« agent en plongée » ?

— C'est ça, « en plongée ».

— Quel était ce pseudo ? Vous vous en souvenez ?

— Ronald Weldon.

Je savais qu'on pourrait le vérifier avec Hensley et dans les registres de l'hôtel s'il s'avérait nécessaire de corroborer les dires de Lankford plus tard. L'affaire venait brusquement de changer de dimension avec son témoignage.

— Bien, que s'est-il passé ensuite ?

— Marco est arrivé à la chambre et m'a donné la clé. C'était au huitième étage. Je m'y suis rendu et au moment où j'ouvrais la porte, un des grooms est arrivé à la chambre d'en face avec un chariot à bagages.

— Vous voulez dire que tout donnait à penser que les clients de cette chambre étaient en train de s'en aller ?

— Oui.

— Qu'avez-vous fait ensuite ?

— Je suis entré dans ma chambre et j'ai observé ce qui se passait par le judas. C'était un couple qui occupait la chambre d'en face. Le groom a commencé par s'en aller avec leurs bagages et après, c'est le couple qui a quitté la chambre, mais sans fermer complètement la porte. Alors j'ai traversé le couloir et me suis glissé à l'intérieur.

— Et qu'y avez-vous fait ?

— J'ai commencé par regarder autour de moi. Et j'ai eu de la chance. Dans la corbeille il y avait plusieurs enveloppes où on avait dû mettre des vœux de mariage. Elles étaient adressées à Daniel et Laura ou à M. et Mme Price, enfin... des trucs comme ça. Je me suis dit que lui s'appelait Daniel Price. Alors je me suis servi de son nom et de ce numéro de chambre pour faire en sorte que ce soit dans cette chambre que Giselle Dallinger vienne ce soir-là.

— Pourquoi vous êtes-vous donné toute cette peine ?

— Parce que pour commencer, je sais qu'on peut tout retrouver. Tout. Et je ne voulais pas que ça me revienne dans la figure. Ensuite, j'avais été au Stups quand j'étais flic. Je sais bien comment les prostituées et les maquereaux se débrouillent pour contourner la loi. L'individu qui gérait les affaires de Giselle allait forcément me rappeler à l'hôtel. C'est comme ça qu'ils espéraient confirmer que je n'étais pas de la police. J'aurais pu le faire de la chambre que Marco m'avait donnée, mais j'avais vu la porte ouverte et je pensais que ce serait mieux parce qu'on ne pourrait jamais remonter jusqu'à moi. À moi et à Marco.

En me faisant cette réponse, Lankford venait de franchir la ligne qui sépare le témoignage dont on peut nier la crédibilité du complot ourdi pour commettre un crime. S'il avait été mon client, je l'aurais déjà arrêté net. Mais c'était mon client que j'avais à exonérer. Je poursuivis mon interrogatoire.

— Êtes-vous en train de nous dire que vous saviez ce qui allait arriver à Giselle ce soir-là?

— Non, absolument pas. Je ne faisais que prendre des précautions.

Je le regardai de près. Je n'arrivais pas à savoir s'il essayait de masquer astucieusement sa propre culpabilité dans la commission d'un meurtre ou si, en fait, il disait la vérité.

— Vous avez donc établi la liaison pour ce soir-là et après, vous avez attendu Gloria Dayton dans l'entrée, c'est ça?

— Oui.

— En vous servant de votre chapeau pour vous cacher de la caméra?

— Oui.

— Et ensuite, vous l'avez suivie jusque chez elle, dans Franklin Avenue.

— C'est ça.

Le juge interrompit aussitôt cet échange et s'adressa aux jurés.

— Mesdames et messieurs, dit-elle, je sais que tout semble à peine commencer, mais nous allons marquer une petite pause de cinq minutes. Je vous prie de regagner la salle qui vous est réservée et de ne pas vous éloigner. Et je demande aux conseils et au témoin de rester en l'endroit, s'il vous plaît.

Nous nous levâmes tandis que les jurés sortaient les uns après les autres. Leggoe ne pouvait pas ne pas avertir Lankford des périls qu'il encourait. Dès que la porte de la salle des jurés se fut refermée, elle se tourna vers lui.

— Monsieur Lankford, lui lança-t-elle, avez-vous un avocat avec vous ?

— Non, je n'en ai pas, répondit-il calmement.

— Voulez-vous que je suspende votre témoignage de façon que vous puissiez avoir l'avis d'un conseil ?

— Non, madame le juge. Je veux aller jusqu'au bout. Je n'ai commis aucun crime.

— Vous êtes sûr ?

La question pouvait s'entendre de deux façons. Lankford était-il sûr de ne pas vouloir d'avocat ou était-il sûr de n'avoir commis aucun crime ?

— J'aimerais continuer à témoigner.

Leggoe le dévisagea longuement comme si elle essayait de prendre la mesure du bonhomme. Puis elle se détourna, fit signe au garde de s'approcher et lui murmura quelque chose à l'oreille. Celui-ci gagna aussitôt la barre, s'arrêta à côté de Lankford et porta la main à son arme, tout semblant indiquer qu'il allait l'arrêter.

— Monsieur Lankford, levez-vous, s'il vous plaît.

L'air interloqué, Lankford se leva. Puis il jeta un coup d'œil au garde et à Leggoe.

— Portez-vous une arme, monsieur Lankford ? lui demanda celle-ci.

— Euh, oui, madame le juge.

— Je veux que vous la remettiez au garde Hernandez. Il la tiendra en lieu sûr jusqu'à la fin de votre témoignage.

Lankford ne bougea pas. Il devint vite clair que Leggoe s'inquiétait de le voir armé et capable d'attenter à ses jours ou à ceux d'autrui. La décision était bonne.

— Monsieur Lankford, répéta-t-elle d'un ton sévère. Veuillez, s'il vous plaît, remettre votre arme au garde Hernandez.

La réaction d'Hernandez fut d'ouvrir son propre holster d'une main et d'allumer son micro d'épaule de l'autre. Je me dis qu'il devait envoyer un code d'urgence à d'autres gardes attachés à la sécurité du tribunal.

Lankford finit par lever la main et la glisser à l'intérieur de sa veste de sport. Il en sortit lentement son arme et la tendit au garde.

— Merci, monsieur Lankford, dit Leggoe. Vous pouvez vous rasseoir.

— J'ai aussi un canif, reprit Lankford. Cela pose-t-il un problème?

— Non, monsieur Lankford. Cela n'en pose aucun. Veuillez vous rasseoir, s'il vous plaît.

Il y eut comme un soupir de soulagement dans la salle tandis que Lankford se rasseyait et qu'Hernandez portait l'arme jusqu'à son bureau et l'y enfermait à clé dans un tiroir. Quatre autres gardes entrèrent dans le prétoire par la porte du fond et par celle de la zone de détention. Leggoe leur ordonna aussitôt de se mettre au repos et fit rappeler les jurés.

Trois minutes plus tard, tout donnait l'impression d'être revenu à la normale. Les jurés et le témoin ayant repris leurs places, Leggoe m'adressa un signe de tête.

— Maître Haller, vous pouvez reprendre, dit-elle.

Je la remerciai et essayai de repartir de l'endroit même où j'avais été interrompu.

— Enquêteur Lankford, lui lançai-je, avez-vous demandé à l'agent Marco de vous retrouver à l'adresse de Franklin Avenue ?

— Non, je ne l'ai appelé que pour la lui donner. Et je suis reparti peu après. J'avais fini mon travail et je suis rentré chez moi.

— Et deux heures plus tard Gloria Dayton, la femme qui se faisait passer pour Giselle Dallinger, était morte, c'est bien ça ?

Il baissa les yeux et acquiesça d'un hochement de tête.

— Oui, dit-il, c'est bien ça.

Une fois encore je jetai un coup d'œil aux jurés et vis que rien n'avait changé. Ils étaient comme hypnotisés par ces aveux de Lankford.

— Permettez que je vous le demande à nouveau, enquêteur Lankford. Saviez-vous que Gloria Dayton allait mourir ce soir-là ?

— Non, je ne le savais pas. Si je l'avais…

— Oui ?

— Non, rien. Je ne sais pas ce que j'aurais fait.

— Que vous êtes-vous dit qu'il allait se produire après que vous avez donné l'adresse de Gloria Dayton à Marco ?

Forsythe éleva une objection au motif que la question ne pouvait donner lieu qu'à des spéculations, mais Leggoe la refusa et dit à Lankford qu'il pouvait répondre. Comme tout le monde dans le prétoire, elle voulait entendre ce qu'il allait dire.

Lankford hocha la tête.

— Je ne sais pas, dit-il. Avant de lui donner l'adresse ce soir-là, je lui avais redemandé ce qui était en train de se passer. Je lui ai dit que je ne voulais pas être impliqué dans quoi que ce soit si jamais elle devait en souffrir. Il m'a alors dit et redit qu'il voulait seulement lui parler. Il a reconnu savoir qu'elle était revenue à Los Angeles parce qu'elle l'avait appelé d'un numéro masqué pour l'informer qu'elle venait d'être citée à comparaître dans un procès au civil. Et il m'a donc dit qu'il avait besoin de la retrouver pour pouvoir en parler avec elle.

Je soulignai l'importance de sa réponse en gardant le silence un instant. En gros, j'avais gain de cause. Mais mettre un point final au témoignage de Lankford n'était pas évident.

— Pourquoi avez-vous fait tout ça pour l'agent Marco ? lui demandai-je.

— Parce qu'il me tenait. J'étais à sa merci.

— Comment ça ?

— Il y a dix ans, j'ai enquêté sur le double homicide de Glendale. Dans Salem Street, oui. C'est là que j'ai fait la connaissance de Marco et que j'ai commis une erreur…

Sa voix s'était mise à trembler légèrement. J'attendis. Il retrouva son calme et poursuivit.

— Il était venu me voir. Il m'avait dit qu'il y avait des gens… des gens qui étaient prêts à payer si l'affaire n'était jamais résolue. Vous savez bien, prêts à me payer pour que je ne la résolve pas. À dire vrai, il y avait toutes les chances pour que mon collègue et moi, nous ne la résolvions jamais. Il n'y avait plus aucun élément de preuve sur les lieux du crime. C'était une exécution et les tueurs à gages étaient probablement venus de l'autre côté de la frontière et y étaient sans doute retournés une fois leur double assassinat perpétré. Alors je me suis dit : qu'est-ce que ça changerait de toute façon ? J'avais besoin de l'argent. Je venais de divorcer et ma femme… mon ex-femme… allait me prendre notre fils. Elle allait déménager en Arizona et l'emmener et j'avais besoin d'argent pour me payer un bon avocat qui s'y opposerait. Mon gamin n'avait que neuf ans. Il avait besoin de moi. Alors, j'ai pris l'argent. 25 000 dollars. Marco a conclu le marché, j'ai reçu l'argent et après ça…

Il marqua une pause et donna l'impression de s'embarquer dans tout un tas de pensées. Je me dis que Leggoe allait peut-être intervenir à nouveau : prescription ou pas, Lankford venait d'avouer un crime. Mais elle resta aussi immobile que tout le monde dans la salle.

— Et après ça, quoi ? insistai-je.

C'était une erreur. Lankford se mit en colère.

— Quoi ? Vous voulez que je vous fasse un dessin ? Il me tenait. Vous comprenez ce que ça veut dire ? J'é-tais-à-sa-mer-ci. Ce petit truc à l'hôtel ? Ce n'était pas la première fois qu'il se servait de moi ou me disait ce que je devais faire. Il y en avait eu d'autres. Des tas d'autres. Il me traitait comme il traitait ses indics.

J'acquiesçai d'un signe de tête et consultai mes notes. Je savais que le dossier était clos. Je n'aurais pas besoin de faire revenir Marco ou d'appeler d'autres témoins à la barre. Moya, Budwin Dell… je n'avais besoin d'aucun d'entre eux, aucun d'entre eux n'avait plus la moindre importance. C'était là que se terminait l'affaire.

Lankford avait baissé la tête et personne ne pouvait voir ses yeux.

— Enquêteur Lankford, repris-je, avez-vous jamais demandé à l'agent Marco ce qui était arrivé à Gloria Dayton cette nuit-là une fois que vous lui aviez donné son adresse ?

Il acquiesça lentement de la tête.

— Je lui ai carrément demandé s'il l'avait tuée parce que je ne voulais pas avoir ça sur la conscience. Il m'a répondu que non. Il m'a dit qu'il s'était bien rendu à son appartement, mais qu'elle était déjà morte quand il y était arrivé. Il m'a aussi dit qu'il y avait mis le feu parce qu'il ne savait pas si elle y avait des trucs qui pourraient le relier à elle. Mais il m'a répété qu'elle était déjà morte.

— Et vous l'avez cru ?

Il marqua un temps d'arrêt avant de répondre.

— Non, dit-il enfin. Je ne l'ai pas cru.

Je m'arrêtai à mon tour. Je voulais que l'instant reste en moi jusqu'à la fin de mes jours. Mais je finis par regarder le juge.

— Madame le juge, lui lançai-je, je n'ai plus de questions à poser au témoin.

Je passai derrière Forsythe en rejoignant la table de la défense. Il n'avait pas bougé de son siège et semblait encore se demander s'il allait se lancer dans un inter-rogatoire en contre ou demander tout simplement au juge de clore les débats. Je m'assis à côté de Jennifer.

— Putain de Dieu ! me murmura-t-elle à l'oreille d'un ton plein d'urgence.

J'acquiesçai et me penchais vers elle pour lui chuchoter quelque chose en retour lorsque j'entendis Lankford parler à la barre.

— Mon fils est plus âgé maintenant, dit-il. Il s'en sortira.

Je me retournai pour voir à qui il s'adressait, mais il s'était penché en avant et le montant du box des témoins me le cachait. Il donnait l'impression de tendre la main vers quelque chose tombé sur le parquet.

Puis, sous mes yeux, il se redressa et porta la main droite à son cou. Je vis que ses doigts s'étaient refermés sur un petit pistolet – une arme de cheville. Sans hésitation, il en enfonça le canon dans la peau tendre sous son menton et appuya sur la détente.

La détonation étouffée de l'arme fit monter un hurlement dans le box des jurés. La tête de Lankford partit brutalement en arrière, puis en avant. Son corps s'inclina lentement vers la droite avant de s'effondrer et de disparaître derrière le panneau avant de la barre des témoins.

Des hurlements de peur et d'horreur s'élevèrent dans toute la salle, mais Jennifer Aronson, elle, n'en poussa aucun. Comme moi, elle était sans voix et fixait ce qui maintenant ne semblait plus être qu'un box sans témoins.

Leggoe se mit à crier qu'on évacue la salle mais, suraiguë et paniquée, sa voix de ténor se perdit vite au milieu du brouhaha. Bientôt tout se passa comme si je n'entendais plus rien.

Je me tournai vers le box des jurés et y vis Mallory Gladwell, mon témoin alpha, debout les yeux fermés et les mains pressées contre sa bouche ouverte. Tout autour d'elle, d'autres jurés réagissaient à l'horreur de ce à quoi ils venaient d'assister. Je n'oublierai jamais le tableau qu'ils offraient. Ils étaient douze jurés – les dieux du verdict – tous à essayer de ne plus voir ce qu'ils venaient de voir.

QUATRIÈME PARTIE

Les dieux du verdict

Lundi 2 décembre

Pour conclure

Il y a longtemps que l'affaire Gloria Dayton est terminée. Six mois plus tard néanmoins, ses ondes de choc affectent encore ma vie de toute leur force. Le procès a bien évidemment pris fin lorsque Lankford a sorti son arme de secours et attenté à sa vie devant les jurés. Le juge Leggoe a prononcé l'annulation et l'affaire n'a jamais franchi la porte de la Chambre 120. Sans grande surprise, le Bureau du district attorney a décidé de laisser tomber toutes les charges pesant sur Andre La Cosse en invoquant le caractère « vraisemblable » de son innocence et autres circonstances atténuantes. Et bien sûr, ni au Bureau du district attorney ni au LAPD personne n'a voulu reconnaître que, tous autant qu'ils étaient, ils s'étaient complètement trompés depuis le début.

Après sa libération, Andre a été transféré à l'hôpital Cedars-Sinai, où il a été soigné par les meilleurs parmi les meilleurs, a subi encore d'autres opérations et s'est rétabli en six semaines dans un environnement médical dernier cri. J'ai envoyé tous les honoraires des médecins et factures d'hôpital à Damon Kennedy au Bureau du district attorney. Et n'ai jamais eu droit au moindre commentaire.

Lorsqu'il a enfin quitté l'hôpital, Andre marchait avec une canne et continuera probablement de le faire jusqu'à la fin de ses jours. Reconnaissant que l'issue du procès au pénal lui avait été favorable, il m'a autorisé à entamer des poursuites au civil contre la ville de Los Angeles pour arrestation et incarcération illégales et dommages tant physiques que psychologiques subis de ce fait. Aucune des administrations incriminées ne voulant approcher à moins de cent kilomètres d'un tribunal pour juger cette affaire, nous avons trouvé un arrangement. J'ai commencé par demander un million de dollars par coup de couteau infligé à mon client, mais nous avons fini par accepter un total de deux millions quatre, en plus de tous les soins médicaux.

La part qui me revenait m'a valu le plus gros chèque jamais signé à l'ordre du cabinet Haller and Associates. J'ai donné des bonus à tous les membres de mon équipe et envoyé un chèque de 100 000 dollars à la mère d'Earl Briggs. C'était le moins que je pouvais faire.

Cela m'a quand même laissé bien plus d'argent qu'il n'en fallait pour me payer trois semaines de vacances à Hawaï avec Kendall et m'acheter deux Lincoln Town Cars. La première pour usage immédiat, la deuxième pour les années à venir. L'une et l'autre de 2011, soit la dernière année de production de ce modèle de luxe après trente ans, elles n'avaient que peu de kilomètres au compteur.

Pendant un certain temps après le procès, je n'ai eu droit à aucun répit côté relations publiques. Encore une fois, j'ai été vilipendé dans les médias et les tribunaux, mais ce coup-là pour être le genre de type qui interroge si durement et vicieusement ses témoins qu'il les pousse à se suicider à la barre. Pour finir néanmoins, ma réputation a été sauvée grâce à une série de trois articles publiée dans le *Times* de septembre sous le titre *Les épreuves d'un innocent*. Ils relataient dans les moindres détails le procès, l'agression et le rétablissement d'Andre La Cosse. J'y ressortais plutôt bien en ma qualité d'avocat qui avait cru à l'innocence de son client et avait fait tout ce qu'il pouvait pour l'aider à recouvrer sa liberté.

Ces articles ont aussi joué un rôle important dans l'accord financier auquel nous sommes parvenus avec la ville et le comté. Ils ont même été décisifs avec ma fille. Après les avoir lus, elle a timidement réinitié la communication avec moi. Nous nous parlons et envoyons maintenant des textos deux ou trois fois par semaine, et j'ai déjà plusieurs fois pris ma voiture pour aller la voir concourir dans des tournois hippiques à Ventura.

C'est avec le barreau de Californie que ces articles ne m'ont pas vraiment aidé. Un enquêteur du service de l'éthique professionnelle a ouvert un dossier sur moi peu après la publication du deuxième. Il s'y trouve un rapport sur les médecins qui ont soigné Andre après son agression. Ils y soulèvent de sérieuses questions sur la possibilité qu'il ait été conscient et ait eu l'esprit assez clair pour signer le formulaire de renoncement au droit d'être présent au tribunal que je lui avais apporté à County/USC. Cette enquête du barreau n'est pas close, mais ne m'inquiète pas. Andre s'est rangé de notre côté en nous fournissant un document notarié où il atteste ma perspicacité juridique et rapporte comment il a signé cette pièce en toute connaissance de cause.

Mon autre client de jadis, Hector Arrande Moya, a lui tout à la fois gagné et perdu dans le courant de l'année. Grâce aux conseils aussi bien de son père que de moi, Sly Fulgoni Junior a gagné son recours en *habeas corpus*, la perpète de Moya se voyant de ce fait annulée par l'US District Court. Mais à peine libéré de la prison de Victorville, Hector a été immédiatement réincarcéré par les agents de l'immigration et renvoyé au Mexique en tant qu'indésirable.

Officiellement, le sort et le lieu où se trouve James Marco sont toujours un mystère. C'est en ce jour mémorable du mois de juin qu'il a quitté le tribunal en profitant de la confusion et de l'alarme pour se glisser dehors juste après le suicide de Lankford. On ne l'a pas revu depuis, et son visage orne aujourd'hui les affiches *Wanted* apposées dans le bâtiment fédéral même où il travaillait autrefois. Il fait l'objet de vastes enquêtes du FBI et de sa propre DEA. Selon des sources anonymes citées par le *Times*, les crimes et la corruption de l'ICE-T qu'il a dirigée pendant plus d'une décennie sont si graves qu'un jury d'accusation fédéral en étudiera les preuves jusque bien après le début de l'année prochaine. Toujours d'après ces sources anonymes, on pense que Marco aurait opté pour une faction particulière dans la longue guerre interne du cartel de Sinaloa et que c'est pour elle qu'il aurait œuvré en Californie du Sud. Il a même été suggéré que les efforts déployés pour qu'Hector Moya soit incarcéré à vie auraient été ordonnés par les patrons de Marco au Mexique.

Parmi les autres sujets d'enquête du jury d'accusation, cela d'après le *Times*, il y aurait les relations entre Marco et l'avocate de ce Patrick Sewell qui fut accusé d'avoir agressé Andre au centre de transport du tribunal.

Le Bureau de l'US Marshal concentre essentiellement sa traque de Marco dans le sud du Mexique où, croit-on, il se serait évadé avec l'aide des chefs du cartel qui l'avaient corrompu jadis. Cela étant, je suis sûr qu'il ne sera jamais retrouvé. Hector Moya m'a un jour raconté comment ses ennemis disparaissaient et n'étaient jamais retrouvés. Il y a quinze jours, j'ai reçu d'un inconnu un e-mail dont l'intitulé disait seulement *Saludos Del Fuego*. En l'ouvrant je suis tombé sur une vidéo, et rien d'autre. Longue d'à peine quinze secondes, elle suffirait à remplir toute une vie d'horreur. On y voit un homme pendu à un arbre. De toute évidence, il est mort et a le visage gonflé et sanguinolent d'avoir été battu, et la peau et ses vêtements sont noirs de brûlures par endroits.

Je suis assez sûr que cet homme n'est autre que Marco. J'ai envoyé la vidéo au marshal adjoint qui dirige sa traque. Dès qu'elle sera authentifiée, je m'attends à ce qu'on annonce que Marco est probablement mort, même s'il est assez probable qu'on ne retrouvera jamais son corps.

J'ai effacé cette vidéo de mon ordinateur, mais jamais elle ne s'effacera de ma mémoire. Je ne doute pas qu'elle m'ait été envoyée par Moya, ni non plus qu'il ait ainsi voulu me faire savoir ce qu'il était advenu de Marco. Chaque fois que je pense au destin de cet agent voyou, je me rappelle le soir du mois de juin où, entouré de mon équipe au loft, je levai un verre pour rendre justice à Gloria Dayton et à Earl Briggs. Certaines formes de justice sont plus horribles que d'autres. Mais dans ce cas précis, je pense que justice a été faite et bien faite.

Officiellement, l'assassinat de Gloria Dayton est toujours non résolu : personne n'a été et ne sera en effet jamais reconnu coupable de ce crime. Le souvenir de Glory Days réside aujourd'hui dans la conscience d'une ville alors qu'enfin elle prend place au panthéon des victimes publiques.

En attendant, nettement moins d'attention est portée à Earl Briggs. Son affaire est toujours ouverte et fait l'objet d'enquêtes du jury d'accusation. Mais je le pleure plus encore que Gloria ou n'importe quelle autre personne. Je pense souvent à tous les kilomètres que nous avons parcourus ensemble, à tout ce terrain que nous avons couvert sur les routes et dans la vie.

*

Les voix qu'ils nous font entendre, tels sont les jurés que nous avons tous en nous. Earl Briggs en est un pour moi, et Gloria Dayton aussi. Ils sont là, avec Katie et Sandy, avec ma mère, mon père, et bientôt Legal Siegel. Ceux que j'ai aimés et ceux que j'ai blessés. Ceux qui me bénissent et ceux qui me hantent. Mes dieux du verdict. Jour après jour je continue et les ai avec moi. Jour après jour, devant eux, je me tiens dans le puits de justice et y défends ma cause.

REMERCIEMENTS

Le point de départ de cette histoire a surgi lors d'une discussion avec les producteurs du film La Défense Lincoln, *Tom Rosenberg et Gary Lucchesi. L'auteur leur en sera toujours reconnaissant.*

L'auteur a aussi beaucoup compté sur l'aide de bien d'autres personnes tant dans ses recherches que dans la rédaction de cet ouvrage. En font partie Asya Muchnick, Bill Massey, Daniel Daly, Roger Mills, Dennis Wojciechowski, John Romano, Greg Kehoe, Terril Lee Lankford, Linda Connelly, Alafair Burke, Rick Jackson, Tim Marcia, John Houghton, Jane Davis, Heather Rizzo, Pamela Marshall et Henrik Bastin. À toutes et à tous, un grand, très grand merci.

L'Oiseau des ténèbres
1re publication, 2001
Calmann-Lévy, l'intégrale
MC, 2012
Le Livre de Poche, 2011

Wonderland Avenue
1re publication, 2002
Calmann-Lévy, l'intégrale
MC, 2013

Darling Lilly
1re publication, 2003
Calmann-Lévy, l'intégrale
MC, 2014

Lumière morte
1re publication, 2003
Calmann-Lévy, l'intégrale
MC, 2014

Los Angeles River
1re publication, 2004
Calmann-Lévy, l'intégrale
MC, 2015

Deuil interdit
1re publication, 2005
Calmann-Lévy, l'intégrale
MC, 2016

La Défense Lincoln
Seuil, 2006 ; Points,
n° P1690

Chroniques du crime
Seuil, 2006 ; Points,
n° P1761

Echo Park
Seuil, 2007 ; Points, n° P1935

À genoux
Seuil, 2008 ; Points, n° P2157

Le Verdict du plomb
Seuil, 2009 ; Points,
n° P2397

L'Épouvantail
Seuil, 2010 ; Points,
n° P2623

Les Neuf Dragons
Seuil, 2011 ; Points
n° P2798 ; Point Deux

Volte-Face
Calmann-Lévy, 2012
Le Livre de Poche, 2013

Angle d'attaque
Ouvrage numérique
Calmann-Lévy, 2013

Le Cinquième Témoin
Calmann-Lévy, 2013
Le Livre de Poche, 2014

Intervention suicide
Ouvrage numérique
Calmann-Lévy, 2014

Ceux qui tombent
Calmann-Lévy, 2014
Le Livre de Poche, 2015

Le Coffre oublié
Ouvrage numérique
Calmann-Lévy, 2015

Dans la ville en feu
Calmann-Lévy, 2015
Le Livre de Poche, 2016

*Mulholland,
vue plongeante*
Ouvrage numérique
Calmann-Lévy, 2015

Mariachi Plaza
Ouvrage numérique
Calmann-Lévy, 2016

Le Livre de Poche s'engage pour
l'environnement en réduisant
l'empreinte carbone de ses livres.
Celle de cet exemplaire est de :

650 g éq. CO$_2$

Rendez-vous sur
www.livredepoche-durable.fr

PAPIER À BASE DE
FIBRES CERTIFIÉES

Composition réalisée par Belle Page

Achevé d'imprimer en mars 2017 à Barcelone par
CPI BLACKPRINT
Dépôt légal 1re publication : octobre 2016
Édition 05 - mars 2017
LIBRAIRIE GÉNÉRALE FRANÇAISE – 21, rue du Montparnasse – 75298 Paris Cedex 06

41/3653/9